Le mort du chemin des Arsène

Du même auteur, à la courte échelle

Romans

La lune rouge
La marche du Fou
On finit toujours par payer

Format de poche

La lune rouge
La marche du Fou
On finit toujours par payer

Jean Lemieux

Le mort du chemin des Arsène

la courte échelle

Les éditions de la courte échelle inc.
5243, boul. Saint-Laurent
Montréal (Québec) H2T 1S4
www.courteechelle.com

Direction littéraire:
Julie-Jeanne Roy

Révision:
Lise Duquette

Infographie:
D.SIM.AL

Dépôt légal, 3e trimestre 2009
Bibliothèque nationale du Québec

La courte échelle reconnaît l'aide financière du gouvernement du Canada par l'entremise du Programme d'aide au développement de l'industrie de l'édition pour ses activités d'édition. La courte échelle est aussi inscrite au programme de subvention globale du Conseil des Arts du Canada et reçoit l'appui du gouvernement du Québec par l'intermédiaire de la SODEC.

La courte échelle bénéficie également du Programme de crédit d'impôt pour l'édition de livres – Gestion SODEC – du gouvernement du Québec.

Catalogage avant publication de Bibliothèque et Archives nationales du Québec et Bibliothèque et Archives Canada

Lemieux, Jean

La mort du chemin des Arsène

ISBN 978-2-89651-115-0

I. Titre.

PS8573.E542M67 2009 C843'.54 C2009-941138-5
PS9573.E542M67 2009

Imprimé au Canada

AVERTISSEMENT

Ce roman est une œuvre de fiction.
Toute ressemblance avec des personnes vivantes
ou décédées ne saurait être que coïncidence.

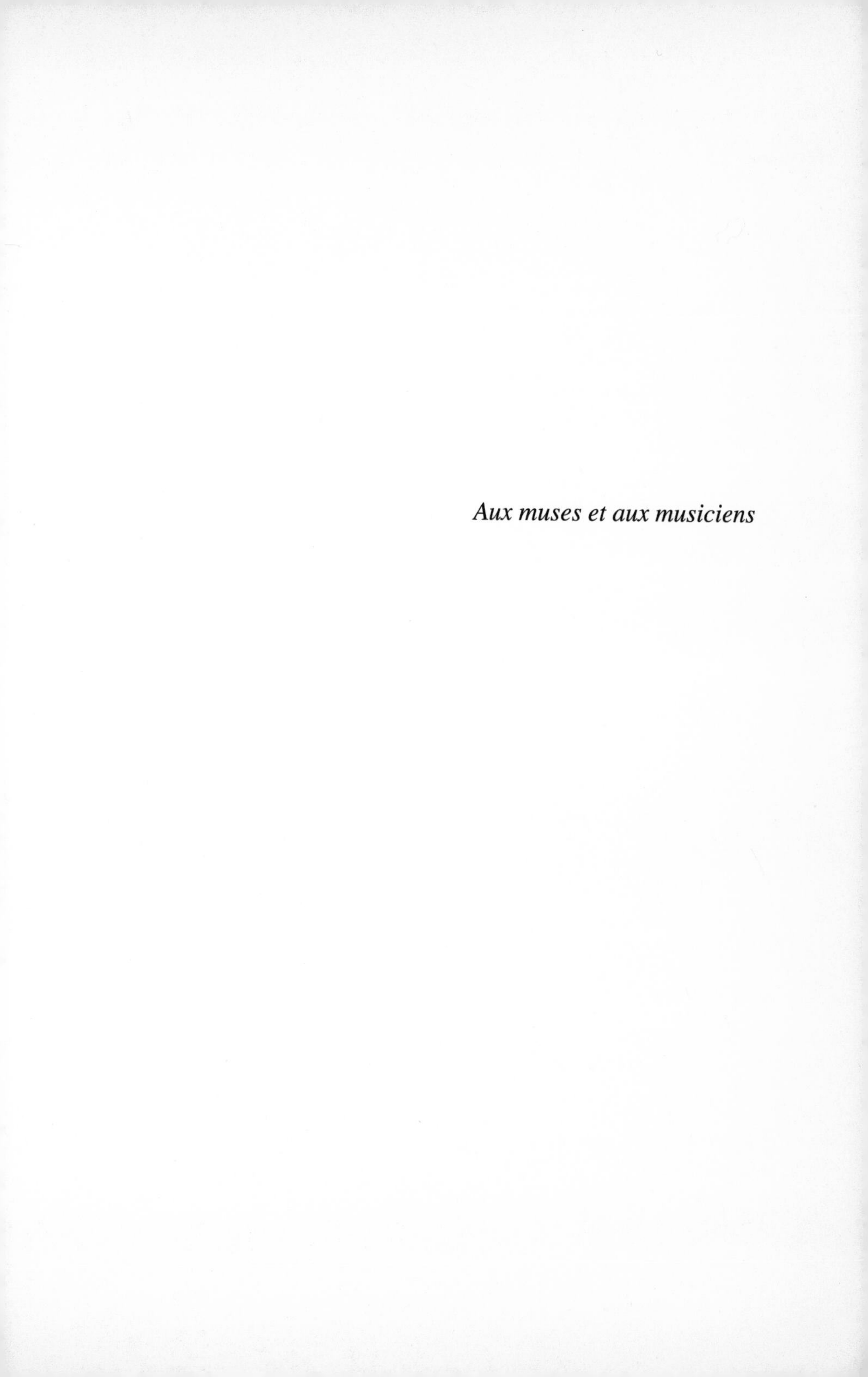

Aux muses et aux musiciens

On étancha le marais, l'oiseau de proie fut capturé,
toutes ailes déployées, le plus doux d'entre nous
assura qu'il le ferait dormir en croix sur la porte

Anne Hébert

La fonction acoustique de l'âme a été étudiée pendant
des siècles et son rôle est très important : la sonorité
du violon peut être altérée par de petits changements
de position, de tension ou de qualité du bois.

Carleen Maley Hutchins

Îles-de-la-Madeleine
Dimanche, 25 août 2002

I

Une ombre sanguine

Il marche dans les feuilles mortes, le long du trottoir. Il aime leur froissement sec dans l'air du soir. Il vente, comme toujours. Les hautes branches des érables s'entrechoquent au-dessus des maisons endormies. La rue est déserte, mais il voit par les fenêtres l'éclat laiteux des écrans de télévision. Face à eux, des ombres vagues, des personnages figés qui ne bougent pas plus que des mannequins dans des vitrines. C'est l'automne. Il fait frais. Ses pieds soulèvent les feuilles, dégagent leur parfum piquant et putride.

Il est heureux.

C'est alors qu'il aperçoit le camion. Il se rappelle soudain, dans une bouffée d'angoisse, qu'il a quitté la maison, le petit cottage en déclin de bois de la rue Riendeau, pour se mettre à la recherche de son père. Masse blanche dans les ténèbres, le camion est immobilisé, légèrement de travers, sous un lampadaire. Sur son flanc, il distingue la silhouette du Chevalier O'Keefe. Le moteur est en marche, la portière gauche est ouverte, comme si le conducteur s'était arrêté pour livrer en vitesse quelques caisses de bière à une épicerie. Mais il n'y a aucun bar, aucune épicerie, aucune taverne dans les environs. Rien, sauf ces petites maisons de bois, sous les arbres nus, dans lesquelles des silhouettes pétrifiées fixent leur téléviseur.

Il accélère le pas. Le camion peut repartir en trombe et le laisser seul dans la nuit. Son père est sûrement dans la cabine, cigarette au bec, notant sa livraison au crayon de plomb dans le carnet taché de cambouis. Il court maintenant, terrorisé à l'idée de le trouver mort d'une crise de cœur, comme l'oncle Jos, affalé sur le volant de sa Lincoln le jour des noces de ses parents.

Il essaie de crier. Sa gorge est trop sèche. De près, le camion est énorme. Il doit grimper sur le marchepied pour découvrir que la cabine est vide. Sur la banquette, il n'y a rien d'autre qu'une casquette aux couleurs de la brasserie.

Le sergent-détective André Surprenant, en nage, ouvrit les yeux et découvrit dans la pénombre du jour naissant le paysage familier de sa chambre. Il allongea le bras vers sa montre-bracelet. Cinq heures douze. Le sommeil, qu'il avait toujours dédaigné en grignotant les nuits par les deux bouts, était devenu un havre inaccessible. Réprimant une colère qui le réveillerait tout à fait, il tenta de retrouver le repos que lui procuraient ses antidépresseurs. Peine perdue. Son cerveau s'était mis en branle, produisant tel un ordinateur détraqué un écheveau d'idées noires et de ruminations.

Le camion. Le cauchemar le poursuivait depuis un mois. Sa psychologue semblait se délecter de sa récurrence, l'encourageant même à plonger dans son rêve, à noter ses impressions, à explorer les méandres d'images, de souvenirs, qu'il éveillait en lui. Il avait déjà neuf ans au moment de la disparition de son père. Pourtant, il ne se souvenait de presque rien, sauf des détectives. Il les revoyait, vêtus de longs manteaux, alors qu'ils interrogeaient sa mère dans le salon. Quelques jours avant le début de la crise d'Octobre 1970, Maurice Surprenant, trente-trois ans, avait abandonné son camion de livraison en marche dans une rue de Saint-Jean et s'était volatilisé.

Le jeune André tendait l'oreille, tapi dans l'escalier. Il comprenait que les policiers demandaient une nouvelle fois à sa mère de leur fournir quelque indice sur les motifs qui avaient pu mener un homme à abandonner son épouse avec deux jeunes enfants. Sa mère s'émouvait, parlait plus fort au milieu de ses larmes. Oui, son Maurice avait la réputation d'un coureur de jupons. Non, il ne l'avait jamais trompée. Non, il ne pouvait pas l'avoir abandonnée. Il avait été tué ou enlevé. Son travail l'amenait à fréquenter les bars. Peut-être avait-il appris quelque chose qu'il n'aurait pas dû savoir ? Elle avait prononcé le mot « mafia ». Les policiers étaient demeurés silencieux. Elle avait enchaîné sur le FLQ, sans plus de succès. À Iberville, chacun savait que Maurice Surprenant ne portait aucun intérêt à la politique en général et à l'indépendance du Québec en particulier. Il votait bleu, c'est-à-dire Union nationale, moins par conviction que pour honorer un grief qu'entretenait sa famille envers les Libéraux depuis la crise de la conscription de 1942.

Les détectives avaient quitté la maison. Sa mère avait suivi avec une douleur inquiète le déroulement de la crise d'Octobre, collant des coupures de journaux dans des *scrapbooks* achetés pour l'occasion. Son Maurice avait été éliminé par le FLQ. Pourquoi ? Elle tirait sur sa cigarette, répandait quelques larmes, haussait les épaules. Il y avait une raison, fatalement. Les semaines, les mois avaient passé. Sans qu'aucun élément vienne jeter un nouvel éclairage sur la disparition, l'épouse abandonnée s'était cramponnée à ses deux hypothèses de la mafia ou du FLQ, lesquelles s'étaient incrustées dans le folklore familial sous des versions confondues. Le jeune André avait éprouvé, en plus du chagrin, un sentiment de honte. Son père avait trempé dans une histoire louche. Il l'avait perdu deux fois, d'abord en personne, ensuite dans l'image qu'il gardait de lui. Un soir de mars 1971, quelques jours après la tempête qui avait enfoui Iberville sous un mètre de neige, les détectives étaient revenus à la maison. Il n'y avait aucune piste. L'affaire avait été classée dans le fourre-tout des disparitions.

Pourquoi était-il hanté par ce rêve ? André Surprenant se tourna sur le dos, appuya sa tête sur son oreiller et se concentra sur sa respiration. Une angoisse sourde lui tenaillait l'estomac. Il porta sa main à sa carotide. Quatre-vingt-seize battements à la minute et il venait de s'éveiller. S'il parvenait à se détendre, à relâcher ses membres, un à un, comme il l'avait lu dans son manuel de relaxation, il retrouverait peut-être le sommeil. Ce serait, en ce dimanche matin, une petite victoire sur l'insomnie terminale dont lui avait parlé son ami omnipraticien Bernard Samoisette.

Dix minutes plus tard, il se résigna à se lever. Il descendit au rez-de-chaussée. Chat sortit de sous l'escalier, s'étira avec délectation et alla se stationner à côté de son bol, d'où il posa sur son maître un regard où affleurait, sous l'indifférence, une certaine curiosité. Qu'est-ce qui, deux mois plus tôt, avait poussé Surprenant à immobiliser sa Cherokee devant ce matou jaune qui gisait, tel un mendiant, dans un chemin isolé de Havre-aux-Maisons ? Il se préparait à déménager à Québec et n'avait jamais recherché la compagnie des animaux. Le chat, plus très jeune, affichait une vilaine plaie au flanc gauche. Surprenant l'avait couché sur le siège du passager, l'avait conduit chez le médecin vétérinaire puis chez lui, où il lui avait administré avec zèle ses antibiotiques. L'animal avait recommencé à manger au bout de quarante-huit heures. Quand il eut pris du mieux, Surprenant avait repoussé de semaine en semaine son projet de le relocaliser chez une connaissance. Désirait-il s'inspirer de ses facultés de récupération ? Le résultat n'était pas concluant. Si Chat prospérait à vue d'œil, Surprenant pataugeait toujours dans la grisaille. Pire, le félin profitait de sa condition de réfugié avec une absence quasi totale de reconnaissance, se contentant de ronronner quand il recevait ses rations et de se coucher à un mètre de son sauveur quand ce dernier s'affalait sur le sofa pour regarder le soccer à la télévision. De cette bouddhique indifférence, le policier avait tiré une leçon : pour se sortir du trou, il ne pouvait compter que sur lui-même.

Tel un toxicomane, il se dirigea vers sa machine à espresso. Le café, pris en quantité raisonnable, gardait la propriété de lui éclaircir les idées. Dehors, le soleil rougeoyait à l'est de l'île d'Entrée. Bientôt il tendrait, comme un paquebot arrivé à quai, une passerelle d'or sur la mer étale. Pour l'instant, il ne servait guère qu'à projeter une ombre sanguine sur le désordre qui régnait dans la maison. Cartons empilés, luminaires décrochés, bibliothèques vides : la maison familiale du chemin de Gros-Cap, rénovée avec amour par Maria, se désossait avant la venue de ses nouveaux propriétaires, un couple de professeurs à la retraite. Dans une semaine, les déménageurs emporteraient tout le fourbi vers Québec, où l'attendait un poste au Bureau des enquêtes criminelles de la Sûreté. Les tableaux de Maria, qu'il avait lui-même enveloppés dans des couvertures, poursuivraient leur route vers Montréal.

Il haussa le volume de la radio, laquelle distillait, vingt-quatre heures par jour, la chaîne culturelle. Il l'avait d'abord fait jouer pour soutenir Chat pendant sa convalescence. Il s'était ensuite rendu compte que cette musique en sourdine ne nuisait pas à son sommeil. Au contraire, elle le rassurait quand il s'éveillait en pleine nuit ou rentrait du travail plus tard qu'il n'aurait fallu.

Il reconnut le *Quatuor américain* de Dvorak. Il prépara son café pendant le premier mouvement et alla s'étendre dans son fauteuil préféré, face à la mer. Depuis le départ de sa femme, il avait renoué avec la musique classique. Mozart le calmait, le nourrissait, lui redonnait le sentiment que la vie gardait un sens malgré ses déboires sentimentaux. Beethoven l'énergisait. Pourquoi ces assemblages de sons, de fréquences l'émouvaient-ils autant ? Il n'aurait su le dire. Il reconnaissait seulement que la musique le touchait davantage depuis que sa débâcle matrimoniale l'avait rendu plus fragile, comme si son âme, dénudée, pouvait maintenant recevoir en clair le message du compositeur.

Il s'était aussi remis au piano, déchiffrant de ses doigts gourds les fugues de Bach qu'il avait apprises à l'adolescence. La beauté et la grâce des enregistrements n'étaient pas au rendez-vous. Il n'était plus juste bon qu'à accompagner des chansons ou à jouer des sonatines. Pour l'instant, l'instrument, chargé de cartons et de sacs en plastique, attendait lui aussi l'arrivée des déménageurs.

Ce matin-là, il écouta tout le quatuor de Dvorak, marina quelque peu dans Bruckner, avala une chocolatine, puis s'installa devant son ordinateur. Le fureteur s'ouvrit sur la page des prévisions météo. C'était bien ce qu'il redoutait. Après plus d'une semaine de temps radieux, le vent allait virer à l'est, avec des probabilités élevées d'orage. Encore une fois, l'été allait se briser, comme un trois-mâts sur un récif, sur la proverbiale tempête de la fin d'août. Quand le vent aurait calmi, le fond de l'air serait déjà plus frais, les jours, plus courts, ce qui, conjugué à l'exode des étudiants et des touristes, précipiterait les Îles dans la nostalgie de l'été envolé.

Sa boîte de messagerie étant vide, il joua à la Dame de pique. Sa vie suspendue dans l'attente du départ ou de la guérison, il gagnait du temps à en perdre. LuckyJoe13, de la Virginie, n'était pas un mauvais bougre, si ce n'était qu'il retardait la partie chaque fois qu'il allait vider sa vessie, ce qui se produisait toutes les six donnes. LuckyJoe13 irait voir son urologue d'ici quelques jours.

Le soleil brillait entre l'île d'Entrée et l'île du Havre-Aubert, le 23e Concerto pour piano du cher Amadeus jouait, Surprenant buvait sa quatrième tasse de café quand, à sept heures trente-deux, la sonnerie du téléphone fit se dresser les oreilles de Chat.

C'était Marchessault. On avait trouvé le cadavre d'un homme dans le salon de sa maison du chemin des Arsène, à L'Étang-du-Nord.

— Mort naturelle ? s'informa Surprenant en sentant son pouls s'accélérer.

— Avoir un trou d'un demi-pouce dans la poitrine, je dirais pas que c'est naturel.

2

Un appel à Mad Dog

Dix minutes plus tard, Surprenant sautait dans son Cherokee et empruntait le chemin des Gaudet en direction de L'Étang-du-Nord. L'appel de son subalterne lui inspirait des sentiments contradictoires. D'un côté, il était excité par la survenue d'une enquête sérieuse; d'un autre, il regrettait que les premières constatations de ses hommes, une arme sur les cuisses du mort, une maison fermée de l'intérieur, évoquent un suicide. Au cours de sa carrière, il avait trop souvent remué les cendres de ces redditions intimes. Gazés, pendus, intoxiqués, ses suicidés, des hommes pour la plupart, lui avaient tous inspiré les mêmes sentiments: une pitié dédaigneuse, mêlée à une colère qu'il ne se sentait pas en droit d'exprimer. Ces êtres s'étaient enfermés dans un donjon plutôt que de vivre avec les humains. Bien sûr ils avaient souffert: d'une peine d'amour, d'une maladie mentale, d'une douleur chronique. Mais qui ne souffrait pas? Pourquoi avaient-ils choisi, entre toutes les solutions, celle qui était à la fois la plus stérile et la plus traumatisante pour leurs proches ?

En ce petit matin d'août, ce naufrage annoncé lui inspirait des émotions différentes : après avoir lui-même raclé le fond du baril au cours des derniers mois, Surprenant comprenait davantage ce qui pouvait pousser un humain à tirer sa révérence. En lui, la pitié et la colère se teintaient d'un troisième sentiment : l'angoisse. Le suicidé du chemin des Arsène avait fait un geste qui ne lui paraissait plus si absurde. Il avait simplement, par un petit mouvement de son index, mis fin à des tourments dont il avait expérimenté in vivo le travail de sape.

Il n'avait pas atteint la route 199 qu'il rappelait Marchessault.

— J'ai oublié le principal. L'homme avec un trou d'un demi-pouce dans la poitrine, c'est qui ?

— Un dénommé Romain Leblanc.

— Le musicien ?

— Ça se pourrait. Le salon est plein d'instruments. Tu le connaissais ?

Surprenant raccrocha sans répondre, consterné. Si le mort était bien celui qu'il croyait — ce qui, vu la rareté du prénom, était probable —, les Îles-de-la-Madeleine allaient vivre un deuil national. Romain Leblanc, violoneux, auteur-compositeur, n'était pas seulement le plus connu des musiciens madelinots, il était vénéré. Surprenant lui-même, bien qu'il ne l'ait vu sur scène qu'une seule fois, éprouvait un sentiment de perte à l'idée qu'il soit mort.

En tant que sergent responsable de l'escouade locale de la SQ, il avait une autre raison d'être consterné. Pierre Marchessault, son agent le plus aguerri, était en poste à Cap-aux-Meules depuis quatre ans. Que le nom de Romain Leblanc ne lui sonne pas une cloche en disait long sur son intégration à la vie des insulaires. En cela, il n'était pas plus ignare que ses collègues. Entre leur bungalow loué et le travail, entre la télévision par satellite et les soupers avec des collègues, ils évoluaient dans le monde clos des gens *d'en dehors*. Leur isolement répondait aux vœux des instances de la Sûreté qui, dans la paranoïa propre aux corps policiers, craignait qu'une trop grande familiarité entre ses agents et les populations civiles ne mène à du laxisme. Par ailleurs, il leur était plus facile de contrôler des individus claquemurés dans des ghettos que des hommes intégrés dans des communautés.

Surprenant secoua la tête. Décidément, ses idées tendaient vers le noir. Il passa devant l'église en bois de Lavernière, luisante sous le soleil neuf, et continua vers L'Étang-du-Nord. Il baissa la vitre de sa portière et laissa pendre son bras à l'extérieur. L'air, déjà tiède, semblait annoncer une belle journée. N'eût été cette histoire, il aurait pu aller marcher, seul sur la plage, question de faire ses adieux aux Îles. Mais pouvait-il leur dire véritablement adieu ? À quelques jours de son départ, il n'était plus sûr d'avoir fait le bon choix en demandant un transfert.

Romain Leblanc. Surprenant fouilla ses souvenirs. Il l'avait vu en spectacle l'été précédent, au Lasso. Il s'y était présenté à reculons, avec la louable intention d'initier son frère Jacques, grand amateur de country, à la culture locale. La performance de Leblanc l'avait impressionné. Sa musique n'avait rien à voir avec les ballades convenues et les reels aseptisés des CD qui ornaient les tablettes des dépanneurs de l'archipel. Bien qu'influencé par la chanson populaire, Leblanc était avant tout un folkloriste. À la fin de la soirée, quand il avait délaissé son répertoire pour improviser au violon, Surprenant avait été subjugué. S'il ne possédait pas la virtuosité polie d'un concertiste, Romain Leblanc, violoneux autodidacte, rayonnait d'un génie sauvage. Debout sur scène, le front haut, le nez busqué, son abondante chevelure noire rejetée vers l'arrière, sa botte de cow-boy gauche pointée vers l'avant, il ressemblait à un toréador. Il affrontait le violon, instrument diabolique par excellence, et surtout cet étroit manche d'ébène sur lequel ses doigts caracolaient périlleusement. À la fin, l'auditoire, majoritairement composé de Madelinots, s'était soulevé. Romain Leblanc, le dompteur de violon, était leur champion. Il l'était d'autant plus qu'il vivait parmi eux, ayant renoncé pour des raisons inconnues de Surprenant à faire carrière *à l'extérieur*.

À L'Étang-du-Nord, au lieu de continuer vers le port, Surprenant tourna à droite sur le chemin de Fatima. *En dehors… À l'extérieur…* Il était étrange que les Îles-de-la-Madeleine, boutons de sable battus par les vents de l'Atlantique, soient l'intérieur de quelque chose. Pourtant, il ne pouvait nier qu'il avait l'impression, depuis trois ans, de vivre dans une bulle. Une bulle que, semblait-il, Romain Leblanc n'avait pu quitter qu'en s'envoyant une balle entre l'estomac et le menton.

Du pouce, Surprenant composa un numéro sur son portable.

— ALLO ! tonna une voix irritée.

— Lieutenant Dépelteau ? Désolé de vous réveiller. Selon toute apparence, nous avons un suicide sur les bras.

Hubert Dépelteau, quarante-neuf ans, avait pris la direction du poste des Îles-de-la-Madeleine huit mois plus tôt, à la suite du départ à la retraite précipité du lieutenant Roger Asselin. Une demi-heure après son entrée en fonction, tandis que sa secrétaire s'affairait à décrocher les photographies de pétrels et de macareux laissées par son prédécesseur, il avait convoqué Surprenant dans son bureau.

Le sergent avait trouvé, sanglé dans un uniforme impeccable, un homme râblé, courtaud, rougeaud, moustachu, aux cheveux blancs coupés en brosse. L'œil était sagace, la poignée de main, quasi brutale. L'ensemble lui avait rappelé, des profondeurs de son enfance, un lutteur spécialisé dans les rôles de méchants.

Après les politesses d'usage, Dépelteau était entré dans le vif du sujet :

— Surprenant, je sais tout.

— Tout quoi ?

— Tout sur la façon dont vous avez doublé l'enquêteur du BEC de Rimouski et provoqué le départ de ce pauvre Roger. Le lieutenant Asselin était, vous le savez aussi bien que moi, sur la pente descendante. Ce n'est pas mon cas. Pour être franc avec vous, je débarque ici avec la directive de vous avoir à l'œil. On m'a dit que vous aviez eu une promotion. Pour ma part, je prends ma retraite dans exactement… (il tira un ordinateur de poche d'une mallette portant ses initiales) un an, deux mois et dix-huit jours. Contrairement à Roger Asselin, je veux quitter la Sûreté par la grande porte, sans une tache à mon dossier. Nous avons donc intérêt à nous entendre.

— Vous pouvez compter sur moi, lieutenant.

Le lendemain, Surprenant avait réussi à retrouver le nom du sosie de son supérieur. C'était indéniable :

Hubert Dépelteau ressemblait, en blanc et sans la barbe, à Maurice « Mad Dog » Vachon. Le sobriquet de Mad Dog lui était resté, moins pour la similitude de leurs traits que pour la rigueur tatillonne de son régime. La conception qu'avait Hubert Dépelteau de l'entente et de l'ordre dans un service de police passait par la production d'une quantité effarante de rapports, qu'il lisait tous, du matin au soir, en se sustentant de thé vert et de graines de tournesol. Entre les périodes de lecture, Mad Dog convoquait ses hommes, un à un, pour leur signaler leurs fautes de français et, accessoirement, les interroger sur les affaires courantes et la vie du service. Ces rencontres prenant parfois une tournure intime, voire indiscrète, le bureau du lieutenant Hubert Dépelteau était devenu « le confessionnal ».

Surprenant avait vite compris que son supérieur, autant par les rapports que par les séances d'inquisition, cherchait avant tout à *savoir*. Corollaire : sa plus grande crainte était d'*ignorer*. En conséquence, il le tenait au courant de tout ce qu'il faisait, d'une façon fastidieuse qui aurait fait tiquer tout un chacun mais qui emplissait Mad Dog d'un sentiment d'importance qui se traduisait, physiquement, par un redressement de sa moustache. Par ailleurs, l'homme, bien que partisan des Maple Leafs de Toronto, n'était pas dépourvu de qualités. Il avait lu Balzac et Zola, faisait une honnête sauce à spaghetti et couvait, dans l'appartement qu'il avait loué à quinze minutes de marche du poste, une collection de bonsaïs. Certains le soupçonnaient de commencer à présenter des problèmes d'audition, ce qui expliquait la distance que maintenait Surprenant entre son portable et son oreille gauche, ce dimanche, alors qu'il attendait la réponse de son supérieur.

— UN SUICIDE ! s'écria Dépelteau, maintenant tout à fait éveillé.

— J'ai tenu à vous appeler tout de suite, évidemment. Je suis en route vers L'Étang-du-Nord.

— C'est un suicide *propre*, au moins ?

— Vous entendez par là un suicide qui ne prête pas à confusion ? Ou un suicide qui ne cause pas de dégâts ?

— Ne joue pas à l'idiot, André ! Un suicide qui ne nous amènerait pas, par exemple, à faire appel au Bureau des enquêtes criminelles de Rimouski.

L'une des particularités des usages du lieutenant Dépelteau était qu'il tutoyait tout le monde mais exigeait d'être vouvoyé.

— Un musicien dans une maison aux portes verrouillées, une carabine à proximité... Je dirais que ça m'apparaît, jusqu'ici, raisonnablement « propre ».

— Tiens-moi au courant s'il y a le moindre doute. Sans délai !

Surprenant fournit à son supérieur l'adresse du chemin des Arsène et raccrocha. Il calcula qu'il disposait d'une vingtaine de minutes avant que Mad Dog le relance sur les circonstances du décès. S'il avait été Dépelteau, il aurait ajouté qu'exactement six jours et onze minutes le séparaient du moment où le traversier qui l'emporterait sur le continent quitterait le port de Cap-aux-Meules.

3

Chemin des Arsène

Entre les villages de L'Étang-du-Nord et de Fatima s'étendait, mal circonscrit, le canton de Sur-les-Caps. Le lieu devait son nom aux falaises de grès qui supportaient l'assaut des grandes lames venues du chenal laurentien. Coincé entre des buttes arrondies et la mer, semé de quelques épinettes rabougries, le plateau herbeux n'offrait rien de la douceur des paysages de la côte sud. On y vivait face au nord, face aux vents, face aux glaces, dans de petites maisons pastel sans fioritures. En ce matin d'été, le paysage était charmant. Par un soir venteux de février, il n'avait rien d'invitant.

Peu après le phare, Surprenant s'engagea dans le chemin des Arsène, une étroite allée asphaltée qui montait vers les buttes. Il observa le voisinage. Si personne n'était dehors, aucun store n'était baissé. Les yeux des habitants de Sur-les-Caps, en ce dimanche matin, n'étaient pas tournés comme leurs maisons vers le nord et les caps tout proches, mais vers un cottage à pignons mauve devant lequel étaient garées, près d'un pick-up Toyota et d'une fourgonnette Dodge Caravan, non pas une, mais bien deux voitures de police.

Du coffre de l'une d'elles, Geneviève Savoie tirait les rubans destinés à établir un périmètre de sécurité. Main en visière pour se protéger du soleil, Surprenant s'approcha.

— Je croyais que tu étais en congé aujourd'hui, dit-il d'un ton désapprobateur.

— Je vois que tu es toujours au courant de mon horaire. Bonenfant prétend qu'il a la grippe. Marchessault m'a fait appeler. Il croyait sans doute me faire plaisir.

— Il se trompait ?

À trente et un ans, Geneviève Savoie possédait, outre un corps d'athlète, un visage aux traits harmonieux, à la fois réfléchi et volontaire, qui s'animait parfois sous de brefs accès de colère.

— Oh, André ! Est-ce qu'on ne pourrait pas parler normalement, pour une fois ?

Désarçonné, Surprenant demanda, plutôt mal à propos, ce qu'elle entendait par normalement. Savoie le regarda droit dans les yeux.

— Parle-moi comme à une subordonnée avec qui tu n'aurais pas eu une aventure.

Tandis qu'il résistait à la tentation de protester, André Surprenant prit conscience d'une constante de sa vie amoureuse : placide et introverti, il s'attachait à des femmes dont les éclats le déstabilisaient, pour le meilleur ou pour le pire. Ce que Geneviève et lui avaient vécu pouvait-il être qualifié d'aventure ? De son point de vue à elle, peut-être. Du sien, certainement pas. Pendant qu'elle esquivait ses avances d'homme marié, il avait sincèrement cru qu'il était épris d'elle, ce qui avait contribué à l'éclatement de son couple. Au printemps, quand il s'était trouvé libre, ils s'étaient fréquentés pendant un mois, jusqu'au matin où, étouffé par l'ambivalence et le remords, il lui avait annoncé qu'il avait besoin de réfléchir pendant quelque temps.

— Quand tu t'es pointé, je t'ai pourtant dit que c'était trop tôt ! avait ragé Geneviève.

— Dans quelques mois, quand j'irai mieux, les conditions seront plus favorables.

— Tu ne sauras jamais ce que tu veux, André.

Il avait rapaillé son rasoir, sa crème à barbe, sa brosse à dents, les quelques vêtements de rechange qu'elle avait rangés précieusement sur une tablette de sa vieille commode en pin, avait fourré le tout dans un sac-poubelle et s'en était retourné dans sa tanière de Gros-Cap. Depuis ce jour, leurs relations étaient strictement professionnelles, bien qu'il leur arrivât, de loin en loin, de prendre un café au casse-croûte Chez Rosaline, brefs moments d'intimité pendant lesquels elle s'informait, sur un ton amical et quelque peu sceptique, du progrès de sa thérapie.

Pendant que Geneviève refermait bruyamment le coffre de l'auto-patrouille, il considéra que l'usage du mot « aventure » constituait une forme de provocation rassurante : elle éprouvait toujours quelque chose à son égard. L'horizon, de ce côté, n'était pas bouché. Il avait néanmoins d'autres chats à fouetter. L'agente, peu portée aux épanchements, semblait au bord des larmes.

— Qu'est-ce qu'il y a, Geneviève ?

— Excuse-moi… C'est cette femme qui me bouleverse.

— Quelle femme ?

— Marchessault ne t'a rien dit ? s'exclama la policière. Le gars a été découvert par sa femme !

— Jusqu'ici, ça n'a rien de très étonnant.

— Ils ne vivaient plus ensemble !

Surprenant montait déjà les marches qui menaient à la galerie qui enserrait de deux côtés la maison. Fenêtres pourries, coiffages boursouflés, bardeaux dénudés : de près, le joli cottage mauve montrait des signes de négligence. Sous la sonnette, une plaque écaillée affichait le nom de Maurice Leblanc. « Un autre Maurice... », songea Surprenant en pensant au rêve du camion. Un carreau de la porte avait été fracassé. Dès qu'il poussa le battant, le sergent fut accueilli par une odeur de nourriture.

Au-delà d'un minuscule hall d'entrée doté d'une patère en chêne, un escalier menait à l'étage. L'odeur, de toute évidence, provenait de la cuisine, située sur la droite. Surprenant n'eut qu'à tourner la tête vers la gauche pour découvrir, dans un salon lambrissé à l'ancienne, l'agent Pierre Marchessault. Dans la pénombre rosée créée par des rideaux cramoisis, au milieu d'un assemblage d'instruments qui donnait à la pièce des allures de studio d'enregistrement, il gardait le cadavre, dont les pieds chaussés de baskets dépassaient du sofa. Aucun doute n'était possible quant à son identité. La nuque appuyée sur un oreiller, crinière et mâchoire pendantes, les yeux fermés comme un gisant, un trou ensanglanté perçant le troisième T de l'inscription ATTENTION FRAG'ÎLES qui ornait son t-shirt, Romain Leblanc n'avait plus rien d'un violoneux, encore moins d'un toréador.

Une carabine de calibre 22 était posée en travers de ses cuisses.

— Où est Tremblay ? demanda Surprenant.

— À l'arrière de la maison, avec l'épouse.

La quarantaine bien entamée, Pierre Marchessault, dit « le Vieux », détonnait parmi les jeunots qui formaient l'escouade. Divorcé, guéri de tout espoir de promotion, assumant tant bien que mal ce que des médecins experts avaient appelé un éthylisme intermittent, il attendait son départ à la retraite.

— Vous n'avez touché à rien ?

— NOUS n'avons touché à rien, précisa Marchessault. Par contre, Mme Leblanc a pris le corps dans ses bras et l'a secoué comme une poupée.

— Vous n'avez pas pu l'empêcher ?

— On était un peu émus, quand même ! La carabine est tombée par terre, mais nous l'avons remise à l'endroit où nous l'avons vue en entrant.

Le cadavre reposait sur un sofa d'un beige indéfini. Le meuble ne portait aucune trace de sang. Surprenant enfila des gants de latex et s'accroupit devant le corps.

— Dis-moi tout ce que tu sais, ordonna-t-il à son agent.

Marchessault sortit un calepin spiralé.

— Marjolaine Vigneau, l'épouse de monsieur, s'est pointée ici vers sept heures dix. Elle a frappé sans obtenir de réponse, puis s'est heurtée à des portes closes. Le défunt, paraît-il, ne verrouillait jamais ses portes.

— Comme tout bon Madelinot, observa Surprenant.

— Autre fait inhabituel : les rideaux étaient tirés. Madame a quand même pu voir son mari, qui semblait dormir sur le sofa. Quand elle a aperçu la carabine, elle a paniqué et a composé le 911 à l'aide de son portable.

Surprenant se retourna : les rideaux bâillaient légèrement devant la fenêtre de côté, donnant vue sur le cadavre.

— Connais-tu la teneur exacte de l'appel de madame au 911 ?

— Je sais ce que j'ai moi-même reçu du 911. « Une dame croit que son mari a été tué. » Suivi de l'adresse et du numéro de portable.

— Quelle heure ?

— Sept heures quinze.

— En trouvant la maison fermée et une carabine sur le corps de son mari inanimé, madame a donc pensé à un homicide plutôt qu'à un suicide ?

— On dirait.

— Geneviève m'a dit que Mme Vigneau n'habitait plus avec son mari.

— Ils étaient séparés depuis le printemps.

— Pourquoi a-t-elle débarqué ici à sept heures du matin ?

— Elle a eu une intuition. Elle s'est réveillée en panique, chez elle, à Havre-aux-Maisons, en proie à un cauchemar où elle voyait son mari se noyer. Elle s'est précipitée ici, persuadée qu'il lui était arrivé quelque chose.

— Tu la crois ?

Marchessault, avec un scepticisme de vieux policier, murmura que non. Comme mû par un regret, il nuança :

— On a tous entendu parler de phénomènes de ce genre. Mais ce n'est pas le premier argument à proposer à un jury.

— Qui a brisé le carreau de la porte d'entrée ?

— C'est moi. Il fallait entrer. La porte était verrouillée par un loquet. Je n'ai eu qu'à tourner.

— As-tu appliqué un black-out ?

La question sembla décontenancer Marchessault.

— La dame a passé un ou deux appels… Elle voulait avertir sa famille.

Surprenant secoua la tête en signe de dépit, puis examina le corps de plus près. Le bras droit, celui qui avait manié l'archet, était froid, mais pliait assez librement. La balle était entrée quelques centimètres à la gauche du sternum.

— En plein cœur. La mort a dû être instantanée. Il n'y a pas encore beaucoup de rigidité, la mort doit remonter à trois ou quatre heures.

Les bords de la plaie montraient peu de traces de poudre. À partir de la position du corps et du fusil, des résidus sur les vêtements du musicien, d'un possible point de sortie dans la région dorsale, les experts en balistique pourraient reconstituer la trajectoire avec assez de précision.

— Prends des photos et ne touche à rien, ordonna Surprenant en remettant le bras dans la position où il l'avait trouvé.

— Quelle connerie ! grommela Marchessault en se malaxant le lobe d'oreille gauche.

— Qu'est-ce que ça sent ici ? s'informa Surprenant.

— Il y a une moitié de pâté à la viande sur la cuisinière, dit Marchessault. Encore plus drôle : le four était allumé quand nous sommes arrivés. Je l'ai éteint, on était en train de cuire nous aussi, d'autant plus que toutes les fenêtres étaient fermées.

— Tu es certain ?

— J'ai vérifié : les portes et les fenêtres sont toutes verrouillées de l'intérieur. Il y a une entrée de cave à l'arrière, mais elle a l'air condamnée.

— Autre chose ?

— Un flacon de médicaments sur la table. Je ne sais pas si le gars en a pris cette nuit. En tout cas, il est presque vide.

Surprenant souleva précautionneusement le flacon. « Lorazépam 1 mg toutes les quatre heures si anxiété ou insomnie.» Des vingt comprimés servis huit jours auparavant, il n'en restait que deux. Les possibilités étaient multiples: Romain Leblanc pouvait s'être senti particulièrement angoissé dans les jours précédents ou avoir avalé une bonne partie de ses médicaments avant de poser le geste fatal.

Surprenant se rendit dans la cuisine. Avec son comptoir bas, ses armoires de mélamine défraîchie, son prélart fatigué, ses appareils ménagers démodés, elle donnait, comme l'ensemble de la maison, une impression de pauvreté et de laisser-aller. Bien en vue sur la cuisinière, un pâté légèrement calciné répandait, dominant la fade odeur de la mort, de lourds effluves de bœuf et d'épices parmi lesquelles Surprenant discerna, immanquable, le clou de girofle.

— Pourquoi un gars qui va se tirer une balle dans la poitrine se ferait-il cuire un pâté? demanda-t-il à voix haute.

— Le repas du condamné? hasarda Marchessault.

Surprenant retourna dans le salon. Autour d'un harmonium, il dénombra deux guitares, une mandoline, un clavier électronique, un violon et plusieurs harmonicas. Une myriade de fils entremêlés sur le plancher reliaient les instruments à une console de mixage et à un amplificateur. Une table basse supportait, outre le flacon de lorazépam, un cendrier rempli de mégots, des bouteilles de bière vides et des feuilles semées de capitales séparées par des barres transversales. Il examina celle du dessus. D'une écriture sinueuse, presque enfantine, quelqu'un avait écrit:

3/4

LA MAISON DE L'ANSE

G / % / Em / Bm / C / % / A / D

André Surprenant avait assez déchiffré de partitions de chansons pour savoir qu'il s'agissait d'une suite d'accords notée selon le système anglais. Le policier s'approcha du violon, intrigué par sa grosseur: c'était un alto. Il se remémora le spectacle de l'année précédente: Romain Leblanc avait utilisé, ce soir-là, un violon d'un brun presque roux, qu'il manipulait avec le plus grand soin. L'instrument n'était pas dans la pièce.

Il regarda de nouveau le cadavre, en proie à un malaise qu'il ne pouvait définir.

— Pierre, je ne suis pas sûr que ce gars-là se soit suicidé.

Marchessault soupira, avant d'articuler, toujours en se triturant le lobe gauche:

— Tu as raison. C'est trop propre. On aurait voulu simuler un suicide qu'on ne s'y serait pas pris autrement.

— Les Madelinots ne verrouillent pas leurs portes, même avant de se tirer une balle.

— Surtout en plein mois d'août.

— La carabine était posée où ?

— À l'endroit précis où elle est maintenant, je peux le jurer.

— Jusqu'à preuve du contraire, je considère que c'est un meurtre.

— C'est toi le patron.

Le portable de Surprenant égrena le thème de *How High the Moon*. L'écran affichait huit heures huit et le nom de Dépelteau.

— Malheureusement, ce n'est pas moi, déplora Surprenant avant de répondre.

Mad Dog accueillit les soupçons de son sergent-détective par un silence qui dura bien dix secondes, au bout duquel il se contenta de grogner: « J'appelle Rimouski et j'arrive. Je veux une scène de crime IM-PEC-CA-BLE, André ! »

Surprenant raccrocha. Trouverait-il à Québec des patrons moins paranoïaques ? Il n'en était pas certain. Il regarda autour de lui. Romain Leblanc, le dompteur de violon, gisait sur le sofa, paisible, à côté de ses instruments. L'automne précédent, face à sa première victime de meurtre, une jeune fille de dix-neuf ans, Surprenant avait ressenti un dégoût violent. Le cadavre du chemin des Arsène ne suscitait pas en lui une émotion aussi forte. Était-ce parce que la victime, à quarante ans passé, avait déjà eu le temps de profiter de la vie ? Parce que c'était un homme ? Devant le cadavre de Romain Leblanc, Surprenant devait admettre qu'il ne regrettait pas tant la mort de l'homme que celle de l'artiste.

Saisissant la feuille intitulée *La maison de l'anse*, il s'installa à l'harmonium. Deux mesures en *sol, mi* mineur, *si* mineur… Portés par la soufflerie poussive, les accords, grinçants, funèbres, emplirent la maison.

Surprenant s'arrêta. Jouer, ganté, une suite d'accords composée par un mort lui paraissait un manque de respect, non pas envers l'homme, encore une fois, mais envers le musicien. Il eut le sentiment que cette affaire, s'il s'agissait bien d'un meurtre, poserait avant tout la question du mobile.

Il fallait de bonnes raisons pour tuer un humain. Il en fallait de meilleures pour tuer un violoneux.

4

La veuve

— Je vais interroger Mme Leblanc, annonça Surprenant.

Il trouva son témoin à l'arrière de la maison, en compagnie de l'agent Alexis Tremblay, dont la mine boudeuse signalait qu'il brûlait de participer plus activement à l'enquête. Surprenant lui fit signe de rejoindre Marchessault à l'intérieur.

Assise sur le perron, près du marchepied qui donnait accès à la corde à linge, Marjolaine Vigneau fumait une cigarette. À en juger par la couleur de son index gauche, ce n'était pas sa première.

— Vous permettez ? demanda-t-il en s'assoyant à ses côtés.

— Faites comme chez vous.

La voix rauque de Marjolaine Vigneau contrastait avec un corps menu. S'il était réservé, son ton n'était pas hostile. Surprenant posa ses fesses sur les planches humides de rosée, conscient que sa technique d'interrogatoire n'avait rien de classique.

La femme fumait en silence, rongeait anxieusement ses ongles. Surprenant la jaugea en vitesse. Ses cuisses, minces, étaient moulées dans un jean à taille basse. Une de ses oreilles était ornée d'un diamant solitaire. Ses yeux, d'un vert saisissant mais déjà cernés de rides, fixaient le foin qui ondulait dans le champ voisin. Marjolaine Vigneau était une belle femme qui ne voulait pas vieillir.

— Madame, je dois vous poser des questions désagréables.

— Faites votre travail.

Un bref instant, le policier eut envie de lui dire qu'il savait ce qu'elle ressentait et de faire un parallèle avec sa propre situation. Il se ravisa à temps.

— Si vous voulez, nous allons reprendre le fil des événements depuis hier soir.

La veille, Marjolaine Vigneau était allée voir un groupe de blues dans un bar de Havre-aux-Maisons. Elle était revenue chez elle vers une heure du matin, pour découvrir que son fils Jonathan, âgé de seize ans, n'était pas rentré. Inquiète, elle ne s'était pas endormie avant que celui-ci l'appelle, vers deux heures, pour lui annoncer qu'il couchait chez son ami Samuel.

— Vous ne deviez pas être enchantée de son retard.

— Vous avez des ados ? J'étais heureuse de savoir qu'il était tout d'un morceau quelque part. Je l'ai sermonné, puis je me suis couchée la tête à peu près tranquille.

— Pourquoi « à peu près » ?

La femme posa sur Surprenant un regard fatigué.

— Depuis que son père est parti, ce n'est plus le Jonathan que je connais.

— Ensuite ?

— Ensuite, j'ai mal dormi. J'ai fait ce cauchemar et je me suis réveillée en criant.

— Parlez-moi de ce cauchemar.

— En quoi mes rêves peuvent-ils vous aider à trouver celui qui a tiré sur Romain ?

— Vous semblez sûre qu'il ne s'est pas suicidé.

— Tous ceux qui l'ont connu vous le diront : Romain n'était pas le genre d'homme à se tuer. À la limite, il aurait pu tuer quelqu'un, mais jamais il ne se serait suicidé. Il était beaucoup trop égoïste pour cela.

— Le suicide est justement un acte égoïste.

— Vous ne comprenez pas ! C'était un homme qui pensait d'abord à son plaisir et à ses intérêts. La culpabilité, ce n'était pas son fort.

Ces constats peu flatteurs pour le défunt avaient été prononcés d'une voix où ne perçaient ni agressivité ni amertume. Bien que délaissée, Marjolaine Vigneau semblait avoir accepté les travers de son mari avec un fatalisme qui laissait deviner à la fois la profondeur de l'amour qu'elle lui avait voué et la futilité de ses efforts pour le réformer.

— Racontez-moi ce cauchemar, si vous voulez bien.

— Vous croyez vraiment que c'est utile ?

— Dans ce genre d'enquête, rien n'est sans intérêt. Vos rêves peuvent m'éclairer, par exemple, sur la relation que vous entreteniez avec votre mari.

Marjolaine Vigneau examina Surprenant d'un air dubitatif.

— J'étais sur l'eau. Romain se tenait debout sur la cabine d'un bateau qui coulait. Il me regardait sans crier au secours. Sans même dire un mot, en fait. Ce n'était pas surprenant : il n'avait plus de bouche.

— Plus de bouche ?

— La face comme une fesse. J'imagine que vous en savez beaucoup plus sur mon couple, maintenant...

— Pourquoi vous êtes-vous séparés, ce printemps ? demanda Surprenant sans se démonter.

Marjolaine Vigneau écrasa sa cigarette, poussa un dernier jet de fumée vers le ciel.

— Pour commencer, il y a eu l'héritage. Mon beau-père est mort du cœur, subitement, au mois de mai. Il a laissé sa maison et toutes ses terres à Romain. Ça l'a viré bout pour bout. Il s'est mis à passer de plus en plus de temps ici. D'abord, c'était pour vider la maison, ensuite pour ranger ses outils, puis pour travailler son violon. Il déménageait par les petits*. Je le laissais faire, je croyais que c'était l'effet du deuil.

— Votre mari était-il proche de son père ?

— Pas *en toutte* ! Ils se parlaient deux fois par année, le plus souvent pour se lancer des bêtises !

— Il avait des frères et sœurs ?

— Romain avait son frère Eudore. Mais c'était comme s'il était fils unique.

— Expliquez-moi.

— Vous n'aurez pas de misère à trouver des gens qui vous diront du mal d'Eudore. C'est vrai qu'il aime fêter, qu'il fume du pot et qu'il n'a pas inventé la vaillantise. Mais ce n'est pas un mauvais gars. Je me suis toujours bien entendue avec lui. Ça n'empêche pas que, Romain et lui, c'était le feu et l'eau.

— Pour résumer, votre beau-père ne s'entendait avec aucun de ses deux fils. Pourquoi a-t-il déshérité Eudore pour tout donner à Romain ?

Marjolaine Vigneau haussa les épaules.

* Petit à petit.

— Ça avait rapport avec le violon. Le vieux Maurice aimait la musique. Romain, c'était sa fierté, même si le diable était souvent pris entre les deux.

Surprenant se leva et examina la maison. Le cottage, malgré son intérêt patrimonial, ne valait pas une fortune.

— Vous avez parlé *des* terres de votre beau-père. Il y en avait beaucoup ?

— Maurice était gratteux. Pire que gratteux, un avare. Sa passion, c'était d'acheter des terrains. J'oserais dire qu'il possédait la moitié de tout ce qui se trouve entre ici et la Butte du Vent, sans compter le reste.

— Tantôt, vous avez dit : « D'abord, il y a eu l'héritage. » Qu'est-ce qu'il y a eu ensuite ?

— L'accordéoniste à pitons, évidemment.

— L'accordéoniste à pitons ? demanda-t-il en sortant son carnet.

— Esther McKenzie. Une floune* de Joliette qui est débarquée en juin avec son accordéon à pitons. Elle a gaffé Romain. C'est pour elle qu'il m'a quittée. Malgré tout, je n'étais pas très inquiète. Une fois l'été fini, il se serait fatigué d'elle, comme des autres, et il serait revenu à la maison.

— Cette dame habite où ?

— Elle a loué une chambre au Grand-Ruisseau. Quand elle a mis le grappin sur Romain, il s'est installé ici et ils étaient ensemble la plupart du temps.

Surprenant nota le nom de la musicienne et revint sur les circonstances entourant la découverte du corps.

— Vous disiez que c'est votre cauchemar qui vous a amenée ici ?

---

* Féminin de flo : fillette, jeune fille.

— Ce n'est pas le rêve lui-même, c'est comment je me sentais *après*. J'étais angoissée, j'avais le sentiment qu'il s'était passé quelque chose. J'ai été voir si ma fille dormait bien. J'ai appelé chez l'ami de Jonathan: tout allait de ce côté. Alors j'ai pensé que ça devait concerner Romain.

Marjolaine confirma par ailleurs le rapport de Marchessault sur les instants qui avaient suivi son arrivée sur la scène de crime. La chronologie, la position de la carabine, l'appel au 911, le carreau brisé, tout était conforme.

— Avez-vous passé des appels depuis votre arrivée ici ?

— J'ai averti ma mère. Il fallait bien qu'elle s'occupe de ma plus jeune. Ensuite j'ai appelé Eudore. C'était son frère, après tout.

— J'en déduis que vous ne le soupçonnez pas d'avoir tué votre mari.

— Il y en a bien assez qui vont le faire à ma place.

Surprenant rangea son carnet.

— À votre connaissance, qui possédait les clefs de la maison ?

— Romain, évidemment. Eudore ? J'en douterais. Ce que je sais, c'est que Romain n'a jamais barré une porte de sa vie. Monique Leblanc, la cousine de Romain, faisait le ménage. Elle avait peut-être des clefs, je ne sais pas. Je n'ai jamais aimé cette maison. C'était une maison triste. Romain était bien quand il vivait avec nous, à Havre-aux-Maisons.

Surprenant s'abstint de rappeler à Marjolaine Vigneau que son mari, si heureux au sein de sa famille, l'avait tout de même quittée pour vivre avec une autre femme.

— Une chose me frappe, reprit-il. Quand vous avez aperçu votre mari sur le sofa, une carabine sur les cuisses, vous n'avez pas pensé qu'il s'était suicidé ? C'était la conclusion la plus plausible.

— Je vous l'ai dit tantôt ! L'idée que Romain ait pu se tuer ne m'a même pas effleurée.

— Il prenait des calmants. Il aurait pu être déprimé...

— Romain déprimé ? Je vous l'ai dit tantôt, je n'y crois pas.

— Qui aurait pu assassiner votre mari, madame ?

La femme secoua la tête.

— Aucune idée. Ça dépasse mon entendement. Aux Îles, on n'a pas coutume de régler nos chicanes à coups de fusil.

— Votre mari avait-il des ennemis ?

— Il y a dix ans, je vous aurais répondu non. Romain faisait sa petite affaire, de la musique, un peu de menuiserie par-ci par-là. Ensuite, il y a eu la chanson.

— *Le bord de la côte* ?

— Vous voyez, tout le monde la connaît... Romain est devenu une petite vedette. Il a fait de la télévision, il est allé en France, il a enregistré avec des groupes connus. Il a essayé de rester lui-même. Il a refusé de faire carrière à l'extérieur des Îles, mais ça l'a rendu amer et faraud en même temps. Il était souvent en chicane, avec ses amis, avec ses voisins, avec ses patrons. Le seul qui l'endurait, c'était Louis-Marie.

— Louis-Marie ?

— Louis-Marie Gaudet. C'est le parrain de Jonathan. C'était son guitariste. Ils ont joué ensemble pendant plus de vingt ans.

— Qu'est-ce que vous pensez du pâté ?

Marjolaine Vigneau regarda Surprenant d'un air accablé. Manifestement, la présence d'un pâté à la viande entamé dans la cuisine de son mari était le cadet de ses soucis.

— Ce que je peux vous dire, c'est que quand Romain était sur la *go*, il ne mangeait pas. De la coke, de la boucane, du liquide, mais rien de solide. Il disait que ça lui gâtait l'estomac. Si quelqu'un s'est fait chauffer un pâté à trois heures du matin, c'est pas lui.

— La brouille entre Eudore et son père remonte à quand ?

— Environ quatre ou cinq ans. Eudore a longtemps vécu à Montréal. Ça date de ce temps-là. Eudore n'a jamais été un enfant de chœur, mais ce n'était pas une raison pour le déshériter.

— Eudore est toujours à Montréal ?

— Il est revenu aux Îles à la mort de mon beau-père. Il a loué un chalet juste en face d'ici.

— Juste en face ? s'étonna Surprenant.

— De l'autre bord du chemin. À ma connaissance, Romain et lui ne se parlaient pas.

— J'imagine que le testament n'a pas dû améliorer leurs relations…

— Eudore endurait. N'écoutez pas ce que les gens racontent à son sujet.

Surprenant observa le regard dur, les ongles rongés, les vêtements ensanglantés de son témoin. Marjolaine Vigneau n'avait obéi à aucun calcul en étreignant une dernière fois son mari. Sur sa chemise, pourtant, le sang lançait un message aussi clair que tragique : l'homme qui venait d'être tué était le sien, n'en déplaise à toutes les accordéonistes à pitons du continent.

La veuve, c'était elle.

5

Le petit frère

Eudore Leblanc dirigea ses jumelles vers la maison paternelle. La belle policière tendait ses banderoles. Il ne pouvait apercevoir les autres policiers, notamment ce sergent qui portait un si drôle de nom. Marjolaine était invisible, elle aussi. Comment se portait-elle ? Comment tenait-elle le coup ?

Il promena ses longues-vues sur les environs. Personne n'était visible, à part Charlie Rankin qui astiquait son F-150 en prévision de son pèlerinage dominical à Grosse-Île. Les automobiles ralentissaient devant le chemin des Arsène.

Marjolaine avait dû appeler sa mère. La rumeur devait commencer à courir.

She got pictures on the wall
They make me look up
From her big brass bed

Pourquoi avait-il sorti son vieux vinyle de Neil Young ce matin-là ? *Harvest*. L'été 1979. Romain et lui, adolescents, baignaient dans l'euphorie qui marquait la renaissance de la culture des Îles. Romain, âgé d'à peine dix-neuf ans, jouait déjà du violon dans les bars. Eudore grattait la guitare, mais il n'était pas du calibre de son frère, qui profitait des conseils de Louis-Marie Gaudet. Romain et Eudore étaient encore deux frères à cette époque. Outre les joints, outre les soirées qui se prolongeaient jusqu'au matin, outre les filles aux longs cheveux, ils partageaient leur rébellion contre leur père. Maurice Leblanc, par sa dureté, par son indifférence, avait détruit leur mère. Ses fils étaient faits d'un autre bois. Leur père ne les soumettrait pas. Romain gagnait déjà trois cents dollars par semaine à faire de la musique. Lui, Eudore, servait de la crème glacée dans la nouvelle cantine qui avait ouvert ses portes à L'Étang-du-Nord. Cela lui procurait suffisamment d'argent pour accompagner Romain dans sa vie nocturne.

Le petit frère. Le moins doué. Voilà ce qu'il avait toujours été. Maintenant, Romain était mort. Qu'allait-il dire aux policiers ? Le sergent Surprenant. C'était ça. Marjolaine leur avait sûrement déjà raconté qu'elle l'avait appelé à sept heures quarante-cinq pour lui apprendre la mort de Romain. Il était le coupable tout désigné, le renégat, le déshérité, le frère cadet qui était revenu aux Îles à la mort de son père, puis s'était incrusté comme un mollusque devant la maison familiale, vivotant de son chèque de bien-être pendant que le célèbre Romain Leblanc, le plus grand violoneux de l'archipel, un exemplaire unique du patrimoine vivant, flambait son héritage au bras d'une beauté du continent.

Neil Young braillait au milieu des cordes d'un orchestre symphonique. Eudore Leblanc déposa ses jumelles sur la table, à côté des céréales auxquelles il n'avait pas touché. Il avait choisi cette musique parce qu'elle lui rappelait les derniers bons moments qu'il avait passés avec Romain. Dans les années qui avaient suivi, Romain avait délaissé quelque peu la fête. Il avait rencontré Marjolaine, était devenu un musicien de plus en plus accompli, avait eu des enfants, reçu des honneurs. Lui, le petit frère, n'était jamais sorti de l'adolescence. Sa vie avait été une suite de nuits blanches, de logements provisoires, de transactions douteuses, de filles de passage, de petits travaux, jusqu'à ce que la police le pince. Le vieux Maurice avait tenu le prétexte idéal pour le déshériter.

Il repensa aux funérailles de son père, trois mois plus tôt, à Fatima. Rêvait-il ? Se pouvait-il qu'une phrase banale, une simple allusion, murmurée dans le sous-sol d'une maison funéraire, ait pu créer autant de dégâts ? Autour de lui s'étalait son désordre de célibataire. Il manquait une corde à sa guitare. Il manquait une corde à sa vie. *A man needs a maid*. Lui aussi aurait eu besoin d'une servante. Il n'avait pas les moyens, comme Romain, d'engager sa cousine Monique pour faire le ménage tous les mercredis.

Les choses allaient peut-être changer.

6

La maison close

Laissant Marjolaine Vigneau à l'arrière de la maison, Surprenant appela au centre hospitalier et demanda qu'on lui passe le coroner. Trente secondes plus tard, il était en communication avec son ami Bernard Samoisette. Le médecin, pourtant habitué à se faire déranger à toute heure pour les accouchements, accueillit la nouvelle de la découverte du cadavre avec un mélange de lassitude et d'incrédulité.

— Un autre meurtre aux Îles ?

— Je ne suis pas sûr que ce soit un meurtre. C'est pourquoi j'ai besoin de tes lumières.

— Il n'y a pas à dire : on va encore faire les nouvelles à Montréal... Qui est le chanceux ?

— Romain Leblanc, rien de moins.

— Saint-chrême ! On est bons pour Paris ! Peut-être même pour Toronto ! J'appelle la gardienne et j'arrive.

Était-ce le fait de sa déprime ou l'influence de sa psychologue ? Surprenant avait beau savoir que les professionnels du malheur, les médecins et les policiers en particulier, recouraient volontiers au cynisme pour se protéger, la désinvolture de Samoisette l'agaça. Il referma son portable en se demandant pourquoi lui-même avait choisi un métier qui ne lui permettait pas de vivre ses émotions. Pourquoi n'était-il pas musicien, par exemple ?

Il rejoignit Geneviève Savoie à l'avant. La policière, assise dans une auto-patrouille, traçait un plan des environs. Elle leva les yeux vers lui.

— Et puis ?

— Si ce gars-là s'est suicidé, je m'appelle Marie-Rose.

— Tu es sérieux ?

— Tout ce qu'il y a de sérieux. La carabine, le pâté, la maison fermée, ça ne colle pas.

— Et la femme ?

— Elle est plus calme que je ne l'aurais cru. Elle semblait aimer sincèrement son mari. Elle avait aussi d'excellentes raisons de lui tirer une balle dans le buffet.

— C'est le cas de tous les vieux couples, non ?

Surprenant regarda sa subordonnée. Geneviève Savoie, habituellement maîtresse d'elle-même, puisait elle aussi dans l'ironie pour se garder à flot.

— Je suis certain qu'il existe de vieux couples qui n'ont pas envie de s'entretuer, assura-t-il. Pour ce qui est de la femme de Leblanc, son histoire de rêve prémonitoire me paraît tirée par les cheveux. En plus, rien ne nous prouve qu'elle n'est arrivée ici qu'à sept heures dix. En attendant que quelqu'un puisse confirmer son histoire, elle est mon premier suspect.

— Ce n'est pas elle qui a fait le coup, soupira Geneviève en secouant la tête.

Surprenant observait les maisons situées de l'autre côté du chemin principal.

— Tu as peut-être raison. Romain a hérité de son père au printemps. Son frère Eudore, qui vivrait juste en face, n'a pas eu un sou. J'ai hâte de voir s'il a un alibi.

— On passe lui dire bonjour ?

Le « on » de son ex-maîtresse intrigua Surprenant. Geneviève lui signalait-elle qu'elle souhaitait être au cœur de l'action ? Ou, hypothèse plus troublante, voulait-elle prévenir, dans l'état psychologique où il se trouvait, quelque faux pas de sa part ?

— Plus tard, décida-t-il. Il faut attendre le coroner. Rejoins Mme Vigneau à l'arrière. Il faut récupérer ses vêtements, faire des prélèvements, s'acquitter de toute la procédure de façon irréprochable. Tiens ! Voilà Mad Dog. J'ai hâte de le voir se pavaner devant l'équipe de Rimouski.

Hubert Dépelteau avait débarqué aux Îles au début de janvier, au volant d'une Chevrolet Camaro décapotable, de couleur rouge et d'un âge vénérable. La possession de ce véhicule, sujet aux avaries et peu adapté aux conditions hivernales, semblait lui procurer un bonheur proportionnel à l'énergie et à l'argent qu'exigeait son entretien. Il immobilisa son péché mignon à la périphérie du terrain. Impeccable dans un ensemble sport beige qui évoquait une tenue de safari, méconnaissable derrière des verres fumés, le lieutenant se dirigea vers les lieux du crime d'un pas que n'auraient désavoué ni Stallone ni Bogart.

D'un index accusateur, il pointa les autos-patrouille.

— André, veux-tu me dire ce que font ces voitures à l'intérieur du périmètre de sécurité ?

— Je vais les faire déplacer.

— J'ai appelé Rimouski. L'équipe du BEC arrivera ici à treize heures par hélicoptère.

— Qui est l'enquêteur désigné ?

— Ne t'inquiète pas, ce n'est pas Gingras. Je suis au courant de la façon dont tu l'as doublé l'automne dernier. C'est un dénommé Ferlatte, un petit génie qui revient des États. Je t'avertis : tu as intérêt à filer doux et à faire ton bon sergent de campagne. De toute manière, tu quittes les Îles dans cinq jours.

— Six.

— C'est ça, six. Où il est, le violoneux ?

Surprenant guida le lieutenant jusqu'au salon, où Tremblay s'activait à photographier la scène.

— Vous avez ouvert les rideaux ? reprocha Surprenant.

— On s'est dit que ça ferait de meilleures photos.

Alexis Tremblay était un jeune agent ambitieux, porté sur les gadgets. Ordinateurs, appareils photo, armes, lunettes infrarouges, il était devenu indispensable dans le maniement et l'entretien de tout ce qui, dans le quotidien du service, était plus compliqué qu'une matraque.

— Tant que vous portez des gants… soupira Surprenant.

À la lumière du jour, Romain Leblanc était encore plus cadavérique. Dépelteau s'immobilisa devant le corps, aussi raide qu'un poteau de danseuse. Sous l'œil intrigué de ses hommes, il resta debout pendant plus d'une minute, mains croisées, sans poser de questions ni émettre la moindre hypothèse concernant la chaîne des événements qui avaient abouti à la présence de ce musicien décédé par balle dans une maison du chemin des Arsène.

Surprenant réprima un sourire : son supérieur, manifestement, avait perdu ses réflexes de terrain. Cela expliquait sans doute sa passion pour la paperasse. Du point de vue de l'enquête, il s'était, quant à lui, acquitté de l'essentiel : il avait veillé à ce que la scène de crime soit gardée intacte, avait interrogé la personne qui avait fait la découverte du corps et prévenu le coroner. Il disposait de quelques heures pour pousser sa propre enquête avant l'arrivée de l'équipe de Rimouski.

— Qu'est-ce que ça sent ici ? finit par lâcher Dépelteau.

— On a trouvé une moitié de pâté à la viande dans la cuisine, expliqua Surprenant. Mieux, le four était toujours allumé.

— Hum ! fit Dépelteau. La question est : ce Leblanc s'apprêtait-il à déjeuner ou à souper ?

— Je n'ai pas vu son lit, mais je pencherais pour le souper, dit Surprenant. La mort remonte à trois ou quatre heures, à mon avis.

— A-t-on une idée de ce qu'il a fabriqué cette nuit ?

— Pas encore, mais ça va venir. Si ça ne vous dérange pas, je vais jeter un œil sur la maison.

— Surtout, ne touche à rien.

— Je connais mon métier, lieutenant.

En plus du salon et de la cuisine, le rez-de-chaussée comprenait aussi une salle de bains récemment rénovée. Surprenant nota la présence de deux brosses à dents et d'accessoires de toilette féminine. Il examina les serrures des deux portes. Identiques, d'un modèle ancien, elles ne pouvaient être verrouillées, de l'intérieur comme de l'extérieur, qu'à l'aide d'une clef.

Au haut d'un escalier abrupt, l'étage abritait quatre chambres mansardées et une deuxième salle de bains, d'allure plus ancienne. L'une des pièces était encombrée d'un mélange hétéroclite de matériel de sonorisation, de cartons et d'outils de menuiserie. Une deuxième, sobrement meublée de deux lits simples et d'un petit téléviseur, semblait destinée aux enfants ou aux amis. Une troisième, plus petite, équipée de deux classeurs et d'un secrétaire de chêne, servait de bureau. Dans la plus grande chambre, Surprenant trouva un lit *queen*, une chaîne stéréo, une commode et un appareil de musculation encombré de vêtements. Le lit était défait, les draps, plutôt propres. La garde-robe contenait des chemises bien repassées, deux robes d'été et un veston de lin blanc. Par terre, à côté d'un casque de motocyclette, Surprenant reconnut les bottes de cowboy entrevues l'été précédent au Lasso.

Surprenant s'assit sur le lit et contempla la pièce. Sur les murs nus, des clous et des rectangles plus foncés révélaient les endroits où avaient dû se trouver des reproductions ou des photos de famille. Le plancher de pin noirci semblait émerger d'un long séjour sous un tapis. Pas de bibelots. Pas de souvenirs. Pas de photographies d'enfants. Cette pièce, vidée de tout ce qui avait appartenu au vieux Maurice, n'avait pas encore fait l'objet d'un réel aménagement. Romain Leblanc, tout à sa musique et à ses amours, vivait dans la maison de son père comme dans une loge de théâtre entre deux représentations.

Surprenant s'aperçut qu'il faisait une chaleur étouffante. Comme l'avait constaté Marchessault, les fenêtres étaient fermées. Il les inspecta une à une. Il s'agissait de modèles à battants, s'ouvrant par le bas, conçus pour résister aux vents des Îles. Une poignée horizontale, qu'il fallait pousser de l'intérieur, assurait leur étanchéité.

Il redescendit au rez-de-chaussée. Toutes les fenêtres étaient du même type. Toutes étaient fermées.

— As-tu trouvé quelque chose ? demanda Dépelteau d'un ton suspicieux.

— Ces fenêtres verrouillées, ce n'est pas naturel. C'est l'été. Il fait chaud. Je ne vois pas pourquoi un gars qui va se suicider prendrait la peine de se barricader de la sorte.

Sous l'escalier central, une porte s'ouvrait sur un réduit qui semblait servir de dépense. Une douzaine de marches menaient au sous-sol. Malgré son âge respectable, la maison reposait sur une cave de béton de huit pieds, percée de quatre soupiraux, tous ouverts. Outre un établi et un réservoir d'eau chaude, la pièce, propre et aérée, ne contenait que de vieux meubles en bois, armoires, bahuts, tables, berçantes, en quantité telle que Surprenant se demanda si Maurice Leblanc ne s'était pas livré au commerce des antiquités.

Les soupiraux étaient trop étroits pour permettre le passage d'un adulte. L'entrée de cave, condamnée selon Marchessault, était située derrière les meubles et n'était pas d'accès facile.

Surprenant sourit : il se trouvait aux prises avec le célèbre problème de la maison close. Les humains ne possédant pas la faculté de passer à travers les murs, ou l'assassin était toujours à l'intérieur, ou il s'était éclipsé après l'arrivée des policiers, ou il s'agissait bel et bien d'un suicide. Ou encore, fait plus probable, l'assassin avait un double des clefs de la maison.

Il remonta au rez-de-chaussée en se disant qu'il ne tarderait pas à résoudre ce petit problème logique. Le mieux est l'ennemi du bien. Le meurtrier, en voulant jouer au plus fin, lui avait fourni des armes. Cette mise en scène était une faute, une forme de signature.

En haut de l'escalier, il s'aperçut qu'il chantonnait le thème du concerto en *la* de son copain Amadeus. Il ausculta son humeur : il ne s'était pas senti aussi libre, aussi dégagé depuis que son épouse avait pris le bateau pour Montréal.

Si chaque mort, même la plus attendue et la plus anonyme, changeait subtilement l'ordre des choses, chaque meurtre était une petite révolution.

7

Menues trouvailles

Au rez-de-chaussée, Surprenant eut l'agréable surprise d'apercevoir par la fenêtre le lieutenant Dépelteau marchant d'un pas décidé vers sa Camaro. Dans la maison, rien n'avait changé, si ce n'était que l'odeur de pâté s'effaçait devant celle de la mort.

— Que fait notre ami Mad Dog ? demanda Surprenant à Marchessault.

— Il a dit qu'il retournait au poste pour préparer le séjour de l'équipe du BEC.

— Bon débarras. Tu restes ici avec Tremblay jusqu'à nouvel ordre. Appelle Bonenfant.

— Il a la grippe, plaida Tremblay.

— Appelle Bonenfant. Je veux qu'il fouille les environs. Toi, Alexis, jette un œil dans le bureau, en haut. Geneviève est toujours avec la veuve ?

— Elle recueille une déposition écrite. La dame a téléphoné chez elle pour avoir de nouveaux vêtements.

— Parfait. Vous avez fouillé le corps ?

— On n'a pas osé, dit Tremblay.

D'un ton sévère, Surprenant suggéra au jeune agent de monter à l'étage. Quand ce dernier fut parti, il se pencha de nouveau sur le cadavre.

— Aucun règlement ne nous en empêche.

Transgressant les usages qui régissaient les rapports avec les gradés, Marchessault le retint par le bras.

— Écoute, André. Tu permets que je t'appelle André ? On a le même âge, après tout. Méfie-toi de Dépelteau. C'est un trou-de-cul. Un faux pas de ta part et tu peux oublier ton transfert à Québec.

— Merci du conseil.

— Tes pilules et tes séances chez la psy, tu crois que personne n'est au courant ?

— Je ne pensais pas qu'on en parlait à la radio.

— À la radio, non. Mais au confessionnal... Écoute quelqu'un qui est passé par là : fais-toi oublier. Tu pars dans cinq jours.

— Six.

— Remplis tes rapports, fais le café pour les gens du BEC, encore mieux, reste chez toi à préparer ton déménagement, mais ne tente pas le sort une deuxième fois. Conseil d'ami.

— Je suis content de pouvoir compter sur toi, Marchessault.

— Essaie de compter sur toi-même, à la place.

Surprenant n'eut qu'à glisser la main dans la poche droite du jean de Romain Leblanc pour trouver un petit trousseau rassemblant deux clefs. L'une d'elles, patinée par les ans, ouvrait les deux portes du rez-de-chaussée.

— Une chose de réglée, commenta Surprenant. Par contre, comme tu me l'as dit tantôt, la porte de devant, elle, n'était barrée que par le loquet.

Le reste de la récolte était maigre : un sachet de cocaïne presque vide, de la monnaie, un portefeuille contenant les habituelles cartes et deux billets de vingt dollars, d'une série qui datait des années 1970.

Surprenant fourra le tout dans un sac d'échantillons qu'il déposa entre les pieds du mort.

La cuisine dégageait la même impression de provisoire que la chambre de l'étage : il manquait les bibelots, l'ordre, la tendresse, la chaleur. Le réfrigérateur et les armoires étaient dégarnis. Dans un coin, une dizaine de bouteilles de vin vides témoignaient d'une consommation régulière ou d'un récent party. L'évier contenait quelques couverts sales. Sur la cuisinière d'un modèle ancien, le pâté à la viande faisandait dans le graillon. Dans l'assiette d'aluminium, un couteau et deux fourchettes. Sur la petite table rangée contre la fenêtre, aucune assiette.

— Ils ne se sont même pas assis pour manger, observa Marchessault.

— Qui, ils ?

— Leblanc et le meurtrier ?

Surprenant haussa les épaules. Sur le comptoir, un chargeur de téléphone était branché à une prise de courant.

— Vous avez trouvé un portable ? s'enquit Surprenant.

— Non. Il est peut-être en haut.

Près du téléphone mural, malheureusement démuni d'afficheur, une tablette de bois supportait un bloc-notes, quelques stylos et des factures retenues par des trombones. Déposé sur un papier sur lequel le mot *Soulier ?* avait été tracé à la hâte, Surprenant remarqua un petit cylindre d'acier à bout effilé, de la grosseur d'une cigarette.

— Je dirais que ça ressemble plus à un poinçon qu'à un soulier, risqua Marchessault.

Surprenant examinait l'écriture. Résolument penchée vers la droite, vigoureuse, elle différait de celle qui ornait la feuille d'accords trouvée dans le salon.

Les factures étaient remarquables sous deux aspects : un, elles étaient impeccablement classées par date et par objet ; deux, leur montant était souvent dérisoire. S'il négligeait son intérieur, Romain Leblanc surveillait ses finances avec un zèle qui ne cadrait pas avec l'image classique de l'artiste éthéré.

— J'ai l'impression que le bureau du haut va nous ménager des surprises, murmura Surprenant.

— On a tout notre temps, les gars de Rimouski ne seront pas là avant treize heures.

— J'ai mieux à faire pour l'instant. De toute façon, il ne faut pas bousiller la scène de crime, sinon Dépelteau va me consigner au poste.

— Enfin ! Un peu de sagesse…

Surprenant sortit. Il était neuf heures quinze. À sa gauche, au-delà du phare qui fouillait vainement la lumière du jour, un voilier solitaire s'échappait des croissants de béton qui gardaient le port de L'Étang-du-Nord. Les bateaux de pêche, leur coque meurtrie par le halage des cages, tiraient sur leurs amarres. Habituel lieu de convergence des curieux, le quai était désert. En ce dimanche matin, les Madelinots, inconscients du sort de leur champion, se remettaient de leurs excès de la veille ou se préparaient pour la messe.

Qu'ils fêtent moins tard ou s'éveillent plus tôt, les vieux étaient néanmoins sur le pont*. Surprenant posait le pied sur le marchepied de sa Cherokee quand il se fit interpeller par une voix éraillée.

---

* Être sur le pont : être levé.

— HÉHO ! HÉHO !

Casquette du Canadien vissée sur le crâne, veston élimé sur des épaules en accent circonflexe, un vieillard s'amenait dans l'herbe longue. À en juger par le sillon qu'il creusait dans sa course, il venait d'une maisonnette à toit plat, de couleur ocre, située en contrebas du cottage des Leblanc. Ahanant, claudiquant, agitant les bras comme s'il craignait de voir le sergent s'évanouir dans un banc de brume, l'homme semblait porteur d'un message urgent.

Arrivé devant Surprenant, il s'arrêta sec, releva la visière de son couvre-chef et demanda :

— Es-tu une police ?

— Aux dernières nouvelles, oui.

— Je pourrais savoir ce qui se passe ?

— Vous savez, monsieur...

— Justement, je sais pas. Ah ! Je t'ai eu !

Malgré l'atmosphère de drame créée par les banderoles et les voitures de police, les yeux du vieillard s'illuminèrent au milieu d'une toile de rides. Surprenant ne s'étonna pas de cette apparente frivolité. Trois années d'enquête aux Îles lui avaient appris que les Madelinots ne reculaient devant rien, surtout pas devant le malheur, quand il était question de rire. Les vieux, à cet égard, n'avaient rien à envier aux plus jeunes : après avoir défié la mer sur des bateaux de fortune, après s'être défait les doigts à déterrer des patates dans la terre rouge, après avoir chassé le loup-marin* sur la banquise, ils traitaient l'adversité avec un mépris d'autant plus souverain qu'ils étaient le plus souvent pauvres comme des rats.

---

* Phoque.

— Vous êtes monsieur ?

— Leblanc. Aldège Leblanc. Je me trouve à être… attends voir… le grand-oncle à Romain.

— Ce serait plutôt à moi de vous poser des questions.

— À ta place, je me dépêcherais. J'ai plus la tête aussi étanche que dans mon *prime*. Quand j'ai une idée, il faut que je la suive tout de suite. Sans ça, *goodbye Joe* ! ça file par le sabord !

— Monsieur Leblanc, avez-vous une idée de ce qui m'a amené ici ?

— Je n'ai plus tout mon génie, mais il me reste une paire d'oreilles.

— Vous avez entendu quelque chose ?

Aldège Leblanc tourna son visage vers la mer, ce qui permit à Surprenant d'observer qu'il était affligé d'un tremblement de la tête.

— Vers quatre heures ce matin. J'étais à la salle de bains. J'ai entendu un claquement sec. C'était pas un bruit ordinaire : du coup, la prostate m'a barré.

— À quoi ressemblait ce claquement ?

— Sur le moment, j'ai pensé à un coup de carabine. Ensuite, je me suis dit que ça pouvait être un bruit d'automobile. Mais les autos, à cette heure, c'est tout électronique, ça pète plus comme en premier*.

— Alors vous avez regardé dehors.

— Y'avait rien de spécial, sauf la lumière allumée dans la cuisine de Romain. Jusque-là, rien de surprenant. Romain avait l'habitude de veiller. En plus, ça fêtait chez le député.

— Le député ?

* En premier : le passé, plutôt lointain.

D'un doigt tordu, Aldège Leblanc désigna un cottage qui dominait une butte, deux cents mètres plus loin.

— Tu vois la maison en plastique avec la clôture autour? Dedans, y'a un député, sa guidoune, plus un grand *flatchette** qui parle comme un astronaute. Lui, apparence qu'il fait des vues. Romain était tout le temps fourré là. C'était pas du monde pour lui.

— Vous parlez de Romain au passé.

— Un coup de carabine, des chars de police, la petite Marjolaine qui braille sur le perron... Pas besoin d'avoir la tête à Papineau pour flairer qu'il est arrivé malheur à Romain. Si j'avais vingt ans de moins, j'aurais peut-être compris ça cette nuit.

Surprenant sortit son calepin.

— Si ça ne vous fait rien, on va reprendre ça depuis le début.

Vingt minutes plus tard, quand le sergent prit congé du vieil Aldège, il disposait de nouveaux éléments. Romain Leblanc avait vraisemblablement passé une partie de la nuit dans une fête donnée chez son voisin le député. Ces dernières semaines, il avait tenu un rôle dans un film que tournait le ci-devant *flatchette*, ce qui, selon l'expression du témoin, lui avait «embrumé la *wheelhouse*». Quant à l'accordéoniste à pitons, elle n'avait pas été vue dans les environs depuis le vendredi soir précédent, où avait eu lieu une autre fête, cette fois chez Romain.

L'heure de la détonation, quatre heures, était demeurée constante pendant le témoignage. Quant à son caractère, Aldège Leblanc était formel: c'était un bruit

---

* Homme longiligne.

sec, soudain, qui l'avait fait sursauter et qui, maintenant qu'il y pensait, ressemblait à un coup de 22, « le genre de carabine pour chasser le renard ou viser des canisses sur une bouchure* ».

Le témoignage laissait Surprenant avec au moins deux interrogations. Tout d'abord, la détonation avait-elle alerté quelqu'un d'autre dans le voisinage ? Selon le vieil Aldège, il y avait encore, malgré l'heure tardive, des voitures chez le député. Venait ensuite la question du violon. Vers minuit, Aldège avait entendu Romain Leblanc jouer chez son voisin. Le musicien prenait un soin jaloux de son instrument. Le violon n'était pas chez lui. Avait-il été volé ?

Surprenant avait plutôt le sentiment qu'il le trouverait chez le député. Romain Leblanc, vers quatre heures du matin, s'était-il absenté de la fête avec le projet d'y retourner plus tard ?

Si c'était le cas, pourquoi ?

---

* Clôture.

8

La chicane du dimanche

Surprenant allait s'engager sur le chemin de gravier qui menait à la maison du député quand, se ravisant, il retourna vers son véhicule et composa le numéro du portable de Majella Bourgeois.

La standardiste du poste de la Sûreté, bien qu'elle ne soit pas en service, répondit à la première sonnerie.

— Majella !

Le seul ton de sa voix convainquit le sergent que celle qu'il appelait en privé son chef du Renseignement était déjà au courant du meurtre, voire qu'elle en savait, sur le sujet, plus que lui-même.

— Vous avez appris la nouvelle ?

— Qu'est-ce que vous croyez ? Je traverse le pont de la Martinique. Le lieutenant Dépelteau m'a convoquée pour dix heures.

— Pour commencer, que savez-vous de Romain Leblanc ?

La vieille fille soupira bruyamment.

— Romain, c'était comme disait l'autre : bien de la voile, pas de gouvernail. Marjolaine lui donnait une espèce d'allure, mais il l'a laissée pour une floune du continent. Remarquez que c'était pas le premier été qu'il passait à feuilleter le catalogue. En septembre, il finissait par rentrer au pacage.

— Marjolaine m'a dit que l'héritage de son père l'avait changé.

— C'est sûr que le vieux Maurice devait en avoir pas mal de collé. Personne ne sait trop combien, mais ce qui est certain, c'est qu'il a écrasé tcheuques* orteils pour se remplir les poches.

— Qu'est-ce que vous entendez par « écraser des orteils » ?

— Fred à Polyte-la-Charette, si vous voulez un exemple. Sa femme n'était pas enterrée que Maurice l'a convaincu de lui vendre sa terre. Sans parler de Sébastien à Alphonse Chiasson : le jeune avait un petit commerce de matériel de camping. Pour son malheur, il avait la maladie des machines à poker. Maurice lui a avancé de l'argent, à la miette, jusqu'à ce que le jeune fasse faillite. Encore beau qu'il ne se soit pas ramassé au bout d'une corde.

— Autrement dit, le père de Romain était un usurier ?

— C'était un rat de la pire espèce. Il achetait des terrains, des maisons, pour les taxes impayées. Il prêtait à des taux pas catholiques. Il ramassait des vieilleries pour les revendre. C'est pas compliqué : il aurait repêché une cenne au fond d'un puisard.

— Pourtant, sa maison ne paie pas de mine.

---

* Quelques.

— Pff ! siffla Majella Bourgeois. C'est ça, un avare : rien dans la vitrine, tout dans le *backstore* !

— Comment est mort Maurice Leblanc ?

— Subitement, au mois de mai. Apparence qu'il a fait un *infractus*. En tout cas, s'il avait un cœur, il a arrêté de battre.

Surprenant fit une pause. Il abordait un sujet délicat.

— Romain aurait-il écrasé quelques orteils, lui aussi ?

— Ça me surprendrait. Un musicien, ça possède son instrument et ses culottes. Par contre, ce n'était pas le genre à se laisser piler sur les pieds.

— Qu'est-ce que vous voulez dire ?

— Il était colérique, en plus d'être rancunier. Je me demande comment il a pu écrire de si belles chansons.

— Le lieutenant Dépelteau vous a dit qu'il pouvait s'agir d'un meurtre ?

— Il n'a même pas eu besoin. Ces Margots-là, c'est pas du monde à se suicider.

— C'est quoi, cette histoire de Margots ?

— Ces Leblanc-là, on les appelle les Margots. Un margot, c'est un fou de Bassan. Ça se bat pour la moindre pitance. *Safre* comme un margot*, comme on dit aux Îles. Je vous laisse, j'arrive au poste.

— Nos conversations demeurent entre nous, n'est-ce pas ?

— Craignez pas. Je ne raconterai rien au lieutenant Dépelteau. De toute façon, malgré ses grands airs, il ne comprend rien de ce qui se passe autour de lui.

Majella Bourgeois coupa la communication. Une Neon bleue s'immobilisa à quelques mètres à peine de

* Glouton.

Surprenant. Une dame dans la soixantaine, le cheveu rare et mauve, la poitrine opulente, en descendit et, un sac en plastique sous le bras, cingla vers la maison des Leblanc.

— Madame !

Surprenant l'intercepta alors qu'elle se glissait sous les banderoles.

— Vous ne pouvez pas pénétrer dans ce périmètre. Qui êtes-vous ?

— Yénégonde Vigneau ! La mèye à Mayjolaine. Elle m'a demandé du linge, yapport que son vauyien de mayi s'est godêmé un *bullet* dans le goygoton. Payeil gibier ! C'est tout ce qu'il méyitait !

S'exprimant avec un pur accent de Havre-aux-Maisons*, la dame s'avéra une mine intarissable, bien que partiale, de renseignements sur la vie de Romain Leblanc. Au cours d'un interrogatoire épique, pendant lequel il dut maintes fois faire répéter son témoin, en plus d'esquiver lui-même une volée de questions concernant ce que Mme Vigneau appelait « l'accident », Surprenant apprit quelques faits intéressants. La récente séparation du couple, si elle n'était pas la première, avait quelque chose de plus définitif. Malgré la sérénité qu'elle avait affichée dans son témoignage, Marjolaine Vigneau était, au dire de sa mère, « dans un désespoiy qui ayyachait le tchœur ».

Deux semaines auparavant, un dimanche soir, Romain Leblanc s'était présenté en furie à la maison familiale à Havre-aux-Maisons. Une violente querelle avait éclaté entre les deux époux. Depuis ce temps, ils

---

* Pour une raison qui fait toujours l'objet d'un débat, les habitants de Havre-aux-Maisons, depuis deux cents ans, remplacent les R par des Y.

ne s'étaient plus adressé la parole. Malgré tous ses efforts, Mme Vigneau n'avait rien pu tirer de sa fille au sujet de la dispute.

— Mais, avait-elle conclu en agitant un index noueux, les chicanes du dimanche, c'est souvent le sillage de ce qui s'est passé le samedi.

9

Marilou en direct

Surprenant remercia la vieille dame et prit le chemin de la maison du député, qui, s'il fallait en croire l'unifolié qui ondulait mollement sous le vent d'ouest trente pas devant son porche, était d'obédience fédéraliste.

Signe des temps, la maison était ceinte d'une robuste clôture de bois traité. Les Madelinots d'en premier, descendants d'Acadiens victimes du Grand Dérangement de 1755, avaient vécu jusqu'au XXe siècle sous le joug d'un seigneur anglais. Ils n'avaient jamais jugé bon d'empêcher leur voisin de traverser la parcelle de terre sur laquelle ils avaient bâti maison. D'un côté, ils ne possédaient pas cette terre. De l'autre, le voisin était le plus souvent un frère ou un cousin au deuxième degré, certainement un membre de la famille élargie que formait, autour d'un port de pêche, chaque îlot de peuplement.

Depuis l'essor touristique des dernières décennies, les Madelinots faisaient face à un deuxième dérangement, cette fois causé par les touristes de tous horizons qui achetaient des maisons à des prix défiant tout entendement. Ces nouveaux propriétaires, enivrés par quelques semaines de vent atlantique mais toujours rompus aux usages du continent, n'avaient pas quitté l'étude du notaire qu'ils érigeaient une clôture autour de leur fief. Qu'ils ne l'habitent que quatre ou six semaines, en juillet et août, ne changeait rien à l'affaire : ils délimitaient leur territoire, au grand dam des insulaires qui voyaient ces résidences d'été transformer leurs cantons en gruyère.

De loin, le cottage du parlementaire, avec ses lucarnes, sa galerie, son appentis et ses larges proportions, dégageait une certaine impression de majesté. À moins de vingt mètres, le bâtiment confirmait le jugement lapidaire d'Aldège Leblanc. Au lieu du traditionnel bardeau de cèdre, le revêtement était en vinyle. Les colonnes, les fenêtres et les ornements, en PVC. Bien qu'imitant le style des vieilles maisons des Îles, il s'agissait bien d'une maison « en plastique », bâtie à la diable, davantage destinée à tromper l'œil qu'à traverser les hivers.

Les abords de la maison, recouverts d'une pelouse impeccable, étaient silencieux. Surprenant posa l'index sur une sonnette qui déclencha un carillon aigrelet. Une minute plus tard, un deuxième essai lui ayant permis de constater que le tintement reproduisait les huit premières notes du Big Ben londonien, il entra.

— J'arrive, j'arrive !

Une femme dans la cinquantaine, ses longues jambes dépassant d'un peignoir de soie, descendait un imposant escalier de merisier. Traits brouillés, cheveux teints en bataille, elle semblait émerger d'un profond sommeil. À la vue de Surprenant, elle esquissa un mouvement de recul.

— Qui êtes-vous ?

— Police.

Il présenta son insigne, moins pour impressionner la dame que pour se donner le temps de poser un nom sur un visage familier.

— Vous avez une mauvaise nouvelle à m'annoncer, c'est ça, n'est-ce pas ?

— J'ai effectivement quelque chose à vous apprendre, mais...

— C'est Geoffroy, n'est-ce pas ? Parlez, au lieu de rester planté là comme la statue du Commandeur !

Les pupilles dilatées, la femme était figée sur la première marche de l'escalier, comme si un malheur définitif allait la foudroyer si elle posait un de ses orteils ornés de rouge sur le plancher.

Cherchant toujours à identifier la dame, Surprenant leva les deux mains.

— Madame, je ne sais pas qui est ce Geoffroy, mais ma visite ne le concerne pas.

— OUF ! Voyez-vous, mon fils possède une moto. Depuis des années, je vis dans la hantise de me faire réveiller en pleine nuit par un policier.

La femme descendit, rectifiant sa chevelure et affichant une attitude faussement dégagée. Visiblement, la visite de Surprenant la dérangeait.

— Vous êtes madame ?

Au froncement de sourcils qui assombrit le visage de la femme, Surprenant comprit que, s'il avait joui de quelque capital de sympathie, il venait de le perdre à l'instant.

— Marilou Cholette, répondit-elle d'un ton mat.

— Vous me pardonnerez, je n'écoute pas beaucoup la télévision.

— Vous n'êtes pas le seul, s'il faut en croire mes derniers *ratings*.

Autodérision ? Pêche au compliment ? Bien que murmurée avec une pointe d'humour, la remarque trahissait une blessure béante.

— Ma femme aimait beaucoup votre émission.

— Cet imparfait s'applique-t-il à votre femme ou à mon émission ?

— À ma femme, j'en ai peur.

— Il aurait pu aussi bien s'adresser à mon talk-show. J'ai été virée, jetée après usage. On est peu de chose, n'est-ce pas ?

— Je crains que votre voisin n'ait été lui aussi peu de chose. Il est décédé cette nuit.

— Romain !

Le métier de Marilou Cholette l'ayant rompue à l'art d'improviser devant un auditoire, Surprenant resta perplexe devant la scène à laquelle il assista ce dimanche matin. Répétant quatre fois « Romain est mort ! » comme s'il s'agissait du refrain d'une chanson, se pliant en deux comme si la nouvelle lui avait perforé l'estomac, l'animatrice exprima deux sentiments, le chagrin et la surprise, d'une façon qui pouvait être sincère.

Au bout de dix secondes, elle se redressa. L'œil tout à fait clair, toujours maîtresse de l'art du punch, elle décréta simplement :

— Café.

Elle précéda Surprenant dans la cuisine. La pièce, orientée vers l'est, ruisselait de cuivres et de lumière. Îlot ouvragé, céramiques italiennes, cuisinière à gaz, l'ensemble sortait d'une revue de décoration. À en juger par le nombre de bouteilles vides alignées sur les comptoirs, elle sortait aussi d'une invasion de boit-sans-soif.

— Qu'est-ce qui s'est passé ? demanda l'animatrice.

— Madame, aujourd'hui, c'est moi qui pose les questions. Quand avez-vous vu Romain pour la dernière fois ?

— Comme vous pouvez le constater, il y a eu une petite fête ici, hier soir. Romain était présent. Il est parti en plein party, brusquement, sans saluer personne.

— À quelle heure ?

— Maintenant que j'y pense, l'horloge a sonné trois heures peu de temps avant qu'il parte.

— Peu de temps... Pouvez-vous préciser ?

— Je dirais cinq ou dix minutes. Je ne sais pas ce qui lui a pris. Il était de bonne humeur, il jouait du violon dans le salon, le petit François était au piano. J'étais ici, dans la cuisine. À un moment donné, le violon s'est tu. Trente secondes plus tard, Romain était parti.

— Son violon ne serait-il pas ici, par hasard ?

— Ce serait étonnant. Il prenait soin de cet instrument comme si c'était un stradivarius.

Elle le guida dans la pièce voisine, qui tenait lieu à la fois de salon et de salle à manger. Occupant tout le coin sud-ouest, de larges fenêtres s'ouvraient sur le port de L'Étang-du-Nord, l'île aux Goélands et, tout au loin, le rocher du Corps-Mort. Le policier ne put s'empêcher d'émettre un sifflement admiratif.

— Vous avez vraiment une vue imprenable.

Marilou Cholette ne releva pas la remarque, soit qu'elle trouvât que la possession de vues imprenables entrait dans les prérogatives des gens de son talent, soit qu'elle fût troublée par la vue, sur un piano droit flambant neuf, du violon du mort.

— Il est là, prononça-t-elle d'une voix blanche.

Malgré les doutes qu'il entretenait face aux émotions de l'animatrice, Surprenant eut le sentiment qu'elle éprouvait, cette fois, un chagrin véritable. Négligemment déposé sur le piano, entre deux bouteilles de bière vides et une coquille Saint-Jacques pleine de mégots, son archet suspendu entre la volute et le chevalet, le violon de Romain Leblanc dégageait une solitude poignante, qui lui rappelait le camion abandonné de son rêve.

— Quelle bêtise ! s'exclama Marilou Cholette. Il s'est suicidé, n'est-ce pas ?

— Tout ce que je peux vous dire, c'est que nous faisons enquête.

— Mais enfin ! Nous n'avons rien à voir avec la mort de ce violoneux !

— Quand vous dites « nous », vous parlez de qui ?

Une deuxième fois, Surprenant eut le sentiment de déchoir aux yeux de son interlocutrice.

— Vous n'ignorez pas que mon conjoint, Denis Guérette, est ministre fédéral du Patrimoine ?

— Je m'intéresse peu à la politique, madame. L'honorable Guérette est-il à la maison en ce moment ?

— Il dort à l'étage.

— Je le rencontrerai tantôt. Maintenant, j'aimerais que vous me racontiez la soirée d'hier, en n'omettant aucun détail.

De retour à la cuisine, où une bouilloire high-tech émettait un sifflement mélodieux, Marilou Cholette s'exécuta avec mauvaise grâce. Son témoignage, truffé de détails superflus, en révélait peu sur les circonstances de l'arrivée et du départ de Romain Leblanc. Improvisée à la dernière minute, la fête célébrait la fin du tournage de *Suspicion*, le nouveau film de Martin Larrivée.

— M. Larrivée séjourne chez vous depuis quelque temps, n'est-ce pas ?

La question de Surprenant provoqua chez l'animatrice un discret mouvement de retrait.

— Vous êtes bien informé. Denis aime la compagnie des artistes. Il lui a paru naturel d'héberger Martin pendant le tournage.

Patiemment, Surprenant dressa une liste des invités de la veille. En comptant les techniciens, les comédiens et les pique-assiettes, la petite fête de l'honorable Guérette avait rassemblé, en divers moments de la soirée, une trentaine de personnes.

— Vous m'avez bien dit que le tournage était terminé ? s'inquiéta soudainement Surprenant.

— Clap ! fit Marilou Cholette en imitant le son d'un claquoir. À l'heure actuelle, les bobines sont en route vers Montréal. De même que la plupart des membres de l'équipe, j'en ai peur. Quel dommage pour vous !

10

L'échalas et l'honorable

Attablé devant son espresso, Surprenant consulta sa montre-bracelet : il était dix heures dix. Par ce temps clair, le premier vol d'Air Canada avait depuis longtemps quitté l'aéroport de Havre-aux-Maisons. À court terme, il devrait se débrouiller sans les témoignages de l'équipe de *Suspicion*.

— J'ai cru comprendre que M. Leblanc avait participé lui aussi au tournage.

— Martin lui avait offert un petit rôle, pour la musique et la couleur locale. Cela avait un peu monté à la tête de ce pauvre Romain. Il avait de la présence, mais aucun naturel.

Tandis que Surprenant méditait sur la différence entre ces deux qualités, l'escalier craqua. Un très long moustachu, torse glabre au-dessus d'un jean qui avait connu de meilleurs jours, fit son apparition. Avisant Surprenant, il émit un « Oh ! » qui signalait clairement que la présence du policier ne l'emballait pas.

Marilou Cholette fit les présentations. Tout en ingurgitant près d'un demi-litre de jus de canneberge, Martin Larrivée accueillit la nouvelle du décès de Romain Leblanc avec étonnement et soulagement : la mort était certes prématurée, mais au moins elle était survenue *après* le tournage. L'œil injecté, il finit néanmoins par s'informer :

— Mais de quoi il est mort, Romain ? Une overdose ? Une crise de cœur ? Une chute dans son bain ?

— Monsieur fait enquête, dit Marilou Cholette.

Le témoignage du réalisateur fut encore plus flou que celui de l'animatrice. Il n'avait à peu près aucun souvenir du déroulement de la fête, encore moins des allées et venues de Romain Leblanc. Interrogé sur ce qui avait pu pousser ce dernier à quitter brusquement la maison en laissant son violon sur le piano, Larrivée tempêta de façon théâtrale.

— Est-ce que je sais, moi ! Je prenais un coup dans la cuisine. Moi, le tagadasoinsoin, je ne suis plus capable. Pour tout vous dire, monsieur la police, hier soir, j'étais complètement pété !

— Complètement, confirma Marilou Cholette.

— L'honorable Guérette était-il pété, lui aussi ? demanda Surprenant.

— Il faudrait voir avec lui... hasarda Larrivée. Moi, je me souviens de *sweet nothing*, comme disent les Madelinots.

— Denis dort, protesta Marilou. Je ne crois pas qu'il apprécierait qu'on le réveille à cause de la mort d'un voisin.

— Madame, nous avons tous intérêt à faire rapidement la lumière sur ce décès. Sinon, les médias pourraient se livrer à certaines conjectures.

L'argument ayant porté, Marilou Cholette grimpa à l'étage, ce qui laissa Surprenant en tête-à-tête avec l'échalas.

— Monsieur Larrivée, décrivez-moi le lien qui unit Mme Cholette et son ministre.

Déjà ébranlé par les excès de la veille, le cinéaste vieillit de dix ans en deux secondes. D'un ton hésitant, il assura Surprenant que les Cholette-Guérette formaient un couple attachant et solide.

L'honorable Guérette apparut, dans une robe de chambre blanche qui lui donnait l'air d'un sénateur romain. Cette allure auguste était cependant déparée par l'empâtement des traits et de la silhouette. Tout, chez Denis Guérette, semblait mou, si ce n'était le nez, aquilin et par ailleurs orné d'un coup de soleil. Finalement, le ministre du Patrimoine ressemblait assez à un petit entrepreneur brassant des affaires dans un salon de massage de Pompano Beach.

— Que puis-je pour vous, monsieur ?

Surprenant, qui ne regardait effectivement que fort peu la télévision, fut saisi par l'accent du ministre. Ce Guérette s'exprimait comme s'il avait vécu toute sa vie dans l'Île-de-France.

— Votre... conjointe vous a sans doute mis au courant. Romain Leblanc était ici, bien vivant, à trois heures. Il a été trouvé mort ce matin à sept heures. Que s'est-il passé entre les deux ?

En politicien aguerri, Denis Guérette tourna autour du pot deux minutes avant de conclure qu'il n'en savait rien. Son attitude, qu'il voulait dégagée, trahissait néanmoins un trouble certain.

— Vous souvenez-vous du moment où Romain a quitté la maison ? demanda Surprenant.

— Maintenant que vous m'y faites penser, oui. Il devait être autour de trois heures. Il a arrêté de jouer, au milieu d'un reel, pour répondre à son portable.

— Il a reçu un appel, à trois heures du matin ?

— C'est ce que je viens de vous dire, monsieur.

La voix radiophonique du ministre contrastait absolument avec la préciosité de ses manières.

— Savez-vous qui l'a appelé ?

— Non. Romain s'est isolé dans un coin pour parler à son interlocuteur.

— Vous n'avez rien entendu ? s'étonna encore Surprenant.

— Rien sauf « Allo ! ». Je crois même qu'il a dit « Hello ! », à l'anglaise.

— Romain était un être secret, expliqua Marilou. Quand il recevait un coup de téléphone, il se retirait et parlait à voix basse. Toujours.

— Quel était son état d'âme ? Semblait-il bouleversé, anxieux, en colère ?

Guérette haussa les épaules.

— Est-ce que je sais ? Il avait l'air irrité, contrarié. C'était son état naturel. Comment dire ? Romain était un ténébreux, une sorte de Paganini rustique.

Pendant que Martin Larrivée, d'un sifflement, saluait l'image issue du cerveau de son mécène, on frappa à la porte. C'était Geneviève Savoie. Surprenant n'eut qu'à lui jeter un coup d'œil pour comprendre qu'il y avait du nouveau.

— Le coroner est sur les lieux, annonça-t-elle d'un ton neutre.

Surprenant prit congé de ses illustres hôtes, en leur ordonnant sans ménagement de l'aviser s'ils quittaient l'archipel.

II

Da de li de li de da

Esther McKenzie était repliée en chien de fusil dans son lit, immobile, respirant à peine, dans une vaine tentative de se mettre en état d'hibernation. La douleur s'était logée dans son bas-ventre, comme une crampe menstruelle qui n'en finissait pas. Romain. Le prénom de son amant ne lui avait jamais paru étrange. Pourtant lorsqu'elle l'avait rencontré à la Caverne, le premier vendredi qui avait suivi son arrivée aux Îles, elle avait immédiatement senti que Romain Leblanc n'avait rien d'italien ou même de chrétien. Il avait franchi la porte, avait lissé vers l'arrière ses cheveux que le vent avait ébouriffés et s'était dirigé vers le comptoir, sans jeter un regard vers l'assemblée de buveurs qui célébraient le début du week-end.

Son amie Mélanie n'avait pas eu besoin de le lui désigner de son nez retroussé : Esther avait tout de suite reconnu l'auteur du *Bord de la côte*. Elle connaissait la chanson par cœur, sa mélodie, ses accords, son parfum si mélancolique de *fa* dièse mineur. Quant à Leblanc lui-même, elle ne l'avait vu qu'une fois, à la télévision, dans une émission mi-folklorique, mi-country enregistrée à Moncton. Il y avait chanté sa chanson fétiche, évidemment, mais surtout il avait joué une suite de reels de sa composition, soutenu par un seul guitariste, un grand blond aux cheveux longs. L'accompagnement était si génial que l'animateur avait tenu à souligner sa contribution. Louis-Marie Gaudet. Il n'y avait qu'aux Îles qu'on se prénommait Romain et Louis-Marie.

Romain Leblanc avait commandé une 50, qu'il avait entrepris de boire à la bouteille, plongé dans ses pensées, sans parler à personne. Il semblait si perdu, si solitaire, qu'il donnait l'impression, en se présentant dans ce cinq à sept animé, de sacrifier à un rite périmé. Esther McKenzie l'avait observé quelques minutes, reconnaissant en elle, telle la flambée d'une infection, les symptômes du sentiment amoureux: cet homme la comprendrait de manière souveraine, instantanée, lui ouvrirait les portes de la communion des âmes, l'entraînerait dans un tourbillon de plaisirs subtils, quotidiens, la mettrait au monde en tant que femme alors qu'elle n'avait connu, à vingt-cinq ans, qu'une suite d'amours mièvres, de rencontres approximatives, qui ne lui avaient jamais donné le goût de s'engager. Mieux, cet homme était un créateur authentique qui partagerait sa passion pour la musique et lui permettrait d'approfondir son art.

Esther McKenzie avait quitté sa table au fond du bar et était allée s'accouder au comptoir à la gauche de Romain Leblanc. Le prétexte était bien sûr de commander un bock de bière rousse à ce drôle de barman qui mâchonnait un cigarillo éteint en chantonnant *Strawberry Fields Forever*. En réalité, elle voulait sentir, à moins d'un mètre de distance, l'aura du violoneux. Il ne lui prêtait pas attention, macérait toujours dans ses pensées. Elle regarda ses mains. Les doigts étaient longs, souples, mais forts. La paume, épaisse, trahissait le travail manuel. Ce n'était pas les mains d'un instrumentiste délicat mais celles d'un homme énergique, volontaire. Les traits de son visage étaient accusés, l'arête du nez était proéminente, les yeux étaient enfoncés sous des arcades sévères. Elle éprouva soudain un choc. Romain avait tourné la tête et la regardait. Ses prunelles, d'un bleu sombre qui prenait des tons de noir dans la pénombre du bar, exprimaient une curiosité vague, peut-être de l'intérêt.

«Je crois que je vous connais.» Elle avait prononcé ces mots sans les préméditer. «Tu es bien chanceuse», avait énigmatiquement répondu Romain en l'examinant. Elle avait figé pendant quelques secondes. Ces yeux entourés d'un réseau de rides, ce nez busqué, ces cheveux épais rejetés vers l'arrière: elle était en face d'un aigle, d'un oiseau carnassier qui possédait, en plus de la rapacité, l'expérience.

Il l'avait invitée chez lui le lendemain. «On fera de la musique», avait-il ajouté avant de quitter le bar, son visage adouci par un sourire enjôleur. Il possédait une petite maison mauve, un peu déglinguée, qu'il venait d'hériter de son père. Esther s'y était présentée le lendemain, avec son accordéon, sous la protection d'une Mélanie soucieuse («Ce gars-là est marié, Esther. C'est un courailleux. Après une couple de baises, il va te rejeter à l'eau, comme une raveuse*.»). Elles s'étaient

---

* Homard femelle gravide, que les pêcheurs doivent rejeter à la mer pour assurer la survie des stocks.

trouvées au milieu d'un quatuor de musiciens *trad* dans la quarantaine qui riaient, buvaient et échangeaient des histoires sur les divers groupes qu'ils avaient formés au fil de leurs années de galère. Ils s'étaient gavés de homard, gracieuseté de Romain. «Tu es donc bien généreux, tout d'un coup...», avait insinué un joueur de mandoline surnommé Tatou. Aux rires étouffés qui avaient accueilli la taquinerie, Esther avait une première fois entrevu ce paradoxe: Romain Leblanc, le poète du violon, était proche de ses sous.

Pendant le souper, Esther, assise à la gauche de Romain, s'était étonnée de l'absence de Louis-Marie Gaudet. Romain lui avait dit que ce dernier était ambulancier et qu'il avait des horaires de travail difficiles.

Chacun avait ensuite sorti son instrument. Ils avaient d'abord joué des standards, *La Sainte-Anne*, *La Pointe-au-Pic*. Esther était nerveuse. Elle était jeune, elle arrivait du continent, elle devait montrer qu'elle était capable de suivre. Heureusement, malgré les deux verres de vin qu'elle avait avalés pour se donner du courage, ses doigts restaient dociles. Assis bien droit sur sa chaise, le coude haut, le geste ample et rageur, Romain jouait et tapait des pieds, avec l'aisance de l'expérience. C'était lui qui tenait le violon. C'était lui qui menait. Les autres, aussi talentueux et aguerris qu'ils soient, l'accompagnaient. Concentré, il inclinait la tête vers la gauche, pour bien entendre l'accordéon. Elle jouait pour lui, moulant ses notes aux siennes. Romain avait tenté de la semer en accélérant la cadence. Elle s'était accrochée, faisant totalement confiance à son corps.

Une suite d'airs du Cap-Breton. L'audition était devenue plus sérieuse. Moins à l'aise dans ce répertoire, Esther avait d'abord écouté puis s'était glissée avec discrétion dans les passages lents, commentant la mélodie de façon sûre. Les comparses madelinots, ni sourds ni aveugles, avaient cessé de jouer, l'un après l'autre, pour laisser Romain et Esther dialoguer en paix. À la fin d'un reel, elle avait enchaîné avec une *slip jig* irlandaise. Romain avait posé son violon sur sa cuisse, esquissé une moue amusée. Il ne connaissait pas la pièce et ne paraissait pas disposé à suivre la nouvelle venue à tâtons devant tout le monde. Esther avait joué deux fois le morceau avant de s'arrêter, mal à l'aise. Romain ne menait plus. Il n'était plus le centre de l'attention. Dans ce rôle, malgré son sourire de façade, il souffrait.

Les joyeux musiciens madelinots et Mélanie s'étaient éclipsés, laissant Esther et Romain dans la bulle qui désormais les enveloppait. Dans l'amour, comme en musique, il s'était révélé à la fois dominateur et vulnérable. Il semblait vouloir prouver quelque chose. Il s'était endormi à l'aube, la laissant dériver dans une rivière de sentiments contradictoires, bonheur, angoisse, ravissement, perplexité. Cet homme la ferait souffrir. Elle en avait eu la certitude dès la première nuit. Cet amour ne durerait pas, mais l'entraînerait dans une expérience fondatrice. Pour elle, l'important serait de choisir le moment où retirer ses billes. Cela ne serait guère difficile, elle n'aurait qu'à se présenter au quai un matin et à rendre Romain à sa femme, à ses enfants et à ses îles.

Rassérénée, elle s'était endormie pour s'éveiller au matin au son lointain du violon. Elle s'était levée et était allée à la fenêtre. Dans la cour arrière, adossé à la maison inondée de soleil, une tasse de café à sa droite,

Romain travaillait la gigue irlandaise qu'il n'avait pu jouer la veille.

Elle l'écouta, émerveillée. Comment était bâti le cerveau de cet homme ? Il avait mémorisé, de façon presque parfaite, un air entendu deux fois au cours d'une soirée arrosée. Il reprenait inlassablement un passage, qu'il avait pris de travers. «*Da de li de li de da*», lui avait-elle turluté pour lui remettre la mélodie en tête. Il avait levé les yeux, lui avait décoché un sourire chavirant, puis avait joué le passage, cette fois bien d'équerre. Oubliant la présence de son amante, il avait répété la phrase, une fois, deux fois, trois fois, dix fois, jusqu'à ce que toute la pièce soit lisse, égale, comme une planche de pin bien sablée. Ce matin-là, Esther McKenzie avait appris que Romain Leblanc était un musicien aussi insolemment doué que bûcheur.

En ce jour de sa mort, elle compta sur ses doigts. De juin à août, elle avait côtoyé Romain pendant dix semaines, dix semaines au cours desquelles elle était passée, de l'extase à la haine, par toute la gamme des émotions. L'amour, la fête et la musique s'étaient entremêlés dans une fugue à trois voix. Romain avait toujours quelques billets de vingt dollars dans ses poches et dépensait avec un peu moins de retenue. Ils jouaient jusqu'aux petites heures, s'échangeaient des pièces, affinaient leur style. Romain écoutait, reprenait, apprenait. Elle voyait bien que, malgré leur différence d'âge, c'était elle qui faisait davantage figure de professeur. Elle s'en étonna puis l'accepta. Tout artiste n'était-il pas, à sa façon, un recycleur ? Romain lui faisait délicieusement l'amour, lui assurait qu'il allait quitter sa femme, lui faisait miroiter des projets d'avenir, un CD en duo, un agrandissement de la maison, une tournée en Europe.

Quand le conte de fées avait-il commencé à se fissurer ? Avec la sûreté de l'amoureuse, Esther pouvait fixer une date : le 2 août, jour où Romain avait tourné sa première scène dans le film de Martin Larrivée. Quelque chose avait changé dès ce jour-là. Romain s'était fait plus distant, plus tourmenté, plus secret. Il se passait quelque chose sur ce plateau. Pourtant, c'était à la suite d'une scène avec Marjolaine que Romain avait progressivement pris ses distances avec elle. Le beau rapace, le bel oiseau, avait rejoint les hauteurs, à la recherche d'autres proies.

Saurait-elle jamais le fond de l'histoire ? Après avoir ressassé une nouvelle fois ses souvenirs, Esther McKenzie se sentit un peu mieux. La crampe dans son bas-ventre avait diminué d'intensité. Ce cauchemar allait un jour faire partie de son passé.

12

Par la porte d'en arrière

Omnipraticien aux Îles depuis près de dix ans, Bernard Samoisette assurait, en alternance avec un collègue, la fonction de coroner. Les morts suspectes n'étant pas légion dans l'archipel, ce travail lui prenait peu de temps et constituait même, dans sa pratique d'accoucheur, un certain délassement. Contrairement aux parturientes ou aux fœtus, les pendus et les noyés n'avaient plus besoin des secours de la médecine. Sa seule responsabilité était de déterminer la cause de leur trépas. La fréquentation des macchabées, malgré leur aspect peu ragoûtant, avait par ailleurs chez lui un effet tonique. Le frisson d'horreur passé, il retournait à sa clientèle en se félicitant d'être en vie.

Pour l'heure, penché sur le thorax de Romain Leblanc, il étudiait avec attention le point d'entrée de la balle qui l'avait expédié ad patres.

— Qu'est-ce que tu en penses ? demanda Surprenant.

— Ça ressemble à un suicide, mais deux choses clochent. Un, il n'y a pas beaucoup de poudre sur le t-shirt. Le coup n'a pas été tiré à bout portant. À en juger par la longueur de ses bras et celle de la carabine, je ne vois pas comment il aurait pu tirer lui-même.

— Je n'ai pas vu de point de sortie.

— C'est normal. Une balle de 22 s'écrase dès qu'elle touche la cible, pour faire le maximum de dommage et tuer plus vite. Le deuxième hic, c'est la position du corps et l'expression du visage : il a l'air de dormir. À mon avis, c'est ce qu'il faisait *avant* de recevoir la balle.

— Vous allez faire un prélèvement toxicologique ? s'informa Geneviève Savoie.

— La mort remonte à cinq ou six heures. Je préfère ne pas attendre l'autopsie.

Surprenant se tourna vers Geneviève et lui demanda d'aller chercher Marchessault et Tremblay.

La policière s'éclipsa. Tandis qu'il fouillait dans sa trousse, Samoisette observait Surprenant d'un œil professionnel.

— Je ne suis pas sûr que tu avais besoin de *ça*, dit-il en désignant le mort.

— Au contraire ! Ce meurtre est la meilleure chose qui pouvait m'arriver. Depuis deux heures, je n'ai pas eu une seconde pour m'apitoyer sur moi-même.

Samoisette ne parut pas convaincu. D'abord unis par leur travail, puis par leur appartenance à l'équipe de hockey des Dinosaures de JFT Électrique, et enfin par les circonstances troubles dans lesquelles était disparue la dernière compagne de Samoisette, le médecin et le policier avaient développé une solide amitié.

— Tu dors mieux ?

— Grâce à tes petites granules. En passant, tu as remarqué le flacon de lorazépam ?

— C'est en partie pour ça que je fais un prélèvement. Les suicidaires s'envoient couramment quelques pilules derrière la cravate avant de passer à l'acte. Cependant, s'ils dépassent un certain degré d'intoxication, ils ne peuvent plus agir. Qu'est-ce que ça sent, ici ?

— Le pâté à la viande.

Geneviève, Marchessault et Tremblay entrèrent par la porte arrière. Laissant le médecin à sa besogne, Surprenant les prit à part.

— Entre le moment où vous avez découvert le corps et celui où vous avez vérifié les portes et les fenêtres, avez-vous toujours gardé un œil sur madame ?

Tremblay et Marchessault avalèrent, l'un après l'autre, leur salive.

— Quand nous avons réussi à l'arracher à son mari, elle est allée aux toilettes, concéda Tremblay en désignant la salle de bains du rez-de-chaussée.

— Vous avez vu ce qu'elle y a fait ?

— Tu penses à la fenêtre ? demanda Marchessault. Si elle était ouverte, elle a eu tout le temps de la fermer.

— La maison n'était peut-être pas aussi close qu'à première vue, conclut Surprenant.

— D'après les traces que j'ai trouvées, intervint Tremblay, l'assassin n'a pas fui par la salle de bains, mais par le sous-sol.

Ils sortirent. Derrière la maison, le foin était coupé, dégageant une pelouse envahie par les mauvaises herbes. L'espace ainsi créé, une centaine de mètres carrés, n'était occupé que par une table à pique-nique, une remise peinte aux couleurs de la maison et un foyer de pierres noircies. Plus loin, au-delà d'un talus qui semblait délimiter la propriété, Bonenfant inspectait, tête baissée, l'herbe haute.

Tremblay avait dit vrai : il n'y avait aucune trace de pas sous la fenêtre de la salle de bains. Par contre, l'herbe avait été piétinée à la sortie de la cave. Surprenant s'accroupit. Même s'il n'avait pas plu depuis plusieurs jours, la terre avait retenu des empreintes fragmentaires, qui évoquaient des semelles rainurées.

— Protégez ça. Le technicien de l'équipe de Rimouski pourra peut-être en tirer quelque chose.

La sortie de la cave était fermée par deux battants de bois dont la jonction était protégée par une latte. Surprenant tira. Il y avait un jeu de deux ou trois centimètres. Il n'eut qu'à insérer ses doigts au haut des panneaux pour sentir un crochet. Il le dégagea aisément. Quatre marches menaient au sous-sol, dont l'accès était barré par les meubles entrevus plus tôt.

— Le moins que l'on puisse dire, commenta Marchessault, c'est que ce n'est pas la façon la plus rapide de quitter une maison après y avoir tué quelqu'un à coup de carabine.

— Pour l'instant, c'est notre seule piste. L'examen de la cave permettra peut-être de confirmer que les meubles ont été déplacés.

Marchessault demeurait sceptique.

— Le meurtrier aurait verrouillé les portes de l'intérieur avec la clef de Leblanc. Il aurait ensuite remis la clef dans ses poches avant de se sauver par la cave. Tout ça après avoir tiré un coup de 22 à côté d'une maison où avait lieu un party. Ça ne tient pas debout.

— Ça semble étrange, en effet, concéda Surprenant. Il tenait peut-être vraiment à ce que le meurtre passe pour un suicide… Ce qui est sûr, c'est que nous avons des traces fraîches. À mon avis, il est possible que l'assassin soit sorti par ici.

L'hypothèse parut d'autant plus plausible que Surprenant parvint après quelques tâtonnements à remettre le crochet en place de l'extérieur.

— La question, maintenant, est de savoir quel trajet notre ami a emprunté par la suite.

Spontanément, les quatre policiers regardèrent le champ qui s'étendait derrière eux. Le chemin des Arsène, bien que peu fréquenté, était bordé de plusieurs maisons. Les Madelinots veillaient tard. Il y avait fête chez le ministre, deux cents mètres plus loin. L'assassin, s'il avait un grain de jugeote, s'était esquivé par l'arrière.

Grimpant le talus, ils retrouvèrent Bonenfant. Ganté, muni de sacs en plastique, il fouillait les abords d'un sentier qui s'enfonçait vers les buttes.

— Tu as quelque chose ? demanda Surprenant.

— Pas grand-chose, soupira Bonenfant. Trois bouteilles de bière, quelques papiers d'emballage, rien qui semble récent. Je ne pourrais même pas affirmer que quelqu'un est passé par ici dans les dernières heures.

Recrue arrivée en juillet, Maxime Bonenfant faisait partie de la nouvelle génération des agents de la SQ : farci de théories et d'illusions, il professait une rectitude politique qui frisait l'intégrisme. Surprenant réservait son jugement quant à sa capacité de devenir un bon homme de terrain. Était-ce le fait de son patronyme ? Malgré une stature respectable, Bonenfant manquait de présence physique. De plus, il avait déjà annoncé son intention de prendre sa retraite à quarante-quatre ans.

— Maxime, suis le sentier en gardant l'œil bien ouvert. Ça peut être important.

Bonenfant renifla bruyamment, posa sur Surprenant un regard de chien battu et reprit sa tâche sans mot dire.

Devant les policiers, mystérieux malgré le soleil d'août, s'étendaient les champs, les buttes et les bois qui formaient le centre de l'île du Cap-aux-Meules. Les Madelinots s'étaient établis le long du littoral, gardant intact le noyau de la forêt de conifères et de feuillus qui leur avait fourni, dans l'en premier, du bois de construction et de chauffage. L'utilité de ce couvert d'arbres ne s'était pas limitée à ces usages. Au XIXe siècle, bien des déserteurs y avaient trouvé refuge. Sillonnée de sentiers, grignotée par les nouvelles constructions, cette forêt gardait toujours son pouvoir de dissimuler. De toute évidence, c'était dans cette ombre que l'assassin de Romain Leblanc s'était fondu après avoir perpétré son méfait.

Suivi de Savoie, Tremblay et Marchessault, Surprenant retourna dans la maison. Bernard Samoisette rangeait son matériel dans son portuna de coroner.

— Quelque chose d'autre ? demanda Surprenant.

Samoisette se gratta l'occiput.

— À mon avis, le pathologiste va trouver la balle dans le cœur. Cinq centimètres à gauche du sternum, entre la septième et la huitième côte... c'est presque chirurgical. Excuse-moi, j'ai une femme en travail.

Samoisette s'esquiva. Consultant sa montre, Surprenant constata qu'il était près de onze heures. Cela expliquait pourquoi il crevait de faim. Après avoir ordonné à Tremblay de garder la maison, il demanda à Geneviève et à Marchessault de le rejoindre au poste et d'y convoquer le reste de l'escouade. Le café de Majella était sans doute prêt. Peut-être même qu'une douzaine de muffins les attendait.

En chemin, Surprenant arrêta dans un dépanneur. Il y trouva, bien en vue sur le comptoir, le plus récent CD de Romain Leblanc. Sous les mots *L'homme au violon*, le musicien y était photographié de dos, sur scène, un éclairage rouge le parant d'une aura démoniaque. À l'arrière de la pochette, Leblanc souriait dans une pose classique, assis en jean sur le perron d'une maison des Îles. Surprenant examina le cliché: même détendu, Romain Leblanc gardait une expression ironique, vaguement menaçante. Majella Bourgeois avait raison: ces Margots-là dégageaient quelque chose de malveillant.

— Vous voulez un reçu?

La caissière le scrutait avec une curiosité mal déguisée.

— Pas besoin, dit Surprenant. C'est pour mon usage personnel.

Pendant que les quatre autres clients convergeaient vers la caisse, la femme se pencha vers lui et, plus bas:

— Je sais que vous ne pouvez pas parler, mais c'est-y vrai qu'il est défiguré?

— Quelqu'un aurait-il voulu le défigurer, selon vous?

Si elle possédait une opinion sur cette question, la caissière refusa de la communiquer. Se redressant dignement, elle compléta la transaction en silence. Surprenant réintégra sa Cherokee et sa solitude avec un sentiment de contentement. Sa première impression concernant l'affaire, à savoir qu'elle posait avant tout la question du mobile, se renforçait.

Il inséra le CD dans son lecteur. *Reel de Pierre à Jos*. Accompagné par une guitare experte, la première pièce, deux phrases musicales qui se poursuivaient comme chien et chat, se déploya. Les seize mesures tournaient sur elles-mêmes, se répétaient à l'infini, monotones, obsédantes, comme un mantra illustrant l'éternel recommencement de la vie. Ce n'était pas Bach. Ce n'était pas Mozart. C'était, dans un autre registre, quelque chose d'aussi beau. Mû par une impulsion, Surprenant alla se garer dans le stationnement de l'église de Lavernière, désert après la grand-messe. Devant lui s'étalaient le long croissant de sable de la Martinique et l'île du Havre-Aubert. Malgré le beau temps, la mer se hérissait sous un fort vent du sud. Il coupa le moteur, ouvrit toutes les fenêtres pour laisser entrer l'air du large et haussa le volume. Le reel ralentit, s'éteignit pour faire place à la *Valse Brunette*.

Surprenant ferma les yeux et se laissa bercer par la mélancolie sinueuse du rythme ternaire. Romain Leblanc lui parlait. Il comprit pourquoi les Madelinots avaient aimé le musicien: ce son de violon rugueux, simple mais élégant, au confluent des influences celtes, françaises, québécoises et acadiennes, c'était toute l'âme de leurs îles. Quelqu'un avait pourtant assassiné Mozart. L'espace d'un moment, Surprenant pensa qu'il était impensable qu'un Madelinot ait appuyé sur la gâchette.

L'instant d'après, il pensa exactement le contraire.

13

Geneviève

Devant la maison mauve, Geneviève Savoie soupira en regardant s'éloigner la Cherokee de Surprenant. Quand son ancien amant aurait quitté les Îles, éprouverait-elle de la douleur ou du soulagement ? Elle avait compté les semaines, les jours, comme on attend le printemps ou un accouchement. Elle découvrait maintenant que le départ de Surprenant constituerait une deuxième rupture, aussi douloureuse que la première. Tant qu'il vivait aux Îles, tant qu'ils se côtoyaient au travail, elle jouissait malgré toutes ses défenses du privilège de le voir. Elle avait aussi l'occasion de parer les coups qui pouvaient lui être portés, de le réchauffer de son affection quand de loin en loin ils se croisaient, échangeaient quelques mots, quelques confidences, dans ce petit casse-croûte animé où il aimait lui donner rendez-vous.

Quelques semaines plus tôt, elle n'avait pas compris pourquoi cet homme qui la désirait depuis un an ne voulait pas s'engager avec elle maintenant qu'il se trouvait libre. Bien sûr, sa séparation était récente. Sa sœur Anne, qu'elle croisait chaque jour sur Internet, lui avait conseillé la patience. Les hommes, à plus forte raison les frais divorcés, étaient des bêtes rétives. Sentaient-ils un bras se poser sur leur épaule qu'ils imaginaient qu'un harnais les enchaînait de nouveau au chariot du couple. Elle devait jouer d'astuce et de légèreté, d'autant plus qu'elle était lestée, à temps plein ou presque, de deux jeunes garçons. Les enfants de Surprenant étant adultes, il y avait fort à parier qu'il hésiterait à intégrer une deuxième famille. Avec toutes les quadragénaires attrayantes qui saturaient le marché, il avait, en tant que mâle potable, le gros bout du bâton. Non, si elle voulait garder Surprenant, elle ne devait pas faire l'empressée, mais au contraire jouer à la maîtresse, bâtir du durable avec du temporaire, le placer subtilement, à son corps défendant ou consentant, devant le fait accompli.

Si elle avait quelque expérience du comportement masculin, Anne Savoie connaissait mal sa sœur. Pragmatique, entière, échaudée par une première union qui s'était terminée au tribunal, Geneviève avait mal toléré les hésitations de Surprenant. Il s'engageait ou s'éclipsait, embarquait ou débarquait. Elle avait refusé d'habiter les limbes dans lesquels il maintenait leurs amours.

Dans ce contexte, ce meurtre survenait à un mauvais moment. Son divorce, leur amour avorté, la décision de son fils Félix d'habiter avec sa mère à Montréal avaient déstabilisé Surprenant. Les séances chez la psychologue n'avaient pas suffi. Geneviève le sentait toujours aussi fébrile, fragile et angoissé. Il guérirait avec le temps, peut-être. S'il lui avait donné une chance, elle aurait pu l'aider. Mais André Surprenant ne se laissait pas aimer. Elle l'avait constaté à de multiples reprises: c'était quand elle se retirait qu'il lui prêtait attention. Comment bâtir une relation avec un homme qui vous aime d'autant plus que vous le fuyez?

Leur amour avorté… Geneviève Savoie se corrigea mentalement. Leur amour n'avait pas avorté, il était suspendu. André Surprenant n'avait pas rompu sans retour. Il avait réclamé du temps pour réfléchir, la cloisonnant, perplexe, dans une antichambre dont elle n'avait ni la force ni l'envie de s'évader. Elle avait beau se rebeller, se raisonner, elle demeurait prisonnière de sa toile.

«Les choses vont changer quand il sera parti…» Elle tentait de raisonner son espoir. Elle s'était sortie d'un mariage malheureux. Pourquoi s'était-elle laissé enfermer dans cette relation sans avenir? Il y avait le plaisir physique, mais surtout ce compagnonnage coulant, cette parenté des âmes qui faisait qu'ils se comprenaient d'un regard ou même d'un silence. Dans ses plages de solitude, quand elle s'immergeait dans le flot rassurant de son quotidien de mère célibataire, elle gardait l'impression que Surprenant était à ses côtés. Elle lui parlait. Elle l'imaginait jouant avec ses deux fils. Il les avait pourtant peu fréquentés. En fait, ils n'avaient partagé qu'un seul repas, ce soir de la Saint-Jean où il faisait si beau qu'ils avaient mangé du homard dehors sur la table à pique-nique. Heureuse, elle trônait au milieu de ses trois hommes. André, d'emblée, s'était attaché à William. Pourquoi le préférait-il à Olivier? William était l'aîné. Surprenant, un autre aîné, avait sans doute senti en lui la fibre de l'enfant responsable.

Marchessault sortit de la maison et s'amena dans sa direction d'un pas accéléré.

— Sors de la lune, fille !

Il était bien le seul homme, à part son père, à qui elle permettait de l'apostropher ainsi.

— André prend le bateau dans une semaine, poursuivit Marchessault. Ne te vire pas les sangs pour lui.

— Je ne me vire pas les sangs.

— Raconte ça à d'autres. Je ne suis pas né de la dernière pluie. À ton avis, qu'est-ce qu'il va faire avec cette enquête ?

— Il va encore se mettre les pieds dans les plats.

— Il a beau avoir sa promotion en poche, il ne pourra pas résister à la tentation de prouver à tout le monde que c'est lui le plus fin. Veux-tu me dire pourquoi vous autres, les femmes, vous vous amourachez toujours de ces matamores-là ?

S'engageant brutalement sur le chemin principal, Marchessault prit la direction de Cap-aux-Meules. Geneviève garda le silence. Elle ne voulait ni dire du mal de Surprenant, ni reconnaître qu'elle l'aimait toujours.

— Qu'est-ce que tu penses du meurtre ? finit par demander Marchessault.

— Ce n'est pas l'épouse qui a tué, ça, c'est sûr.

— Je ne mettrais pas un dix là-dessus. Après tout, c'est elle qui a le meilleur mobile.

Geneviève hocha la tête.

— Je lui ai parlé. Ce n'est pas elle, j'en suis certaine. Pourquoi se serait-elle donné la peine de revenir sur les lieux pour découvrir le corps ? C'était courir trop de risques.

— Et si elle avait eu quelque chose à cacher ou à récupérer ? Rien ne nous prouve qu'elle n'est pas entrée dans la maison avant de nous appeler. Elle a pu maquiller toute la scène de crime. Va savoir ! C'est peut-être elle qui a tout barré. Elle pouvait avoir la clef.

— J'ai passé plus d'une demi-heure avec Marjolaine Vigneau. Cette femme-là aimait trop son mari pour le tuer. Ça ne colle pas !

— Elle l'aimait peut-être trop pour le partager, tu ne penses pas ?

— Un homme, en haut de trente ans, c'est toujours quelqu'un qu'on partage.

Au poste, ils tombèrent sur Majella qui, de sa main osseuse, dénuée de tout bijou, leur désigna l'arrière du bâtiment. On n'attendait plus que le sergent Surprenant pour commencer la réunion.

14

Trous de beigne

Quelques jours après son entrée en fonction aux Îles, le lieutenant Hubert Dépelteau avait dû faire face à ce qu'il avait appelé « le syndrome du cubicule ». Le mot désignait la plus petite et la plus ancienne salle de réunion du poste, une pièce de quatre mètres sur cinq que ses hommes s'obstinaient à squatter malgré la disponibilité d'une salle plus spacieuse, mieux équipée et qu'il pouvait observer par la porte vitrée dont il venait de doter son bureau.

Outre le poids de l'habitude, le cubicule présentait deux qualités non négligeables. Un, ses fenêtres donnaient sur la baie de Plaisance. Deux, il abritait, à côté d'un petit réfrigérateur, le célèbre percolateur de Majella. Ce dernier, d'un modèle antique et noirci par l'usage, produisait un carburant dont chacun semblait dépendant. En tant qu'adepte du thé vert et ancien ulcéreux, Mad Dog comprenait mal la fascination qu'exerçait cette mixture amère, presque huileuse, sur son escouade. Après avoir jonglé avec l'idée de transformer le cubicule en vestiaire, il avait fait déplacer le percolateur et le réfrigérateur dans la grande salle. L'initiative n'avait eu d'autre résultat que de forcer ses hommes à faire une vingtaine de pas pour se procurer leur drogue, ce qu'il avait interprété comme un signe de rébellion. Ils continuaient de se réunir, matin, midi et soir, dans ce local exigu. Ils l'avaient même décoré, le déménagement du réfrigérateur ayant créé un vide, d'une affiche représentant un manchot solitaire sur une banquise. Le choix de l'animal était-il fortuit? Hubert Dépelteau ne pouvait en être certain. Il s'était même surpris, un matin de janvier, à examiner sa silhouette dans le miroir qu'il avait accroché derrière la porte de sa chambre.

Ainsi, quand Surprenant pénétra dans le poste, à onze heures cinq, se dirigea-t-il spontanément vers le cubicule. Circonstance extraordinaire en ce jour de weekend, il y retrouva, réunis autour de deux boîtes de trous de beigne, tous les agents à l'exception de Tremblay et de Bonenfant, qui étaient toujours sur la scène de crime.

Surprenant se servit du café, prit place au bout de la table et considéra ses agents. Alain McCann l'observait du coin de l'œil, à l'affût de tout renseignement concernant l'affaire. Panse bourgeonnante, Pierre Marchessault pigeait dans les sucreries. Geneviève Savoie s'était assise de l'autre côté de la table, sous le manchot, pour marquer ses distances. Mathieu Barsalou, le dragueur impénitent, blaguait avec la recrue Kevin Talbot. Il l'avait pris sous son aile, soi-disant pour l'intégrer, plus vraisemblablement pour s'en faire un allié dans la guerre sourde qu'il menait à Surprenant, qui lui avait plusieurs fois reproché de manquer de tact dans ses rapports avec les insulaires.

L'autre recrue, Marie-Ève Labbé, était comme d'habitude seule dans son coin. À son arrivée, Surprenant avait pensé qu'elle se lierait avec Geneviève, qui survivait au milieu des mâles depuis deux ans. Il avait vite constaté qu'il n'y avait aucun atome crochu entre les deux femmes. Célibataire à vingt-quatre ans, Marie-Ève Labbé ne bénéficiait d'aucune des grâces de Geneviève Savoie. Costaude, le teint rouge, les cheveux châtains frisottant aux tempes, elle était tout sauf sexy. Cette allure robuste correspondait toutefois à sa personnalité. Marie-Ève était une agente compétente, fiable, mais dépourvue d'imagination. Son honnêteté foncière constituait même un handicap aux yeux de Surprenant, qui croyait qu'un bon policier devait posséder, au moins en partie, une âme de délinquant.

Surprenant allait ouvrir la bouche quand le lieutenant Dépelteau apparut. Les conversations se tarirent. Décontenancé, Mad Dog s'avança vers la table, examina dédaigneusement les trous de beigne, puis retourna vers la porte, près de laquelle il se campa, jambes écartées, mains croisées derrière le dos, dans la posture d'un général assistant à un briefing de la plus haute importance.

Surprenant prit la parole.

— Pour ceux qui n'étaient pas présents sur la scène du crime, je vais résumer les faits. Tôt ce matin, Marchessault et Tremblay reçoivent un appel 911. Par une fenêtre d'une maison de Sur-les-Caps, Mme Marjolaine Vigneau aperçoit le corps inanimé de son mari, Romain Leblanc, de qui elle est séparée depuis deux mois. La maison est verrouillée, ce qui n'est pas dans les habitudes de monsieur. La première impression de madame est que son mari a été assassiné. On trouve M. Leblanc couché sur le divan du salon, une balle de 22 dans la poitrine.

— Ça a l'air d'un suicide, mais ce n'en est pas un ! claironna Barsalou.

— Pourquoi ? l'apostropha McCann, qui ne pouvait le sentir.

— Parce que nous sommes réunis ici. Des suicidés, on en ramasse trois ou quatre par année. Un meurtre ? On a droit à des trous de beigne le dimanche matin.

La sortie de Barsalou provoqua quelques gloussements navrés. Surprenant poursuivit :

— La carabine est posée sur les cuisses du mort, de même qu'un flacon d'anxiolytiques largement entamé. Dans la cuisine, un pâté à la viande, lui aussi entamé, traîne sur la cuisinière. Le four est toujours allumé. Toutes les portes et les fenêtres de la maison sont fermées de l'intérieur. Par contre, des traces de pas semblent indiquer qu'on ait pu sortir par la cave. Par ailleurs, Marjolaine Vigneau aurait aussi eu le temps et l'occasion de refermer la fenêtre de la salle de bains du rez-de-chaussée.

— Qu'est-ce qui vous fait croire qu'il s'agit d'un meurtre ? demanda McCann.

— Plein de facteurs : la maison barricadée, le pâté dans la cuisine, l'absence de lettre d'adieu, la posture du mort, l'angle d'entrée de la balle. On dirait un meurtre déguisé.

— Ce que je ne comprends pas, commença Geneviève Savoie, c'est le pourquoi de la mise en scène. C'est évident que ça n'allait pas tenir la route.

— Ça jette un certain éclairage sur le meurtrier, dit Surprenant. C'est quelqu'un qui aime jouer au plus fin.

Marie-Ève Labbé, qui prenait des notes, monopolisa l'attention en levant timidement son crayon.

— D'après ce que vous dites, sergent, c'est aussi un proche du défunt. Quelqu'un qui connaissait bien la maison.

— Tu as raison, Marie-Ève, approuva Mad Dog. S'il ne s'agit pas d'un suicide malicieux, il est probable que le coupable est un proche du défunt.

— C'est presque toujours le cas, non? grogna Barsalou.

— Avant de nous lancer dans des conclusions hâtives, il faudrait réunir les faits, dit Surprenant.

— Parlons-en, des faits, intervint McCann. Nous n'avons aucune preuve qu'il ne s'agit pas d'un suicide.

Surprenant dodelina de la tête. Il aimait bien McCann, qui ne se gênait pas pour jouer à l'avocat du diable.

— Le coroner croit que Romain Leblanc dormait quand il a été tué. Il y a d'autres faits: un voisin a entendu une détonation vers quatre heures. Vers trois heures, alors que Leblanc jouait chez un autre voisin, il a reçu un appel sur son portable et est parti en vitesse.

— Ça pourrait être intéressant de savoir qui a téléphoné, dit sentencieusement Marchessault en s'essuyant les doigts.

— Et ce, d'autant plus que nous n'avons pas trouvé de portable sur les lieux, renchérit Surprenant. En passant, l'autre voisin en question, c'est l'honorable Denis Guérette, en personne. Mieux que ça, il vit avec Marilou Cholette, en personne elle aussi, et un grand foin qui fait du cinéma.

L'évocation du politicien provoqua des sifflements dans l'assemblée. Un violoneux réputé, un ministre du Patrimoine, une vedette de la télévision, un cinéaste, une mort suspecte: l'affaire ferait du bruit. Surprenant leva les mains pour calmer le brouhaha.

— L'équipe de Rimouski sera aux Îles à treize heures. Auparavant, nous allons procéder aux enquêtes de routine.

Surprenant donna ses affectations. Il éloigna Barsalou et Talbot en les chargeant de la patrouille. Marchessault et Marie-Ève Labbé interrogeraient les voisins. McCann s'occuperait de la question du téléphone, s'assurerait qu'un suivi serait fait à Montréal auprès de l'équipe de tournage et commencerait à dresser un profil de la victime.

Les agents sortirent l'un après l'autre, émoustillés par l'affaire. Ne restèrent dans le cubicule que Surprenant, Geneviève Savoie et le lieutenant Dépelteau, qui admirait le manchot en tendant l'oreille à ce que les deux autres allaient se dire.

— Et moi ? demanda Geneviève Savoie.

— J'ai besoin de toi, dit Surprenant en se dirigeant vers la porte.

Dépelteau se mit sur leur passage.

— Un instant, André ! J'aimerais connaître la... direction que tu comptes donner à ton enquête.

Surprenant s'immobilisa et fixa son supérieur d'un regard dans lequel, au désespoir de Geneviève, perçait la plus franche irritation.

— Je crois que je vais fouiller du côté du ministre. Il y a quelque chose de pas clair dans son témoignage.

Dépelteau, le visage de marbre, secoua la tête.

— Je préférerais que ce soit Ferlatte, *l'enquêteur principal*, qui s'occupe du ministre Guérette. Tu comprends que ça peut faire des vagues ?

— Évidemment, lieutenant, fit Surprenant d'un ton uni.

Dépelteau s'effaça.

— Je te fais confiance, André. Je vous attends quinze minutes avant l'arrivée de l'hélicoptère à l'hôpital.

Surprenant et Savoie sortirent. Hubert Dépelteau se choisit un trou de beigne au chocolat, qu'il savoura méditativement devant la fenêtre. Au-dessus de Havre-Aubert, le soleil brillait dans un ciel sans nuages. Le vent tenait au sud-ouest, faisant gentiment moutonner une mer d'un bleu profond. Dépelteau avait beau se raisonner, cette histoire de meurtre l'emplissait d'un sentiment de catastrophe appréhendée. En venant s'isoler dans ce poste tranquille, avait-il émoussé sa capacité à réagir au stress ?

Il resta plus de cinq minutes devant la fenêtre, le temps d'identifier la source de son malaise.

Le problème, c'était Surprenant.

15

Géométrie

Surprenant traversa la grande salle de réunion en coup de vent et se réfugia dans son bureau. *J'ai besoin de toi...* Geneviève Savoie, après une hésitation, referma la porte derrière eux, se demandant de quel ordre était ce besoin.

— Veux-tu me dire ce qui se passe, André ?

Quand ils se retrouvaient seuls, ils abandonnaient grades et convenances et se tutoyaient avec une familiarité d'autant plus troublante qu'ils tentaient de la dissimuler à leurs collègues.

Assis devant son bureau, le visage enfoui dans ses mains, Surprenant soupira bruyamment.

— C'est Dépelteau. Je ne peux plus le supporter.

— C'est seulement ça ?

— Il y a sûrement autre chose, mais ce n'est pas le moment d'en parler.

— Ce n'est jamais le moment, tu ne trouves pas ?

Surprenant écarta ses mains. Ses cheveux tigrés par la lumière qui filtrait des persiennes, Geneviève Savoie affichait un sourire aigre-doux, celui qu'il avait un jour surnommé, dans un moment de tendresse, son « sourire de grande fille qui comprend tout ».

— Geneviève, prononça-t-il d'un ton ferme, si je t'ai demandé de me suivre ici, ce n'est pas pour régler des questions personnelles. C'est pour faire avancer cette enquête.

— Je suis à votre service, sergent.

Il la regarda. Si ce qu'il ressentait n'était pas de l'amour, qu'était-ce ?

— À part la mise en scène bâclée, qu'est-ce que tu vois dans cette histoire ?

— Le triangle. Un homme, deux femmes, comme d'habitude.

Esquivant la pointe, Surprenant se mit à fourrager dans son bureau à la recherche de ses analgésiques.

— La victime, l'épouse et la maîtresse... dit-il. Les témoignages semblent converger : Leblanc était un homme à femmes. Je soupçonne même qu'il pouvait y avoir plusieurs triangles. Marilou Truc...

— Cholette. Tu ne regardes jamais la télévision ?

— ... a réagi à l'annonce de sa mort d'une façon qui ne m'a pas paru naturelle.

Surprenant livra un bref compte rendu de sa visite chez le ministre du Patrimoine.

— En résumé, conclut Geneviève Savoie, tu crois que ces gens ont quelque chose à cacher.

— Tout le monde a quelque chose à cacher. La question, c'est de savoir si ça a rapport avec le meurtre.

Ils restèrent un moment silencieux. Des bribes de reel hantaient toujours l'esprit de Surprenant.

— Nous avons vu l'épouse, reprit-il. Il serait normal que nous poursuivions avec la maîtresse. Je suis certain que le gars de Rimouski va se précipiter chez Esther McKenzie. Il faut chercher ailleurs, découvrir qui était Leblanc.

— Autrement dit, on ajoute des côtés et on transforme le triangle en une figure plus complexe ?

Geneviève Savoie souriait à peine. Elle pratiquait, surtout lorsqu'elle était tendue, un humour froid, fin, qui le gardait sur un délicieux qui-vive.

— C'est ça. Si je me souviens bien, le cercle peut être considéré comme une figure possédant un nombre infini de côtés.

Il sortit son carnet, appela Majella et lui demanda de lui trouver les coordonnées de Louis-Marie Gaudet. La secrétaire parut surprise.

— Qu'est-ce que vous voulez à Louis-Marie Gaudet ?

— C'était le meilleur ami de Romain, selon sa femme.

Majella avait le don de parler même quand elle se taisait. Après une dizaine de secondes, elle prononça d'un ton neutre :

— Louis-Marie ne peut être qu'à trois endroits : chez sa mère à la Belle-Anse, dans son ambulance ou chez Marjolaine.

— Chez Marjolaine ?

— J'oserais dire que Louis-Marie était aussi le meilleur ami de Marjolaine. C'est connu comme Barabbas dans la Passion.

— Quel genre d'ami ?

— Je suis vieille fille, sergent. Je ne connais pas toutes les nuances des sentiments entre un homme et une femme. Ce qui est sûr, c'est que si quelqu'un connaissait Romain, c'était Louis-Marie. C'était pas juste son guitariste, c'était son ange gardien.

Surprenant nota le numéro de Gaudet et demanda celui d'Esther McKenzie.

— Je l'ai au proche, annonça tranquillement la standardiste. À propos, je viens de recevoir un appel du petit Bonenfant. Apparence qu'il a remonté de quoi dans sa cage.

Dix secondes plus tard, Surprenant communiquait avec Maxime Bonenfant. L'agent avait consciencieusement suivi le sentier qui partait de l'arrière de la maison des Leblanc.

— Et puis ? le pressa Surprenant d'un ton qu'il aurait voulu plus patient.

— J'arrive à une petite route de terre. Il y a des traces dans l'herbe. Je ne sais pas si ça peut servir et s'il faut sécuriser l'endroit...

Surprenant prit les coordonnées de Bonenfant et lui ordonna de rester sur place en attendant son arrivée. Remorquant toujours Geneviève Savoie, il sortit en emportant le mémo sur lequel Majella avait noté, de son écriture appliquée, les numéros de téléphone des témoins qu'elle jugeait importants. Au sommet de la liste s'étalait en capitales le nom d'Eudore Leblanc, le frère de la victime.

16

La maison jaune

Moins d'un kilomètre passé le chemin des Arsène, le chemin de la Belle-Anse conduisait à une petite baie enchâssée entre des falaises de grès rouge. Jadis un secret bien gardé des Madelinots, l'endroit, réputé pour ses couchers de soleil, était devenu un arrêt obligé sur le trajet des cars de touristes. Quand Surprenant s'y engagea, il vit immédiatement, nichée dans un bosquet de saules qui la protégeait des vents du nord, la maison jaune que lui avait décrite Louis-Marie Gaudet au téléphone.

Geneviève Savoie émit un « wow ! » admiratif. Avec ses corniches ouvragées et ses mansardes, le cottage dégageait une impression d'élégance et d'originalité. Une fourgonnette était stationnée devant une remise fraîchement repeinte. La galerie était munie d'une rampe d'accès.

Louis-Marie Gaudet vint leur ouvrir. Surprenant eut de la difficulté à reconnaître le guitariste qu'il avait vu au Lasso. Les cheveux blonds du musicien, au lieu de flotter sur ses épaules dans le halo des projecteurs, étaient noués sur sa nuque, lui serrant les tempes et accentuant une maigreur d'ascète. Sans sa guitare, il paraissait vulnérable. Le geste rare, les yeux rouges, les traits tirés, Gaudet introduisit les deux policiers dans une pièce vaste et lumineuse, au fond de laquelle une vieille dame chauve, en fauteuil roulant, les observait d'un air sagace.

— Berthe, ma mère.

Hochant poliment la tête, Surprenant remarqua que la mère de Louis-Marie était d'une maigreur à faire peur. Il leva les yeux vers le plafond, qui s'ouvrait jusqu'au faîte de la maison, laissant entrer par des fenêtres à battants des flots de lumière blonde. Un bel escalier de chêne menait à une mezzanine fermée. Un piano droit occupait un mur intérieur de la pièce.

— Vous pensez sans doute que nous avons rénové à la grandeur ?

La voix de la vieille femme était si faible que Surprenant dut la faire répéter. Elle s'exécuta en articulant de façon exagérée, à mi-chemin entre la blague et l'offense.

— Le moins que l'on puisse dire, reconnut le policier, c'est qu'il s'agit d'un aménagement inusité dans une maison traditionnelle des Îles.

— C'est mon mari qui a construit ça. En 1957. Fallait le faire, vous ne trouvez pas ?

Surprenant convint que oui, puis se tourna vers Gaudet. Mains dans les poches, le musicien posait sur sa mère un regard triste et attendri. Il sortit de sa rêverie et offrit du thé. Ils prirent place autour d'une table de pin. Par les fenêtres, ils découvraient la côte nord de l'île, jusqu'au phare de L'Étang-du-Nord.

— Marjolaine nous a dit que vous étiez le meilleur ami de Romain, commença Surprenant.

Le guitariste rougit.

— Je le prends comme un compliment.

— Comment avez-vous appris sa mort ?

— La mère de Marjolaine m'a appelé ce matin.

— À quelle heure ?

— Il devait être huit heures moins cinq. J'arrivais au travail.

— Comment vous a-t-elle joint ?

— Marjolaine connaît mon numéro.

— Vous êtes ambulancier, je crois ?

— Aux Îles, personne ne gagne sa vie avec la musique.

Surprenant nota que Gaudet, à part l'habituelle pureté des voyelles du parler des Îles, s'exprimait presque sans accent.

— Dans quels termes la mère de Marjolaine vous a-t-elle appris le décès ? demanda Geneviève Savoie.

— Elle m'a dit : « Romain s'est tiré une balle dans le cœur. Apparence qu'il en avait un. »

Gaudet essaya de sourire, ce qui ne fit qu'accentuer l'impression de détresse qu'il dégageait.

— Qu'avez-vous fait ? poursuivit Surprenant.

— J'ai compris que je ne pourrais pas travailler. Je me suis fait remplacer. Ensuite, je me suis rendu chez Esther. Je ne voulais pas qu'elle apprenne la nouvelle n'importe comment.

Après un silence, Geneviève intervint :

— Qu'est-ce qui vous faisait penser qu'elle n'était pas déjà au courant ? C'était la blonde de Romain, après tout.

Louis-Marie Gaudet avala sa salive.

— Romain et elle s'étaient brouillés vendredi soir. Ils ne s'étaient pas revus depuis.

— À quel propos ? demanda Surprenant.

Doutait-il de ce qu'il allait avancer ? Répugnait-il à trahir un ami disparu ? Gaudet hésita une nouvelle fois.

— Esther n'approuvait pas son... implication dans le film de Larrivée.

— En clair, ça signifie ?

— Romain, c'était Romain. Il ne respectait pas plus sa blonde que sa femme.

Surprenant se racla la gorge. Les atermoiements du musicien commençaient à lui taper sur les nerfs. Comme si elle avait perçu son agacement, la mère de Gaudet le tança vertement :

— Dis donc les vraies affaires, Louis-Marie ! Romain couchait avec la Marilou. Ces Margots-là, ça l'a une queue entre les deux oreilles.

Surprenant se tourna vers la vieille femme, qui semblait avoir trouvé un sursaut de vigueur.

— Quand vous parlez DES Margots, à qui faites-vous référence ?

— Ces Leblanc-là, monsieur. Romain et son père, c'était du pareil au même. C'était du monde qui voulait *avoir*. De l'argent, des femmes, de la gloire, peu importe. Ils voulaient posséder. Même Eudore qui varnousse* dans son shack comme un quêteux !

— Si j'ai bien compris, la famille n'avait pas bonne réputation dans le canton, conclut Surprenant.

— Vous n'aurez pas à enquêter longtemps pour apprendre que Maurice Leblanc était une sorte d'usurier, dit Gaudet.

---

* Flâner, vivre paresseusement de petits travaux.

— À ce que je sache, ce n'est pas lui qui est mort cette nuit. Revenons à vendredi soir. Il y avait une fête chez Romain. Que s'est-il passé entre Esther et lui ?

— Ce n'était pas une fête, mais un souper. Esther avait préparé le repas. Nous étions six ou sept. Vers neuf heures, Marilou Cholette s'est amenée avec une bouteille de porto. Ça a tout de suite créé un froid. Esther n'est pas idiote. Elle a fait un plus un et a compris de quoi il s'agissait.

— Et il s'agissait de quoi, selon vous ? demanda Geneviève.

— Je crois que Romain et Marilou s'étaient engagés dans une petite aventure. Quinze minutes plus tard, une dispute a éclaté entre Esther et Romain dans la cuisine. Ce n'était pas joli. Elle lui a balancé un plat de moules par la tête, elle a ramassé son accordéon et elle est sortie en traitant Marilou de vieille guidoune.

— Cette pauvre femme ! ironisa la mère. Elle avait juste été chercher chez le voisin ce qui lui manquait chez elle !

— Comment a réagi Marilou ? reprit Surprenant.

— C'est comme disait l'autre, commença Louis-Marie. Si elle avait eu la carabine de Romain entre les mains, il serait mort une journée plus tôt. Elle lui a jeté un regard de reproche, pire, c'était de la haine pure, et elle s'est sauvée comme une éloise*.

— Qu'a fait Romain ?

— Il avait des moules jusque dans ses caleçons. Il est allé prendre une douche. En revenant, il a pris la bouteille qu'avait apportée Marilou, a lu l'étiquette et a lâché :

* Éclair.

«Chez elle, au moins, on boit pas de la piquette.» C'est drôle à dire, mais il avait l'air soulagé.

— Soulagé de quoi ?

— D'Esther, probablement. C'est encore une adolescente qui court après l'amour. C'était trop lourd pour lui.

Mû par quelque solidarité masculine, Surprenant allait dire: «Je comprends», quand il sentit, plus qu'il ne vit, le regard suspicieux que lui adressait Geneviève. Il préféra s'informer de la réaction d'Esther à l'annonce de la mort de Leblanc.

— Maintenant que j'y pense, elle s'est comportée de façon bizarre. Elle a accusé le coup. Elle a crié, elle a pleuré. Quand elle s'est calmée, elle a répété plusieurs fois: «Je le savais. Je le savais.»

— Elle se reprochait de ne pas avoir agi alors qu'elle avait pressenti quelque chose ? proposa Geneviève.

Louis-Marie Gaudet leva sur la policière des yeux que les larmes rendaient encore plus bleus.

— Je ne peux pas vous en dire plus. Vous lui poserez la question.

Coupant court à la scène, Surprenant demanda au guitariste comment s'était achevée la soirée du vendredi.

— On a fait un peu de musique. Mais après la dispute avec Esther, le cœur n'y était pas. Tout le monde est parti tôt, vers onze heures.

— Et Romain ?

— Je suis resté avec lui. Il avait pas mal bu. Il voulait jouer encore, mais je travaillais le lendemain. Je l'ai aidé à faire la vaisselle, j'ai remis ma guitare dans son étui et je suis sorti. Il faisait doux. Romain m'a accompagné jusqu'à l'auto. Il n'était plus aussi faraud. Je lui ai demandé si ça allait. Il m'a dit: «Tout est *all right.*» Je suis parti. Je l'ai vu dans le rétroviseur qui me saluait de la main. C'est la dernière image que j'ai de lui.

Surprenant revint sur la carabine. Selon Gaudet, Romain Leblanc n'était pas un chasseur. L'arme devait appartenir à son père. Il n'avait par ailleurs aucune idée de l'endroit où elle était rangée.

Songeant à l'allusion de Majella, Surprenant changea de sujet.

— D'après ce que j'ai appris, vous êtes très proches, vous et Marjolaine.

— Nous nous connaissons depuis l'école secondaire. Romain et moi avons fait de la musique ensemble pendant plus de vingt ans. Je suis le parrain de Jonathan. Je suis devenu, comment dire? l'ami de la famille.

— Vous n'étiez pas seulement le meilleur ami de Romain. On m'a dit que vous étiez aussi celui de Marjolaine.

— Vous êtes vraiment effrontés! s'indigna la mère. Vous présenter ici, quand l'autre Margot est encore chaud, pour insinuer que mon fils consolait sa veuve!

— Je n'ai rien dit de semblable, madame.

— Maman...

Louis-Marie souriait d'un air incrédule, se grattant la tête de ses doigts effilés. La mère se tut, non sans émettre quelques grognements.

— Sergent, dit-il doucement, vous connaissez très mal Marjolaine si vous croyez qu'elle aurait pu s'intéresser à quelqu'un d'autre qu'à son mari. Romain, c'était sa vie. À part ses enfants, bien sûr. C'est tellement absurde que ça ne vaut même pas la peine d'en parler.

— Êtes-vous célibataire, monsieur Gaudet? demanda Surprenant.

— J'ai une amie en France. Nous ne nous voyons pas très souvent.

— Vous vivez seul ici avec… madame ?

— Je suis fils unique. Ma mère a des problèmes de santé depuis plusieurs années.

— Si vous voulez tout savoir, je suis en train de crever, monsieur le policier.

— Je suis désolé, s'excusa Surprenant.

Geneviève vint à sa rescousse :

— Monsieur Gaudet, vous connaissiez très bien Romain. Selon vous, que s'est-il passé, cette nuit ?

— Ça me paraît clair : Romain s'est suicidé.

Pendant le bref silence qui suivit, Surprenant entendit distinctement, cinquante mètres plus loin, une lame se briser contre la falaise. Les yeux rivés sur le guitariste, il attaqua :

— Les témoignages que j'ai recueillis jusqu'ici tracent de Romain Leblanc un portrait constant. C'était un homme égoïste, ambitieux, infidèle, qui aimait l'argent et même, selon votre mère, le pouvoir. Ce genre d'homme ne se suicide pas, monsieur Gaudet.

Louis-Marie Gaudet soutint calmement le regard du policier, puis sourit d'un air désabusé.

— Savez-vous ce qu'est l'âme d'un violon, sergent ?

Surprenant, mortifié mais prodigieusement intéressé, déclara qu'il l'avait déjà su mais qu'il avait oublié.

— C'est un petit cylindre de bois fixé entre la table et le fond de l'instrument. C'est la vibration de l'âme qui donne la couleur et la richesse du son à un violon. Depuis quelques mois, Romain avait changé. Il avait perdu son âme. Il ne jouait plus comme avant.

— On ne perd pas son âme comme ça, sans raison.

— Ses amours étaient instables. La mort de son père, l'héritage, ça lui avait monté à la tête.

— D'après ce que j'ai compris, le père de Romain n'était pas précisément un homme aimable.

– Romain et lui étaient plus proches que l'on croyait. Romain n'était plus le même depuis le printemps.

La voix de l'ambulancier tremblait.

— Vous semblez très affecté par la mort de Romain, observa Geneviève.

— Trente ans d'amitié et de musique, ce n'est pas comme un solo de guitare. Ça ne se réenregistre pas. Vous m'avez parlé de Marjolaine tantôt. Ce n'est pas pour rien que nous étions... proches ces dernières semaines, elle et moi. Nous avions tous les deux perdu Romain. Pas juste nous autres: les Îles au complet avaient perdu leur violoneux. Je ne sais pas si vous pouvez comprendre...

— De là à se suicider... permettez-moi d'entretenir un certain doute. Selon ce que j'ai appris jusqu'ici, Romain ne semblait pas particulièrement malheureux ces derniers temps.

— Ça, c'était la façade. Derrière, il y avait la fêlure. Romain était un écorché qui blessait ses proches parce qu'il était vulnérable. Ça, personne ne l'a compris, pas même Marjolaine. Quand il jouait, la fêlure devenait visible. C'est pour ça que le monde l'aimait autant.

— Pourquoi hier, précisément, la fêlure aurait-elle pris le dessus ?

Louis-Marie Gaudet, les yeux maintenant secs, secoua plusieurs fois la tête avant de déclarer qu'il n'en savait rien.

17

Des traces et des appels

— Qu'est-ce que tu en penses ? demanda Surprenant à Geneviève en sortant de chez Louis-Marie Gaudet.

— J'en pense que Romain Leblanc menait une vie compliquée.

— Allons voir ce qu'a découvert Bonenfant.

Geneviève prit la direction du chemin Huet pendant que Surprenant appelait Majella au poste. Interrogée au sujet du ministre Guérette et de sa Marilou, la secrétaire émit une sorte de renâclement et se tint coite pendant près de trois secondes : elle rassemblait ses idées ou elle savourait la perspective de médire d'un si grand personnage.

— D'après ce que j'ai pu comprendre, le ministre Guérette est un petit avocat qui parle à la grandeur* pour faire oublier que son père travaillait à la MacDonald à Verdun.

---

* Parler à la grandeur : de façon recherchée, savante.

— Ça lui ressemble.

— En plus, c'est un lointain descendant*. Son grand-père maternel était un Richard de Lac-au-Saumon. Il s'est servi de ça pour se faire accepter par ici. Mais ministre ou descendant, ça n'en fait pas quelqu'un d'honorable !

À la suite de son trait d'esprit, Majella Bourgeois poussa un discret « Oh ! », lequel pouvait à la fois marquer le regret et la satisfaction.

— Et Marilou Cholette ?

— Ça me fait bien de la peine qu'elle ait perdu son émission.

— D'accord, mais ses relations avec Guérette ?

— Difficile à dire. Les grosses poches de la ville, ça sort pas plus de leur château qu'une moule de sa coquille. Ce que je sais, par contre, c'est qu'ils sont à la veille de se faire brancher un pipeline sur la Société des alcools.

— Vous ne sauriez pas qui va faire son tour là toutes les semaines ?

La question, en apparence innocente, cachait l'une des méthodes de Surprenant. Par une tante ayant travaillé toute sa vie *dans les maisons*, Majella Bourgeois avait ses antennes parmi les femmes de ménage des Îles. Quand il s'agissait de donner un coup de pouce à la Justice ou d'apprendre quelque détail croustillant sur une affaire, ces dames se résignaient parfois à faire une entorse à leur secret professionnel. Surprenant avait été étonné de ce que les poubelles, le linge sale et le réfrigérateur d'un individu pouvaient révéler.

Pour l'heure, Majella Bourgeois se contenta de dire qu'elle se renseignerait. Alors que Surprenant allait

* Madelinot de souche, né à l'extérieur de l'archipel.

raccrocher, elle lui demanda s'il avait interrogé Eudore Leblanc.

— Vous insistez, constata Surprenant.

— C'est comme dans la Bible : quand Abel est tué, il faut chercher Caïn.

Surprenant raccrocha. Romain méritait-il vraiment qu'on le compare à Abel ? Sa montre marquait midi. La nouvelle de la mort du dompteur de violon avait sûrement déjà fait plusieurs fois le tour de l'archipel, se déformant de minute en minute sous l'éclosion de rumeurs qui ne tarderaient pas à reléguer la réalité au rang d'hypothèse. Dans ce contexte, son expérience lui dictait de questionner ses témoins avant qu'ils aient été contaminés par les racontars.

Geneviève Savoie tourna à droite dans le chemin Huet. Il faisait toujours un soleil de rêve. Le vent, forcissant, faisait bouffer pantalons et chemises sur les cordes à linge. Au-delà des maisons, la route se transformait en un chemin de terre. Deux cents mètres plus loin, Maxime Bonenfant, bras écartés, les attendait sur l'accotement.

— Stop ! Vous allez bousiller mes traces !

Était-ce l'effet du grand air ou l'excitation de l'enquête ? Un authentique sourire de bonheur éclairait le visage de la recrue. Tel un chien de chasse, il conduisit Surprenant et Geneviève jusqu'à l'embouchure d'un sentier. D'après son orientation, il menait droit au chemin des Arsène.

— Voilà, dit Bonenfant en désignant un vague enfoncement dans le foin.

— Voilà quoi ? s'enquit Surprenant.

— Une bicyclette a été déposée dans l'herbe. Regardez la forme laissée par les deux roues, la marque de la pédale dans la terre. En plus, il y a des traces de pas et de pneus sur le bord de la route. Est-ce que ça vaut la peine de prendre des empreintes ?

— Nous sommes assez loin de chez Romain, supputa Surprenant. N'importe qui a pu déposer sa bicyclette ici. Tu as questionné les voisins ?

— J'ai sonné à cette maison, dit Bonenfant en désignant, un peu plus haut, une étrange construction hexagonale. Ça ressemble à une boutique ou à un atelier. Je n'ai pas eu de réponse.

— Quel genre d'atelier ? demanda Geneviève Savoie.

Bonenfant haussa les épaules.

— Ça s'appelle L'or du temps. Je ne sais pas ce qu'on y vend ou ce qu'on y fabrique.

Accroupi à la jonction de la route et du sentier, Surprenant examinait de nouveau les marques de pneus de bicyclette dans la terre rouge.

— Je ne sais pas si ça peut servir, finit-il par dire. Nous pourrons quand même comparer ces traces de pas avec celles que nous avons trouvées derrière la maison. Maxime, tu vas rester ici jusqu'à ce qu'on ait discuté de ça avec les gens du BEC.

— C'est que je commence à avoir faim.

— Fais-toi livrer une poutine !

Le portable de Surprenant sonna. C'était McCann. Il avait obtenu la liste des appels entrants sur le téléphone de Romain Leblanc. Mieux, il savait précisément d'où avait été passé le dernier, à 3 h 09, le matin même.

18

Vieux couples

Alors qu'il s'affairait déjà à desservir la table, Louis-Marie Gaudet entendit deux claquements de portière et le ronflement d'un moteur: les policiers quittaient les lieux.

— Ce sergent est peut-être impertinent, mais il n'est pas bête, dit la mère.

Louis-Marie se taisait. L'observation de sa mère était d'autant plus étonnante qu'il ne l'avait jamais entendue dire du bien d'un policier. Il se sentait à bout. L'interrogatoire de Surprenant, quelques heures après la mort de Romain, avait exacerbé chez lui des souvenirs douloureux. Une vase opaque brouillait ses pensées. Il avait besoin de solitude pour récupérer et faire le point sur la situation.

— Je crois qu'on s'enligne pour une tempête de vent d'est, reprit sa mère, sur le ton égal qu'elle empruntait pour commenter les petits événements qui jalonnaient le cours étroit de son existence.

Louis-Marie leva les yeux. Recroquevillée dans son fauteuil roulant, sa maigreur cachée sous un châle, elle avait conservé sa vivacité d'esprit malgré la maladie.

— Ce sera bientôt l'heure de ton calmant.

— Ça peut attendre.

— Veux-tu te reposer dans ta chambre ?

— Tu découvriras un jour qu'il n'y a rien de plus fatigant que de se reposer. Il y a une belle lumière. Je veux rester ici un élan*. La mort de Romain a au moins ça de bon : tu as pris congé. On n'en a plus pour si longtemps à se parler.

Louis-Marie sentit son cœur se serrer. Placée devant l'éventualité de sa mort prochaine, Berthe Lapierre avait choisi de ne rien changer à son existence. Pas de voyage, pas de retrouvailles de famille, pas de derniers caprices, en un mot pas de flaflas. Elle lisait le journal, ses romans, elle écoutait la radio communautaire, elle somnolait dans son fauteuil, sa douleur ne se manifestant jamais autrement que par une discrète crispation de ses traits. La morphine lui procurait une paix dont elle ne voulait pas abuser, craignant par-dessus tout de perdre sa lucidité.

— Aimerais-tu que je prenne des vacances ? Je pourrais passer plus de temps avec toi.

— Tu as besoin de voir du monde, surtout avec ce qui vient d'arriver. Viens t'asseoir une minute, la vaisselle peut attendre.

Il prit place à la table, dos à la fenêtre, à cinq mètres de sa mère.

— Approche-toi, demanda la mère. Ce n'est pas l'idée de mourir qui me chagrine, c'est l'idée de ne plus te voir.

---

* Espace de temps indéterminé.

Louis-Marie apporta une berçante à côté du fauteuil roulant de sa mère.

— On a l'air de deux vieux, dit Louis-Marie pour détendre l'atmosphère.

— On est un vieux couple. Quarante-quatre ans, ce n'est pas rien.

Louis-Marie comprit qu'il s'était trompé en croyant que la proximité de la mort n'avait rien changé chez sa mère. Si elle ne bougeait pas dans l'espace, c'était pour mieux arpenter son passé. Pressée par la maladie, elle s'était mise à parler, révélant de sa voix tranquille des vérités qui parfois le bousculaient. Depuis sa naissance, il ne pouvait nier qu'ils avaient formé un couple, uni dans la perte de ce mari ou de ce père de légende, Benoît Gaudet, disparu mystérieusement à Halifax six mois avant la naissance de son premier enfant. Berthe Lapierre, une beauté à l'époque, avait écarté quelques prétendants avant d'accuser les premiers symptômes de la sclérose en plaques. Le mal allait progresser, la privant d'abord de son gagne-pain de couturière, la clouant ensuite dans un fauteuil roulant. Dans cette cascade de malheurs, elle avait eu deux consolations : Louis-Marie, un enfant doué, aimant et sage, et la maison bâtie par son Benoît en-allé.

— Ne parle pas de ça, maman.

La question de savoir si le *ça* faisait référence à sa mort prochaine ou au couple demeura en suspens.

— Le policier avait raison, reprit la mère. J'ai de la misère à me mettre dans la tête que Romain se soit suicidé.

— Je pense pourtant que c'est ce qui s'est passé.

— Ce n'était pas son genre et tu le sais.

Le regard dans le vague, Louis-Marie secoua la tête.

— Vendredi soir, quand je suis resté seul avec lui, il m'a paru bizarre. Il était trop calme, trop serein. Il m'a dit aussi qu'il voulait changer son testament. Il voulait corriger une injustice.

— Pourquoi n'as-tu pas dit ça au sergent? Il me semble que c'est important.

Après une hésitation, Louis-Marie répondit qu'il n'avait pas voulu nuire à Marjolaine. La mère soupira.

— Tu n'as jamais pu te la sortir de la tête, celle-là. C'est bête à dire, mais maintenant tu as ta chance.

19

Les lumières de Platon

Surprenant fit claquer son téléphone et se pressa vers sa Cherokee, une Geneviève irritée à ses trousses.

— Conduis, ordonna-t-il. J'ai besoin de réfléchir.

— Je peux savoir ce qui se passe ?

— McCann a mis la main sur le relevé du portable de Romain. Le dernier appel a été passé à 3 h 09 du bar Le Lasso.

— D'un téléphone public, évidemment.

— C'est ici que ça devient intéressant : c'est le numéro du bar, celui qui est dans l'annuaire.

Le téléphone de Surprenant sonna. Le lieutenant Dépelteau, d'un ton qui laissait poindre un soupçon d'énervement, l'informa que l'équipe du BEC débarquerait à l'héliport de l'hôpital dans exactement quarante-deux minutes. Surprenant consulta l'écran de son téléphone. Il marquait effectivement 12 h 18.

— Je serai sur place avec l'agent Savoie à 13 h pile.

— Je t'ai demandé tantôt d'arriver à moins quart, question de me mettre au courant de tes… progrès.

— Avec plaisir, lieutenant.

Il raccrocha. Geneviève lui adressa un regard de reproche.

— André, tu quittes les Îles dans une semaine. Moi, je reste. Ne joue pas au plus fin avec Dépelteau. C'est moi qui vais payer la note.

— Je peux te déposer au poste, si tu veux.

— Ce n'est pas ce que je t'ai demandé. On va au Lasso ?

— Pas le temps. Allons dîner à Cap-aux-Meules.

Geneviève Savoie mit son clignotant à droite et prit la direction de Fatima. Peu après le chemin Bourque, Geneviève passa devant le Lasso. Le bâtiment bas, en imitation de bois rond, était surmonté d'une affiche surréaliste : une cavalière à demi nue lançant une corde autour de la tête d'un blanchon.

Surprenant, qui prétendait avoir les idées plus claires quand il était allongé, avait abaissé son siège. Les yeux clos, il semblait dormir. Le silence pesait à Geneviève, elle alluma la radio. Un air de violon jaillit des haut-parleurs. Surprenant sortit de sa torpeur et haussa le volume.

— C'est lui ? devina Geneviève.

— Je dirais.

— J'imagine qu'il vient d'entrer dans la légende.

— Rien de tel qu'une mort tragique pour relancer une carrière.

Le reel s'éteignit. La voix enrouée, un animateur bénévole déclara avec un épais accent de Havre-Aubert : « Les émissions sont à la valdrague*, rapport que

* En désordre, à l'abandon.

Romain a finalement trouvé son bord de côte.» Il enchaîna sur une chanson. Intro d'accordéon, balancement de 6/8, Surprenant reconnut la célèbre *Le bord de la côte*. Il y était abondamment question de vent, de voile, de vague à l'âme et de points cardinaux. La chanson était formée de quatre couplets, chacun tendu d'interrogations et s'achevant sur un refrain aux rimes lourdes:

Quand j'ai perdu le nord
Quand j'ai peur de la mort
Il me reste le bord de la côte
Le bord de ta côte

Surprenant écoutait attentivement. Qu'une chanson aussi sombre ait connu du succès l'étonnait. Cela devait tenir à la beauté de la mélodie. Comme toutes les grandes chansons, *Le bord de la côte* possédait un charme familier. Dès la première écoute, elle se logeait dans la mémoire. Les paroles renforçaient l'image de génie tourmenté qui expliquait en partie l'ascendant de Leblanc sur son public. La fin du refrain, le *ta côte*, exposait la vulnérabilité et la soif d'amour qui constituaient l'envers de ce côté noir: cet être d'exception, pétri de contradictions, restait un homme fragile qui avait besoin de tendresse, comme tout le monde.

Sur le chemin des Caps, Geneviève découvrit à sa gauche la lagune de Havre-aux-Maisons, l'île Rouge et au loin l'île d'Entrée. Vue de cet angle, l'île d'Entrée ressemblait au boa du petit prince de Saint-Exupéry: allongée, renflée à une extrémité, elle avait avalé, au lieu d'un éléphant, la *Big Hill*. Enfant, Geneviève avait bien lu trente fois le célèbre conte. Plus que par le petit prince, elle était fascinée par le personnage de l'aviateur. Comme lui, elle avait voulu, au détour de l'adolescence, mener une vie d'aventures. Au lieu de devenir pilote, elle s'était inscrite en techniques policières. Quand elle se demandait ce qui l'avait fait dévier de sa trajectoire, elle revoyait invariablement les images des bulletins télévisés racontant la tuerie de l'École Polytechnique. Le 6 décembre 1989, alors qu'elle avait dix-huit ans, quatorze jeunes femmes avaient été tuées par un tireur fou. Elle aurait pu devenir psychologue, travailleuse de rue, avocate. Elle avait choisi, femme parmi les hommes, de monter au front de la violence. Elle porterait une arme. Elle pourrait agir, protéger, blesser ou tuer si nécessaire. Elle, Geneviève Savoie, ne serait pas une victime innocente.

Quand elle avait eu des enfants, sa perspective avait changé, à tel point qu'elle envisageait aujourd'hui de se recycler dans un travail de gestion. Son métier de policière l'avait entraînée dans quelques situations périlleuses, dont une poursuite avec des voleurs de banque qui tiraient du 38. Elle ne s'était pas dégonflée. Au lieu de l'ivresse de l'aventure, elle y avait éprouvé un sentiment de futilité: le crime, la bêtise, la violence étaient aussi banals que le mal de dos. Les combattre quotidiennement, dans une société où les forces de l'ordre étaient soumises à la critique ou tournées en dérision, était une entreprise épuisante, vouée à l'échec. Plutôt que de sombrer dans le cynisme ou de se taper un *burnout*, elle préférait recentrer sa vie sur sa famille et ses loisirs.

À ses côtés, Surprenant s'ébroua et composa un numéro sur son portable. Elle observa son profil anguleux, ses belles mains de pianiste. Le plaisir qu'elle avait trouvé à travailler avec ce sergent aux méthodes peu orthodoxes avait été le premier signe de son amour pour lui. Avec ses humeurs variables, son versant tourmenté, Surprenant lui faisait peur. Elle voulait refaire sa vie avec un homme sain et transparent. Elle gardait pourtant en elle un sentiment d'inachèvement : elle n'avait pas été jusqu'au bout de cette relation, elle n'avait pas exploré toutes les avenues, toutes les possibilités. Elle n'avait pas tremblé devant des bandits armés mais avait craint de s'attacher à un homme vulnérable.

— Platon ? Je peux te voir ce midi ?

Surprenant, l'œil amusé, échangea quelques phrases avec son interlocuteur puis raccrocha.

— À la Caverne ? demanda Geneviève Savoie.

— Tu as tout compris. Comme d'habitude.

Il souriait. Il y avait longtemps qu'elle ne l'avait pas vu de si bonne humeur. Prenait-il toujours des médicaments ? Cet homme supportait mal la routine. Peut-être s'épanouirait-il quand il retournerait vivre en ville ?

En arrivant à Cap-aux-Meules, ils furent ralentis par le flot des autos qui revenaient de la grand-messe. Le vent poursuivait son mouvement tournant vers l'est. La ligne d'horizon s'alourdissait. Il se tramait, au large de Grande-Entrée, quelque chose de désagréable.

La Caverne, bar dont la renommée lui avait valu un paragraphe dans *Géo*, occupait le rez-de-chaussée d'un ancien magasin de gréements. Sur une terrasse vitrée, trois jeunes musiciens, l'air morose, s'affairaient à monter leur équipement. Perché à son endroit de prédilection, entre la caisse enregistreuse et les manettes de bière pression, Platon Longuépée, propriétaire des lieux, mâchonnait mélancoliquement un cigarillo. Derrière lui, une jeune serveuse, postérieur gracieusement dressé, faisait l'inventaire des réfrigérateurs.

Surprenant et Geneviève Savoie grimpèrent sur de hauts tabourets qui dégageaient, malgré les relents de houblon, une fraîche odeur de chlore.

— Je vous ai fait préparer des sandwichs au homard, annonça lugubrement Platon Longuépée.

— C'est un pot-de-vin ? plaisanta Surprenant.

Longuépée, dont trente ans d'excès n'avaient en rien entamé le sens de la répartie, se contenta de soupirer de son *brandy nose* :

— On a perdu un gros morceau aujourd'hui, André. J'ai le cœur en bébelles*.

Apparue comme par magie, une robuste cuisinière déposa devant les policiers deux succulents sandwichs au homard. Longuépée promena sur les assiettes un œil concupiscent, puis avala une gorgée d'eau minérale.

— Tu ne manges pas ? s'informa Surprenant.

— Apparence que j'ai le cholestérol.

— Depuis quand tu t'occupes de ça ?

— Depuis que mon frère est paralysé à l'hospice. Qu'est-ce que tu veux savoir, André ?

Surprenant prit le temps d'avaler une première bouchée et de réfléchir. Si Platon Longuépée, célibataire au long cours, buveur repenti et entraîneur des Dinosaures de JFT Électrique, possédait de nombreuses qualités, celles-ci n'incluaient pas la discrétion.

— Le Lasso. Qui est propriétaire ? Qui travaille là ? Quels sont les liens possibles avec Romain ?

Une lueur d'intérêt, ou d'inquiétude, s'alluma dans le regard de Longuépée.

---

* Débris de bouteilles.

— Bout de fusil ! Tu viens de tomber dans une moyenne talle ! Le Lasso, c'est d'abord un homme : Euclide Déraspe. Et quand j'emploie le mot « homme », je suis généreux.

Le tenancier se tut, question de laisser porter son mot.

— Qu'est-ce que vous voulez dire ? demanda Geneviève.

— Avez-vous lu Jean-Jacques Rousseau, madame ?

Surprenant se gratta la tempe droite. Platon Longuépée, qui portait depuis l'enfance la croix de son prénom, avait développé sous l'effet de quelque mécanisme de compensation un talent de philosophe autodidacte. Les soirs où sa Caverne était tranquille, il aimait pérorer devant sa clientèle de jeunots, citant pêle-mêle Confucius, Brel, Corneau, Kierkegaard et Scotty Bowman. Depuis qu'il ne buvait et ne couraillait plus, il avait davantage de temps pour lire, ce qui n'avait en rien diminué ses prétentions au savoir.

— Non, avoua Geneviève Savoie.

— Rousseau a écrit : « Renoncer à sa liberté, c'est renoncer à sa qualité d'homme. » C'est ce qui est arrivé à Euclide. À défaut de tenir tête à sa Léontine, il s'est ramassé escrampe et malfaisant derrière le comptoir d'un bar western.

— Escrampe ? s'enquit Surprenant.

— Il a une sorte d'arthrite dans la membrure. Il a le cou comme une potence, je dirais qu'il n'a pas vu le soleil depuis les années quatre-vingts. Mais il garde une bonne poigne, il tient ça de son père, le défunt Polyte.

— Tu as dit aussi qu'il était malfaisant.

Longuépée dodelina du chef.

— Un petit chien, ça jappe fort. Mais Euclide peut mordre. Il n'est pas aimé de ses employés. Et tu n'auras pas de misère à apprendre qu'il ne portait pas Romain dans son cœur.

— Pourquoi ?

Venue de la terrasse, une note de basse interrompit les deux hommes, suivie du classique *one two, one two*. Encore une fois, Surprenant eut le sentiment que le mort cherchait à lui dire quelque chose.

— Chien en canisse ! Romain devait jouer trois soirs par semaine, tout l'été, au Lasso. Des salles pleines assurées. En juin, quand il s'est fait gaffer par la petite McKenzie, il a tout abandonné. Euclide a perdu un dix ou un quinze mille dans l'aventure. Ça ne l'a pas mis de bonne humeur. Peut-être qu'il ne bande plus, mais il sait toujours compter !

D'un ton de glace, Geneviève Savoie demanda au tenancier de lui parler d'Esther McKenzie. Longuépée fit la moue.

— C'est sûr que la petite fille sait jouer de l'accordéon... Mais comment te dire ? Ce monde-là qui débarque chaque été du continent, c'est comme de l'écume. Ça fait des bulles au sommet de la vague de touristes, ça laisse une trace sur la plage, quelques semaines, quelques mois, pis ça s'en va. Le problème, dans son cas, c'est qu'elle aura fait pas mal de dommage avant de dégolfer*.

— En somme, tu crois qu'elle est responsable de la mort de Romain ? résuma Surprenant.

Longuépée posa sur le policier un œil sévère.

---

* Quitter le golfe, par extension quitter les Îles.

— Qu'est-ce que tu penses ? Si Romain était resté avec sa Marjolaine, il respirerait par ses deux narines à l'heure qu'il est. C'est pas qu'Esther est une mauvaise fille, c'est juste qu'elle a mis la pagaille dans un couple, pire, dans une famille. Remarque que, d'après l'air qu'elle avait hier, je ne suis pas sûr que ça marchait encore entre Romain et elle.

— Tu l'as vue hier ?

— Elle est arrivée vers onze heures et s'est assise toute seule au bar. Elle ne semblait pas dans son assiette.

— À quelle heure est-elle partie ?

— Assez tôt. Avant une heure, je dirais.

D'une voix mal assurée, le chanteur du groupe entama une chanson de Georges Langford.

Mon histoire d'amour que j'vas vous conter
A pas duré des années

Platon Longuépée grimaça derrière son comptoir.

— Dire que Louis-Marie devait jouer ici pour le cinq à sept ! À sa place, j'ai dû engager une escouade d'apprentis. Pauvre Louis-Marie ! Avec sa mère mourante, il n'avait pas besoin de ça. Quand il m'a appelé ce matin pour se décommander, il était tellement à l'envers qu'il en faisait pitié ! Si quelqu'un connaissait Romain, c'était lui.

— Mieux que Marjolaine ? demanda Surprenant.

Platon Longuépée releva le sourcil, interloqué.

— Romain et Louis-Marie, c'étaient les deux doigts de la main. Depuis la polyvalente. Louis-Marie a toujours été derrière Romain. Sauf cet été, maintenant que j'y pense... Il a beau être d'un naturel accommodant, la petite joueuse d'accordéon, il ne pouvait pas la sentir.

Geneviève Savoie tira discrètement la manche de son supérieur. 12h45 : ils devaient retrouver Mad Dog à l'hôpital. Surprenant quitta la Caverne en méditant sur cette apparente contradiction. S'il ne pouvait pas la sentir, pourquoi, ce matin-là, Louis-Marie Gaudet s'était-il empressé d'aller apprendre la nouvelle de la mort de Romain à Esther McKenzie ?

20

La Merveille du continent

Le Centre hospitalier de l'Archipel, une sobre variation sur le thème du rectangle, était situé en plein Cap-aux-Meules, dans un quadrilatère formé par la route principale, la falaise, l'église et le Tim Hortons. Rarement utilisé, son héliport permettait de gagner les trente minutes nécessaires à l'aller-retour jusqu'à Havre-aux-Maisons.

Pendant le trajet, Surprenant avait brièvement donné ses instructions :

— Le film, Geneviève. Trouve le maximum d'infos à propos de ce film, du réalisateur, du ministre et de Marilou Truc.

— Cholette. Tu me largues ici ?

— Ça se peut.

Sanglé dans son uniforme, Mad Dog Dépelteau, qui avait troqué sa Camaro pour une fourgonnette de fonction, faisait les cent pas sur le tarmac. Il accueillit Surprenant et Geneviève avec une chaleur inhabituelle.

— Belle journée, vous ne trouvez pas ?

— J'ai malheureusement l'impression qu'on ne perd rien pour attendre, dit Surprenant.

— Au moins, nos collègues de Rimouski ont pu faire le voyage. Vous avez du neuf ?

Surprenant rendit succinctement compte de sa visite à Louis-Marie Gaudet et des trouvailles de Bonenfant dans le chemin Huet. Geneviève nota avec appréhension que son supérieur n'avait fait aucune mention de l'appel en provenance du Lasso.

— Des nouvelles de Marchessault et de Labbé ?

— Aucune. J'imagine qu'ils sont encore en train d'interroger les voisins.

— Ha ! triompha Dépelteau. Bibi peut vous dire qu'ils ont appris des choses...

À la façon dont Surprenant se contractait, Geneviève Savoie ne pouvait dire ce qui, de l'intervention de Dépelteau dans son enquête ou du vrombissement grandissant de l'hélicoptère à l'ouest, le hérissait davantage. Le bruit se fit plus strident, jusqu'à évoquer le bourdonnement d'une gigantesque fraise de dentiste. L'appareil apparut soudain au-dessus du nouveau quartier qui bordait le centre commercial.

— Qu'est-ce que vous disiez au sujet de Marchessault ? hurla Surprenant.

— Tout à l'heure ! répondit sèchement Dépelteau en plaquant sa main sur sa casquette.

L'équipe du Bureau des enquêtes criminelles de Rimouski comprenait quatre membres, dont trois humains. Surprenant fut heureux de reconnaître Vic, le maître-chien avec qui il avait travaillé l'automne précédent. À sa suite, un énorme Viking posa le pied sur le sol, avec précaution, comme s'il craignait que l'archipel ne s'enfonçât sous son poids. Le chien Elvis apparut, haletant. Il attendit que Vic lui donne la permission de débarquer, avant de s'exécuter avec un flegme de vieux troupier.

Restait le sergent-détective Ferlatte. Plissant les yeux dans la poussière soulevée par le rotor, un homme de taille moyenne et d'allure juvénile sauta lestement sur la piste. Verres fumés relevés sur le front, un sac d'ordinateur en bandoulière, il se dirigea d'emblée vers Surprenant.

— André Surprenant, si je ne m'abuse ! Olivier Ferlatte. Je suis vraiment honoré de travailler avec vous.

Embarrassé, Surprenant lui présenta Dépelteau, dont la moustache frémissait dangereusement. Ferlatte lui accorda quatre secondes de son temps et reporta son attention vers Surprenant.

— Pendant le trajet, j'ai lu tout ce qui se rattache à l'affaire Richard. *Jesus !* Vous leur en avez mis plein la gueule !

Surprenant considérait le nouveau venu. À qui le « leur » faisait-il référence ? Avec sa peau de pêche et sa mèche de cheveux sur l'oreille, cet enquêteur aux crimes contre la personne ne semblait pas avoir plus de trente ans. Les autorités de la SQ n'étant pas renommées pour acheter d'après l'emballage, il fallait que ce surdoué ait accompli des prodiges ou joui de puissantes protections pour mériter ses galons à un âge aussi jeune.

— Trêve de bavardages ! trancha Dépelteau. Nous avons un meurtre sur les bras, messieurs.

— J'espère bien, glissa Ferlatte en adressant un clin d'œil à Surprenant.

Les hommes chargèrent leur équipement et leurs bagages dans la fourgonnette. Le Viking, de toute évidence le technicien en scène de crime, grimpa à l'arrière, taciturne.

— *Here's Ralph*, claironna Vic avec un accent impeccable. Il arrive de Flin Flon, dans le cadre d'un programme d'échange avec les bœufs de l'Ouest. Ne vous en faites pas, c'est un pro.

— Il parle français ?

— Une petite bitte, risqua Ralph.

La fourgonnette partit en trombe. Dépelteau rageait derrière le volant. Geneviève Savoie était restée en rade près de la Cherokee. De la main, Surprenant lui signifia qu'il allait lui téléphoner.

— Vous ne m'avez pas présenté cette jolie personne, observa Ferlatte.

— Vous aurez tout le temps de faire connaissance.

Ferlatte enchaîna sur des souvenirs d'un précédent voyage aux Îles, en Westfalia, avec une maniaque de planche à voile qu'il avait rencontrée en Caroline du Nord.

— Voilà que je parle encore de moi ! s'amusa-t-il. Présente-moi l'affaire, André.

« Cet animal me tutoie », songea Surprenant. Ferlatte lui déplaisait, spontanément, tant par sa familiarité que par le fait que le règlement de la Sûreté l'obligeait à lui remettre les commandes de l'enquête. Bien qu'ils portent le même grade, bien que lui, Surprenant, ait plus d'expérience et de connaissance du milieu, il devait s'effacer devant ce jeunot du continent. Il ravala sa frustration et présenta l'affaire d'une manière concise et professionnelle. Il n'omit pas, cette fois, le coup de téléphone en provenance du Lasso, ce qui ne manqua pas de titiller Dépelteau. Ferlatte, soudain sérieux, écouta Surprenant avec la plus grande attention. Au moment où la fourgonnette s'engageait dans le chemin des Arsène, il résuma ainsi la situation :

— Un musicien est tué dans son salon. Le tueur connaît la maison et tente maladroitement de maquiller le meurtre en suicide. La victime n'est pas un ange, mais le mobile demeure mystérieux.

— On ne peut exclure un crime passionnel, dit Surprenant. Sa femme et sa blonde avaient toutes deux de bonnes raisons de le tuer. D'après ce que j'ai appris, il couchait aussi avec sa voisine.

— Ce gars-là savait jouer de sa « petite bitte », pouffa Vic.

Dépelteau immobilisa la fourgonnette devant le cottage de Romain Leblanc. Il se retourna et toisa dédaigneusement le maître-chien, puis, d'un air plus amène, la Merveille du continent.

— Je ne veux pas vous mettre de la pression, sergent Ferlatte, mais le meurtre a fait du bruit. Ça appelle de Québec, de Montréal et même de Toronto. J'ai convoqué une conférence de presse pour seize heures. Ce serait bien d'avoir quelque chose à leur jeter en pâture.

— Si vous voulez qu'on avance, vous pourriez nous dire ce que Marchessault a appris, maugréa Surprenant.

— L'information a peut-être son importance. Une voisine a révélé que Romain Leblanc, il y a quatre jours, lui a confié qu'il avait l'intention de vendre la maison.

— Vraiment ! s'étonna Surprenant.

— Selon elle, il aurait même dit que l'héritage de son père lui porterait malheur.

— Une prémonition ! ironisa Ferlatte. L'affaire est franchement réjouissante ! Allons voir le cadavre.

Alexis Tremblay les attendait sur la galerie, l'air excité. Après les présentations, Surprenant, qui ne doutait pas que son agent avait passé les trois dernières heures à fouiner dans la maison, s'informa du motif de son contentement.

— J'ai jeté un œil dans le bureau... commença Tremblay.

— Nous verrons cela plus tard, dit Dépelteau, qui n'appréciait pas de voir Tremblay jouer à l'enquêteur devant la visite du continent.

— Quelqu'un a fouillé récemment dans le classeur, s'entêta Tremblay.

Ferlatte se tourna vers Surprenant, question de lui signifier que ce genre de détail le concernait. Sans plus attendre, il entra dans la maison en compagnie des techniciens. Il consacra quinze minutes à l'examen du corps et de la carabine, puis donna à Ralph des consignes en ce qui concernait la collecte des indices, notamment du pâté et des ustensiles de cuisine. Ensuite, en compagnie de Dépelteau, qui collait à lui comme une sangsue, il s'intéressa aux portes et aux fenêtres. Enfin, il revint se camper devant la victime, se tenant le menton dans une pose méditative. Sans quitter des yeux le violoneux, il déclara, d'un ton qui se voulait amical mais qui trahissait une certaine irritation :

— André, tu es culotté !

Devant le silence de Surprenant, Ferlatte s'étonna qu'on ait fait parcourir, un dimanche, aux frais du contribuable, plus de cinq cents kilomètres à une équipe d'enquêteurs pour élucider ce qui avait tout l'air d'un suicide. Un frisson parcourut l'échine de Surprenant. Avait-il manqué d'objectivité ? Des profondeurs de son mal-être, s'était-il laissé emporter par quelque obscur besoin d'action ou de rédemption ?

— Dis quelque chose... l'exhorta Mad Dog en se dandinant sur ses courtes jambes.

— Tout ce que je peux vous dire, articula Surprenant, c'est que je suis sûr que ce gars-là ne s'est pas tiré ! Ses proches vous le diront, ce n'était pas dans son tempérament.

— La psychologie ! railla Ferlatte. Il ne faut jamais la sous-estimer, surtout dans le cas d'un artiste. Il est possible que tu aies raison, André. C'est vrai qu'il y a des éléments qui clochent dans le tableau : le coup de téléphone à trois heures du matin, le portable qui a disparu, l'absence de message d'adieu. J'aimerais bien visiter le bar western dont tu as parlé tantôt. On pourrait attraper quelque chose à manger, je crève de faim.

— Vous désirez que je vous accompagne ? demanda Surprenant.

Olivier Ferlatte posa sur lui un regard perçant.

— En parcourant l'affaire Richard, j'ai compris deux choses. Primo, tu as l'étoffe d'un enquêteur-chef. Deuzio, tu aimes bien que la gloire rejaillisse sur ta personne. Pour ces deux raisons, je préfère te garder à mes côtés.

21

Suspicion

«Le film, Geneviève. Trouve le maximum d'infos à propos de ce film, du réalisateur, du ministre et de Marilou Truc.»

Pendant que l'hélicoptère s'élevait et reprenait la direction du continent, Geneviève Savoie goûta le plaisir de se trouver délivrée du vrombissement du rotor et de la compagnie de Surprenant. Elle avait beau aimer cet homme, ses immersions récurrentes dans son monde intérieur l'irritaient et la déstabilisaient. Ce n'était pas compliqué: André Surprenant était toujours un peu ailleurs.

Elle grimpa dans la Cherokee. Surprenant avait abandonné son trousseau de clefs sur le contact. Geneviève Savoie sourit: c'était là, d'une certaine façon, un geste de confiance. Elle caressa les clefs du doigt. André lui fournirait-il un jour celles de son cœur? Elle jeta un œil autour d'elle: les environs étaient déserts. Elle allongea la main et ouvrit la boîte à gants. Elle y découvrit l'habituel fouillis de son ancien amant, des CD, des cassettes, une carte routière des Maritimes, une autre du Nord-Est des États-Unis, un sachet de kleenex, une boule de pétanque orpheline, des cartes à jouer et un flacon d'analgésiques.

Elle referma la boîte à gants et quitta l'héliport en direction de L'Étang-du-Nord. Les directives de Surprenant la laissaient en proie à des sentiments contradictoires : elle était ravie de prendre une part active dans l'enquête tout en étant consciente qu'elle se risquait dans une passe non balisée. Elle outrepassait son mandat d'agent, et ce, à l'insu de Dépelteau. Si les choses tournaient mal, elle pourrait rejeter le blâme sur Surprenant, ce à quoi, bien sûr, elle ne se résoudrait jamais. À sa manière subtile, Surprenant, comme toujours, l'entraînait dans ses manigances.

— Et puis au diable ! ragea-t-elle à haute voix en frappant à deux mains sur le volant.

Elle ne voyait guère d'autre angle d'attaque que de se présenter à la résidence du ministre fédéral du Patrimoine. Elle allait s'engager dans le chemin des Arsène quand elle aperçut la fourgonnette dans laquelle Dépelteau et Surprenant avaient conduit l'équipe du BEC sur les lieux du crime. Pestant contre sa distraction, elle rebroussa chemin vers L'Étang-du-Nord. Comment opérer discrètement ? À court d'inspiration et de contacts parmi les insulaires, elle alla stationner la Cherokee derrière l'usine du village, à l'abri des regards, et appela Majella.

— Tu veux parler à quelqu'un qui a travaillé au film ? s'étonna la vieille fille. Comme si ç'avait rapport avec ce qui est arrivé à Romain !

— Vous devez bien connaître quelqu'un... plaida patiemment Geneviève.

La standardiste se laissa tirer l'oreille, ce qui donna une fois de plus l'occasion à Geneviève d'observer un trait de son comportement : Majella, qui papillonnait autour de Surprenant avec un sans-gêne éhonté, la respectait moins que ses collègues masculins. S'il lui arrivait d'avoir un contretemps à cause de ses fils, la vieille fille l'accueillait avec une sollicitude narquoise. « William a encore une otite ? » « Olivier rencontre l'orthopédagogue ? » Le sous-entendu était patent : Geneviève était une femme incompétente, qui n'avait pas su garder son mari et qui se laissait mener par deux enfants mal élevés. Depuis que tout le poste était au courant de son intermède avec Surprenant, la situation était encore pire.

— Vous pouvez toujours aller voir la Marmotte.

— La Marmotte ?

— Si quelqu'un aux Îles a travaillé sur le film, c'est Gilbert Poulin. Il y en a rien qu'un dans le bottin. Et dans la vie, pour sûr. Attendez… 16, chemin du Phare, à L'Étang-du-Nord.

— Il n'est peut-être pas chez lui.

— Ça me surprendrait beaucoup. S'il est sorti de son trou pendant l'été, on l'a perdu jusqu'au printemps. Au moins !

Jugeant sans doute qu'elle s'était montrée assez conciliante, Majella Bourgeois raccrocha. Perplexe, Geneviève se rendit à l'adresse indiquée. Quelque trois cents mètres à l'est du port, le chemin du Phare était une courte allée bordée d'une douzaine de maisons. À son extrémité, monté sur une tour blanche ornée de rouge, un puissant projecteur signalait la côte nord de l'île centrale. Le 16 était une maisonnette aux bardeaux blancs défraîchis, surmontée d'une soucoupe de communication par satellite. Les abords de la maisonnette témoignaient d'un certain abandon : l'herbe était longue, la galerie était encombrée de journaux, de magazines et de bouteilles de verre qui semblaient attendre la venue d'un bac de récupération depuis des temps immémoriaux. Sur un rectangle d'asphalte maculé de taches d'huile, une Coccinelle vénérable éprouvait les effets de la loi de la gravitation.

L'homme qui vint ouvrir pouvait aussi bien avoir quarante ans que soixante. La barbe presque aussi longue que son gazon, le sommet du crâne parfaitement chauve, une couronne de cheveux poivre et sel ramassés en une queue de rat sur la nuque, l'œil globuleux et l'échine ronde, il évoquait assez le propriétaire désabusé d'un motel condamné à la fermeture par le passage tout proche d'une nouvelle route.

— Monsieur Gilbert Poulin ?

Derrière la porte moustiquaire, l'homme jeta un regard prudent vers la Volkswagen, puis articula, avant de se ficher une rouleuse entre les lèvres :

— C'est pour l'Opération Minoune ?

Après avoir assuré l'homme que sa venue n'avait rien à voir avec l'inspection des véhicules, Geneviève Savoie obtint la permission d'entrer. La cuisine était imprégnée d'une odeur de friture et de tabac. La voix nasillarde d'un commentateur de CNN s'échappait d'un téléviseur juché sur une tablette à côté du réfrigérateur. Gilbert Poulin offrit une chaise à l'agente et s'assit au bout d'une table de formica. À en juger par la proximité d'une télécommande, d'un téléphone, d'une petite radio, de l'hebdomadaire local *Le Fanal*, d'un paquet de tabac à rouler et d'une tasse de café froid, ce lieu constituait son poste de navigation. Un œil sur l'univers, un autre sur le port et l'île aux Goélands, Gilbert Poulin observait paresseusement la marche du monde, avec une lucidité qui ne semblait tempérée par aucun amusement.

— Belle vue que vous avez là, entama Geneviève.

— Vous m'en reparlerez un matin de novembre. Vous venez à propos de Romain ?

— Vous avez appris la nouvelle par la radio ?

— Par un ami. Vous voulez me parler du film, j'imagine ?

Vu de près, Poulin paraissait à la fois plus âgé et plus vif d'esprit.

— C'est votre seul lien avec Romain ? demanda Geneviève.

— J'ai déjà fait du son pour lui, mais c'était il y a plus de dix ans. D'ici, je n'ai pas vue sur sa maison. Donc, vous voulez me questionner à propos du film.

— Dites-moi d'abord ce que vous y faisiez.

— Perchiste. Technicien à tout faire. Les équipes de la ville engagent parfois des journaliers, comme moi. Ça revient moins cher.

Après avoir vainement cherché dans l'expression de Poulin quelque trace d'amertume, la policière l'invita dans un premier temps à lui raconter l'histoire du film.

— Ça paraît que vous n'avez jamais travaillé sur un plateau, soupira Poulin. « L'histoire », comme vous dites, n'apparaît qu'au montage. Nous autres, les techniciens, on tourne des scènes, le plus souvent sans savoir à quoi ça rime.

Il s'exécuta néanmoins. *Suspicion* était ce que son réalisateur appelait un « polar d'atmosphère ». La victime était un cinéaste à la retraite. Le meurtrier était un ami en phase terminale d'un cancer du côlon qui ne lui avait apparemment pas pardonné de lui avoir volé sa femme quelques années auparavant.

— Une vengeance amoureuse entre vieux amis, résuma Geneviève.

— À mon avis, ça va donner un navet. L'intrigue ne tient pas la route. Les vieux n'ont pas l'énergie de s'entretuer.

Après un moment de réflexion, Geneviève demanda au technicien comment le meurtre était commis.

— Encore là, aucune originalité ! Le gars était assassiné dans son salon d'une balle dans le cœur.

Voyant la policière pâlir, Poulin émit un ricanement nerveux.

— Vous allez quand même pas me dire que c'est comme ça que Romain est mort ?

— Je ne suis pas autorisée à vous communiquer ce genre de renseignement.

Les yeux tournés vers la mer, Poulin écrasa son mégot dans un cendrier vantant une célèbre marque de pastis et déclara : « Une mise en abyme. Elle est bonne, celle-là », d'un ton où se mêlaient inquiétude et jubilation.

Percevant ces sentiments, Geneviève décida de se montrer plus incisive.

— Quel était le rôle de Romain dans le film ?

— Il apparaissait dans cinq ou six scènes. Son rôle n'était pas compliqué : il devait être lui-même, c'est-à-dire un violoneux madelinot. Il faisait de la musique dans deux scènes. Les directives de Larrivée étaient simples : « Tu ne joues pas. Tu es toi-même. »

— Et ça marchait ?

— Ça ne pouvait pas marcher. Romain jouait *dans la vie*. Quand Larrivée lui demandait de ne pas jouer, ça le mêlait.

— Vous dites que Romain jouait dans la vie. Pouvez-vous préciser ?

Gilbert Poulin échappa un grognement. La psychologie semblait faire partie des intérêts qu'il avait perdus en même temps que ses cheveux.

— Comment vous dire? Romain Leblanc jouait à être Romain Leblanc. Il voulait être quelqu'un. Nous, on l'endurait comme ça. Les artistes veulent être quelqu'un, mais pour être vraiment quelqu'un, il faut rester soi-même, vous comprenez?

— Pas tout à fait, admit Geneviève.

— Moi, j'ai résolu le problème. Je ne suis personne. C'est merveilleux.

— Revenons à ce qui s'est passé entre Larrivée et Romain.

— Au début, Romain semblait plein de bonne volonté. Par la suite, ça s'est gâté. Larrivée lui disait qu'il en mettait trop. «Tu ne joues pas. Tu es toi-même.» Larrivée était sous pression, le tournage n'avançait pas assez vite à son goût, le comptable s'énervait…

Le technicien interrompit son récit, soupira.

— C'est toujours comme ça, un film. C'est une suite de tensions et de contretemps, dit-il sur le ton d'un vétéran d'Hollywood.

— Continuez.

— Trois ou quatre jours avant la fin du tournage, Romain a pété sa coche. Quelque chose le travaillait, je ne sais pas quoi, ça devait être sa petite joueuse d'accordéon. Larrivée a fait une observation, d'un ton excédé. Romain l'a traité de tapette devant tout le monde.

— Décrivez-moi exactement l'incident, s'il vous plaît.

— Il est allé se planter à six pouces de la face de Larrivée et lui a dit: «Je ne suis pas comme toi, la pédale. Je ne me fais pas enculer par un ministre pour faire de l'ART.» Guérette assistait à la scène. Larrivée a voulu congédier Romain, mais il ne pouvait pas. Le temps pressait, trop de ses scènes avaient déjà été tournées. Ensuite, il y a eu l'histoire du scénario.

— Le scénario ?

— Seuls les acteurs principaux et les membres de l'équipe de tournage ont accès au scénario complet. Les figurants n'apprennent que leurs bouts de texte. Pour embêter Larrivée, Romain aurait volé un scénario et aurait menacé de le faire circuler. C'est du moins ce qui se racontait sur le plateau.

Geneviève demeurait sceptique.

— Le réalisateur semblait-il réellement *embêté* par cette histoire de vol ?

— Ce qui est certain, c'est qu'il était tendu. Romain connaît quand même des gens dans le milieu. Un polar, quand on sait la fin, ça n'intéresse personne.

— Et Guérette ?

— Après l'altercation entre Leblanc et Larrivée, on ne l'a plus revu. J'imagine qu'il n'était pas heureux des insinuations de Romain.

— Étiez-vous à la fête chez lui, hier soir ?

— Me bourrer de saumon fumé aux frais du contribuable dans le château d'un ministre fédéraliste ? Jamais ! Me ramasser au milieu d'une trentaine de gars chauds avec l'obligation d'avoir du plaisir ? Plus capable !

Geneviève hochait la tête, de plus en plus confuse.

— Expliquez-moi quelque chose. Pourquoi Romain a-t-il été invité à cette soirée ? Il ne devait pas être le bienvenu.

— Si Romain a été invité hier soir, cherchez du bord

de Marilou. C'est pas compliqué : il passait à côté d'elle et elle se mettait à gigoter comme une pleisse*.

Content de son image ou de cet autre exemple de la futilité des amours humaines, Gilbert Poulin avala une gorgée de café et tourna son visage vers l'extérieur.

Geneviève fit mine de se lever. Avec une avidité de solitaire, Poulin la retint.

— Si vous voulez, je peux vous donner la fin de ce... scénario.

— Le mot de la fin ?

Poulin ébaucha un sourire, ce qui permit à Geneviève de découvrir qu'il n'avait pas croisé un dentiste depuis belle lurette.

— L'argent, madame. Romain n'avait pas de cœur, mais depuis la mort de son père, il avait beaucoup d'argent. Beaucoup trop aux yeux de certains.

— Arrêtez de parler en paraboles, monsieur Poulin.

— Romain avait un frère, qui n'avait pas un sou, qui n'enregistrait pas de disques et qui n'était invité à aucun party. Je vous en ai déjà trop dit.

— Vous croyez qu'Eudore Leblanc aurait pu tuer son frère ?

Gilbert Poulin secoua la tête, comme s'il regrettait déjà ses paroles. Geneviève prit un crayon et griffonna le numéro personnel de Surprenant sur la page couverture du journal.

— Si vous avez autre chose à nous dire, n'hésitez pas, monsieur Poulin.

Le technicien se tenait coi. Par la fenêtre, Geneviève entrevoyait le port de L'Étang-du-Nord. Au pied du cap à Savage, un ponton échoué depuis des décennies

---

* Plie.

résistait, brun de rouille, à l'assaut des vagues. Mourir de vieillesse ou d'oisiveté n'était pas chose aisée. Gilbert Poulin, à sa façon, en était la preuve vivante.

Elle sortit. Dehors, l'air portait la lourde promesse d'un orage.

22

Le refuge d'Euclide

Laissant les techniciens sur les lieux du crime, Ferlatte et Surprenant prirent la direction de Fatima à bord d'une voiture de fonction. En trois petits quarts d'heure, le vent avait tourné à l'est et le ciel s'était couvert, transformant le plateau verdoyant de Sur-les-Caps en un espace inhospitalier et angoissant.

Dès qu'ils furent seuls, l'attitude de Ferlatte envers Surprenant changea. De détendu, il devint très détendu.

— *My God!* André, comment peux-tu endurer ce con de Dépelteau ?

Surprenant, prudemment, soutint que son supérieur était un homme qui gagnait à être connu.

— Tu ne me fais pas confiance, André. Tu devrais, parce que nous allons travailler ensemble. Maintenant, dis-moi ton *gut feeling*. Sinon, on ne peut pas avancer.

Malgré le temps gris, Ferlatte avait abaissé ses lunettes sur son nez, si bien que Surprenant ne pouvait lire son expression. Avec ses manches de chemise relevées et son sourire inquiétant, Ferlatte lui rappelait un acteur connu.

— C'est le mobile qui nous mènera au meurtrier, lâcha Surprenant.

— Arrête-toi ici, ordonna Ferlatte en désignant un casse-croûte. Ça ne sert à rien d'aller questionner ce propriétaire de bar si tu ne me dis pas tout ce que tu sais.

«Jack Nicholson. Jack Nicholson jeune dans *Easy Rider*», trouva Surprenant en descendant de voiture. Par ailleurs, la Merveille du continent, malgré ses grands airs, ressemblait fort à Dépelteau, si ce n'était qu'il semblait davantage mû par le désir de savoir que par la peur d'ignorer. Son attitude n'avait rien d'original. Il ne faisait qu'assumer la position paranoïde de l'investigateur: l'*Homo sapiens* était une espèce dangereuse, on ne pouvait se fier à personne, surtout pas à son voisin ni, pire, à son subordonné. Le refrain du *Bord de la côte* revint à l'esprit de Surprenant. Maintenant que ses enfants étaient presque élevés, pourquoi ne quittait-il pas cet harassant métier d'enquêteur pour apprendre à jouer du jazz?

— Tu tombes souvent dans la lune de même? s'informa Ferlatte en commandant un hamburger.

— Vous devriez essayer un sandwich au crabe. Ici, ils sont fameux.

— Le poisson, les crustacés, je ne suis pas capable. Je sais que c'est pas cool, mais c'est ça, *man*.

Tandis que Surprenant se demandait si Ferlatte émaillait ses phrases d'expressions anglaises pour lui rappeler qu'il était allé se former aux *States*, ils s'abritèrent du vent sur une table à pique-nique derrière le casse-croûte. Au large, roulant et tanguant dans une forte houle, deux homardiers sortis pour une balade dominicale filaient à plein moteur vers le port de L'Étang-du-Nord.

« Est-ce qu'il enlève ses verres fumés pour dormir ? » songea Surprenant. Dans la demi-heure qui suivit, il raconta en détail à Ferlatte tout ce qu'il savait relativement au meurtre, incluant témoignages, rumeurs et racontars.

— Vous avez interrogé la joueuse d'accordéon ?

— Pas encore. Leblanc était un séducteur. Le crime passionnel, c'est l'hypothèse la plus facile. Mais je ne crois pas que ce soit une femme qui ait fait le coup. Dans ce meurtre, il y a un aspect mécanique, une préméditation. Ça ressemble à un règlement de comptes.

Ferlatte marqua le coup en retirant ses verres fumés, qu'il essuya méticuleusement avec un papier-mouchoir. Sans ses lunettes, il paraissait vulnérable. Surprenant observa les mains fines, les traits délicats, l'attitude quasi ascétique de ce sergent-détective qui ne pesait guère plus de soixante kilos : cet homme ne devait sa survie à la SQ qu'à ses capacités intellectuelles.

— On a tous des comptes en souffrance, soupira Ferlatte. Ça peut prendre longtemps à en faire le tour. Attachons-nous d'abord aux indices, aux témoignages, à toutes les pistes tangibles qui pourraient mener au meurtrier. Tout ça sans oublier que nous n'avons pas encore de rapport d'autopsie. Il peut toujours s'agir d'un suicide tordu.

Ravi de voir Ferlatte s'orienter vers ce qu'il estimait être un cul-de-sac, Surprenant lui rappela qu'il allait pleuvoir et lui conseilla d'envoyer le Viking de Flin Flon relever les empreintes que devait toujours garder, chemin Huet, l'agent Bonenfant.

Ils roulèrent jusqu'au Lasso. Il n'y avait que trois voitures dans le stationnement. Au-delà d'une porte opaque tapissée d'affiches de spectacles, les enquêteurs pénétrèrent dans une vaste salle rectangulaire, sombre, où flottait l'habituel remugle de tabac et d'alcool. La scène, exiguë, surchargée d'instruments et de matériel de sonorisation, était située dans un coin, à droite, face au plancher de danse. Le reste de la salle était occupé par de petites tables noires, pour l'instant surmontées de chaises renversées, et par un comptoir en U, devant lequel un colosse en chemise fuchsia briquait le parquet.

— On ouvre à trois heures, les gars, dit-il sans lever la tête.

— Police, annonça sobrement Ferlatte.

L'homme interrompit son travail pour jauger les intrus. Puis, sur un ton faussement candide: «Si vous avez des questions sur la dope ou sur la présence de mineurs dans le bar, je peux rien vous dire. Faut parler à Euclide.»

— Il est ici? s'informa Ferlatte.

— À cette heure, il doit être en train de déjeuner.

Le malabar, qui répondait au nom de Pierrot, appela son patron à l'aide d'un téléphone situé derrière le bar. Un autre homme, plus jeune et plus mince, surgit d'une pièce située à l'arrière du bâtiment, bientôt rejoint par une femme entre deux âges qui faisait le ménage dans les toilettes. Surprenant admira l'interrogatoire de Ferlatte qui, après quelques détours, parvint à apprendre ce qui lui importait: à trois heures neuf du matin, après un samedi soir tranquille qui annonçait la fin de l'été, les derniers clients avaient quitté le Lasso, les portes étaient fermées et il ne restait plus à l'intérieur que deux employés, soit lui, Pierrot, et une serveuse nommée Ariane.

— Si vous avez fermé après trois heures, vous pouvez nous le dire, intervint Surprenant. Ce n'est pas ça qui nous intéresse.

— Si on avait menti, évidemment, on ne vous le dirait pas, répondit Pierrot, dont la candeur était décidément redoutable. Mais, juré craché, on vous a dit la vérité.

— Le propriétaire était-il sur place ?

— Euclide ne ferme plus le bar, à son âge. À ma connaissance, il est parti vers deux heures.

À part un téléphone public, le Lasso ne comptait que deux appareils, l'un derrière le comptoir, l'autre dans le bureau du patron, à l'arrière. Pierrot se montra catégorique : ni lui ni Ariane n'avaient passé d'appel après trois heures.

— Donc si quelqu'un a appelé à 3 h 09, c'est du bureau, conclut Ferlatte.

— Je ne vois pas d'autre solution, dit Pierrot. Mais, à ce que je sache, il n'y avait personne dans le bureau.

— Où se trouve le coffre-fort ? demanda Surprenant.

— Au sous-sol. Le bureau a déjà été défoncé une couple de fois.

Euclide Déraspe arriva sur ces entrefaites. Comme l'avait dit Platon Longuépée, il présentait un aspect saisissant. Le haut du dos rond comme une bille, le cou fléchi à un angle que Surprenant évalua à soixante-quinze degrés, Euclide Déraspe, à soixante-deux ans, avait du monde une vision essentiellement latérale. S'il voulait voir autre chose que le plancher, il devait incliner la tête et lever les yeux, ce qui, conjugué à des sourcils broussailleux et à une moustache anachronique, lui conférait une allure soupçonneuse. Complet trois pièces, souliers vernis, cravate, il semblait par ailleurs gréé pour une quelconque cérémonie.

— Qu'est-ce que je peux faire pour votre service ?

— Nous enquêtons sur la mort de Romain Leblanc, dit Surprenant.

— Cet animal-là ! Pour parler franc, je regrette le musicien. L'homme, je peux m'en passer.

D'un pas étonnamment élastique pour un homme perclus d'arthrite, il guida les policiers jusqu'à son bureau. Situé à l'arrière du bâtiment mais abondamment fenestré, il offrait un contraste notable avec le bar. L'ameublement était de bon goût. Une statuette de pierre polie représentant un chasseur de phoques trônait sur le bureau. Sur les murs s'étalaient, laminées, différentes affiches autographiées par des vedettes de musique country. Bar, chaîne stéréo, téléviseur, l'ensemble, malgré la présence d'un bureau et d'un classeur, évoquait davantage un lieu de repos qu'une pièce de travail. Une porte d'acier donnait accès à une petite galerie en bois traité sur laquelle une chaise longue était orientée vers l'ouest.

— Bel espace que vous avez là ! loua Ferlatte.

— Je passe pas mal de temps dans ce... refuge, grimaça Déraspe en s'allongeant dans un fauteuil capitonné dont l'inclinaison lui permettait de voir ses interlocuteurs. Ma femme n'aime pas les bars. Ici, j'ai la paix. Est-ce que quelqu'un aurait réglé son compte à Romain ?

— Vous connaissez quelqu'un que ça aurait pu tenter ?

Euclide Déraspe sourit finement. L'homme était intelligent.

— C'était un Margot...

Ferlatte se tourna vers Surprenant, qui d'un geste lui signifia qu'il lui expliquerait.

— Pire, c'était un Margot artiste ! ricana Déraspe. Il s'imaginait que ça lui donnait tous les droits.

— Dont celui de briser un contrat, insinua Surprenant.

Surpris, Déraspe se tordit le cou pour mieux voir à qui il avait affaire.

— Je vois que vous êtes au courant. Oui, Romain m'a laissé tomber à la fin de juin. J'ai dû trouver des remplaçants à la dernière minute. J'ai perdu de l'argent. Si j'avais eu un contrat en bonne et due forme, je l'aurais traîné en cour. Mais ici aux Îles, ça marche comme ça, un coup de téléphone, une poignée de main et, par là-bas ! on s'embarque pour une saison.

— Vous aviez d'autres raisons d'en vouloir à Romain ?

— Pas plus que le restant du canton. Je ne suis pas à la dernière cenne. Je ne suis pas assez fou pour aller tirer un gars chez lui parce qu'il m'a fait perdre quinze mille piastres. Par contre, si je l'avais rencontré, tout escrampe que je suis, je ne me serais pas gêné pour lui étamper ma main dans la face.

— Qui vous a dit que Romain avait été tiré ? intervint Ferlatte.

Euclide Déraspe se tourna vers Surprenant, comme pour lui demander : « D'où il débarque, celui-là ? »

— À l'heure qu'il est, tout le monde aux Îles sait que Romain est mort par balle dans son salon.

— Il a pu se suicider ?

— Romain ? Jamais ! Il faisait pleurer son violon, mais il avait un galet à la place du cœur.

Ferlatte, agacé par le ton du Madelinot, s'enquit de son emploi du temps de la nuit précédente. Euclide Déraspe corrobora la version de ses employés. Il avait quitté le bar vers deux heures («L'orchestre était pourri.») et était rentré directement chez lui, où il avait regardé, seul, un film jusqu'à quatre heures.

— Votre femme n'était pas là ?

— Léontine est à Montréal, soi-disant pour organiser l'appartement de notre petit-fils qui est aux études.

— Soi-disant ?

— Vous ne connaissez pas Léontine.

— Nous savons que Romain a reçu un appel en provenance du Lasso à trois heures neuf. Pierrot nous dit que personne n'a téléphoné du bar. L'appel semble avoir été passé de ce bureau.

— Impossible ! assura Déraspe. Je me suis fait assez voler depuis vingt ans ! J'ai déménagé le coffre-fort dans le sous-sol. Quand je quitte ce bureau, je verrouille les deux portes, autant celle qui communique avec le bar que celle qui donne sur l'extérieur.

— Vous gardez quand même un double de vos clefs ?

— Je suis peut-être escrampe, mais je suis pas idiot ! J'ai des doubles à la maison. Léontine est la seule à connaître la cachette.

— Elle est fiable ? insinua Ferlatte.

— Léontine a ses défauts, mais à propos de l'argent, elle est fiable.

Pressé de tous côtés, le propriétaire du Lasso ne démordit pas de sa version. Ou les informations fournies aux policiers étaient erronées, ou l'appel avait été passé du côté du bar.

— Retournez interroger Pierrot et Ariane. Normalement, à trois heures neuf, ils étaient seuls dans la bâtisse. Maintenant, sacrez-moi patience ! Dans quinze minutes, faut que je sois à la messe anniversaire de mon défunt père.

— À propos de défunt père, parlez-moi donc du vieux Maurice, intervint Surprenant. D'après Marjolaine, Romain avait changé depuis qu'il avait hérité.

Euclide Déraspe haussa ses sourcils et lissa pensivement sa moustache.

— Hériter de tout le bien du vieux Maurice, j'imagine que ça pouvait troubler le génie de n'importe qui.

— Assez pour que Romain envisage de vendre ?

— Romain voulait vendre ? Vous m'apprenez quelque chose. Il était peut-être moins sans cœur que je croyais. C'était quand même un artiste. Il a dû comprendre qu'il ne pouvait pas demeurer Romain Leblanc s'il ne se débarrassait pas de l'héritage de Maurice.

— Parce que son père était un usurier ? poursuivit Surprenant.

— Entre autres choses. Mais ne vous fiez pas à ce que vont vous raconter les gens : Maurice Leblanc était un homme qui, en certaines circonstances, pouvait se montrer généreux.

Le propriétaire du Lasso regarda sa montre. Ferlatte, avec brusquerie, reprit le contrôle de l'interrogatoire.

— Monsieur Déraspe, vous êtes un homme d'affaires, vous comprendrez très bien ma question. À qui la mort de Romain profite-t-elle ?

Une lueur d'amusement brilla dans les prunelles sombres de l'arthritique.

— D'après ce que je peux comprendre, sergent, elle profite à passablement de monde. Maintenant, excusez-moi, il faut que je vous laisse. On a juste un père, même s'il pourrit au cimetière.

23

Esther McKenzie

Après le départ d'Euclide Déraspe, Surprenant et Ferlatte réinterrogèrent Pierrot puis Ariane, la serveuse avec qui il avait fermé le Lasso, la nuit précédente. Leurs versions concordaient. À part la ronde que Pierrot avait effectuée dans les toilettes, laquelle n'avait pas pris plus de vingt secondes, ils étaient toujours demeurés en présence l'un de l'autre. Aucun d'eux n'avait téléphoné ou n'avait de lien privilégié avec Romain Leblanc. La conclusion s'imposait: ou l'appel avait été passé du bureau, ou les deux employés étaient de mèche, la première hypothèse demeurant la plus plausible.

— Notre ami joue encore au plus fin, dit Surprenant en sortant de l'établissement. La maison close, l'appel d'un bureau fermé à clef, il nous place toujours devant des mystères. Ça finira par lui jouer des tours.

Ferlatte sourit, comme s'il venait d'entendre une blague usée mais toujours drôle.

— Qu'est-ce que ça t'apprend sur le profil du meurtrier?

— Il ne s'est pas contenté de tuer de façon bête et efficace. Il a voulu épater la galerie. C'est quelqu'un qui a quelque chose à communiquer ou à prouver.

Malgré le fort vent, l'air était lourd, le ciel menaçait de crever d'une minute à l'autre. Ils arrivaient à la voiture quand le portable de Ferlatte émit un bruit de gong. Ferlatte écouta, donna quelques ordres brefs avant de faire claquer son appareil d'un air satisfait.

— Quelque chose? demanda Surprenant.

— C'était Ralph. Les traces de souliers trouvées au bout du sentier ressemblaient à celles derrière la maison. Je ne crois pas que ça vaille grand-chose, mais il va tout de même les photographier. Par contre, la carabine porte plusieurs bonnes empreintes sur le canon et près de la gâchette.

— Notre meurtrier n'a pas été très prudent.

— Attendons avant de nous prononcer. Quand pourrons-nous envoyer le corps pour l'autopsie?

— Mad Dog... je veux dire le lieutenant Dépelteau a déjà dû prendre des dispositions pour l'envoyer par le vol de dix-neuf heures.

— Mad Dog? Ça lui va bien. Trois heures moins vingt. Nous avons le temps d'interroger la joueuse d'accordéon avant la conférence de presse.

Sur le mémo que lui avait fourni Majella, Surprenant retrouva le numéro d'Esther McKenzie. D'un ton glacial, une voix féminine, en l'occurrence celle de sa coloc, lui apprit que la jeune femme n'était pas «disponible». Faisant jouer son grade de sergent-détective, Surprenant insista.

— Vous pouvez toujours passer, mais je ne garantis pas qu'elle vous sera d'un grand secours.

Surprenant mémorisa l'adresse, 84 chemin Patton. Il prit la direction de L'Étang-du-Nord, puis tourna dans le chemin Huet. Ralph et Bonenfant avaient déjà quitté les lieux. Ils dépassèrent la boutique L'or du temps, traversèrent un boisé et prirent à gauche sur le chemin des Amoureux, qui reliait l'église de Lavernière et Fatima. Cent mètres plus loin, sur la droite, ils trouvèrent le chemin Patton. L'étroite route de terre, enserrée par les conifères, débouchait sur une voie asphaltée d'où ils pouvaient déjà admirer la côte sud de l'île.

— La nuit, par ce chemin, Esther pouvait se rendre chez Romain Leblanc sans que personne s'en aperçoive, observa Surprenant.

— Il ne nous reste plus qu'à trouver dans sa remise une bicyclette avec des pneus pleins de terre rouge, ironisa Ferlatte.

Détonnant au milieu des buttes, le 84 chemin Patton était un modeste bungalow. Juché sur une cave surélevée, encerclé d'une pelouse jaunie et de quatre bouquets de saules, il aurait cadré dans n'importe quelle banlieue, n'eût été la présence, dans la cour arrière, près d'une remise, de trois kayaks de mer empilés sur des tréteaux. Une Subaru *hatchback* maculée de sable était stationnée dans l'allée de gravier.

La coloc répondait au nom d'Isabelle Chiasson et semblait sur le deuxième versant de la trentaine. Épaules mises en valeur par une camisole aux couleurs des Cowboys de Dallas, cuisses musclées, ventre plat: elle était sans doute une fervente du conditionnement physique.

— Esther est dans sa chambre.

D'un mouvement de la tête, elle désigna une porte près de la salle de bains. Surprenant s'effaça devant Ferlatte, qui cogna doucement. Une voix ferme leur permit d'entrer.

Tête basse, serrant l'un de ses genoux comme un animal familier, Esther McKenzie se berçait au milieu de sa chambre. Elle était pieds nus et portait une longue robe de coton. Devant une fenêtre tendue d'un sari indien, un accordéon diatonique était posé sur un coffre en bois. Un sac à dos était suspendu à un crochet derrière la porte.

— Madame McKenzie, commença Ferlatte, nous devons vous poser quelques questions.

— D'abord, dites-moi ce qui est arrivé.

La jeune femme avait des cheveux noirs bouclés, de grands yeux bleus rougis par les larmes, un visage gracieux. Les doigts étaient minces et effilés. Le corps donnait par contre une indéniable impression de force. Elle n'avait pas plus de vingt-cinq ans.

— Je vous demande ce qui est arrivé ! Romain était mon amoureux, j'ai le droit de savoir, non ?

— Louis-Marie Gaudet vous a sûrement donné quelques détails, avança Surprenant.

— Il m'a juste dit que Romain s'était tiré une balle dans la poitrine ! Mais il ne s'est pas suicidé ! C'est impossible !

— Pourquoi ?

— Romain était HEUREUX ! Il préparait un disque, il composait, il voulait rénover la maison, repartir à neuf avec moi.

Les policiers laissèrent planer un silence. La jeune femme les regarda tour à tour, avant de poursuivre d'un ton rageur :

— Vous avez peut-être appris que je lui ai fait une scène vendredi soir ? C'était seulement un accrochage. Nous nous aimions pour vrai. Vous êtes sans doute incapables de comprendre ça !

Après ce sursaut d'énergie, la musicienne se recroquevilla sur sa chaise, tête baissée, entortillant une mèche de ses cheveux autour de son index.

— Où étiez-vous hier soir ? interrogea Ferlatte.

— Je suis allée au cinéma. Ensuite, je suis passée à la Caverne.

— Vous y êtes demeurée jusqu'à quelle heure ?

— Je ne sais pas... Minuit, une heure. Ensuite, je suis rentrée, je me suis couchée, j'ai lu un peu. Je me rappelle qu'il était une heure vingt-cinq quand j'ai éteint ma lampe.

— Vous possédez une voiture ?

— Isabelle m'a prêté son auto. Elle couchait chez son ami.

— Quand avez-vous vu Romain pour la dernière fois ?

— J'ai soupé chez lui vendredi soir. Nous nous sommes disputés au sujet de Marilou.

Esther McKenzie livra un compte rendu de la scène de la cuisine qui concordait avec celui de Louis-Marie Gaudet. Surprenant lui demanda quelles étaient les relations entre Romain et Marilou Cholette.

— C'est une vieille mal baisée qui s'est amourachée de son personnage. Romain a probablement couché avec elle pendant le tournage, pour le *kick* ou pour se prouver quelque chose. Mais Marilou, c'était juste la goutte qui a fait déborder le vase. Le vrai problème, c'était Marjolaine.

Ferlatte lui demanda d'expliquer.

— L'après-midi, je lui ai dit qu'il ne la traitait pas comme il faut. Il a fait une crise.

— Pourquoi pensiez-vous qu'il ne la traitait pas comme il faut ?

— L'argent. Il refusait de lui payer une pension. Il voulait divorcer en bonne et due forme, la déshériter, lui retirer la garde des enfants. Il était fou braque depuis qu'il avait rencontré cet avocat. Je ne pouvais rien bâtir avec lui dans ce climat de violence.

— Qui est cet avocat ? s'intéressa Surprenant.

— Il porte un drôle de nom, Lebreux, je crois.

Surprenant hocha la tête. Il avait croisé l'homme à quelques reprises au palais de justice. Sa fréquentation n'avait en rien tempéré sa première impression, à savoir qu'il s'agissait d'un requin sans scrupules. Comme plaideur, il était redoutable.

— Comment ça se passait entre Romain et sa femme ?

— Leurs relations étaient assez bonnes pour un couple qui vient de se séparer. Ils se parlaient au téléphone au sujet de leur maison ou des enfants. Dernièrement, la situation s'était dégradée.

— Pouvez-vous être plus précise ?

La musicienne se renfrogna, à tel point que Surprenant craignit qu'elle ne les congédiât sans autre forme de procès. Comme à regret, elle murmura :

— Romain était un gars secret. Une sorte de sous-marin avec plein de compartiments étanches. J'étais dans le compartiment de la blonde. Marjolaine était dans celui de l'ex. Il s'est passé quelque chose entre eux il y a deux semaines. Le dimanche, il a reçu un coup de téléphone et il est parti comme un fou. Il est revenu à la nuit noire. Il n'a ni parlé ni touché à un instrument jusqu'au mardi.

— Romain vous a-t-il dit qu'il songeait à vendre la maison ? demanda Surprenant.

Esther McKenzie parut aussi surprise que peinée.

— Non. Depuis quelques jours, il était songeur. Quelque chose le travaillait, mais il ne m'en parlait pas. C'est pour ça que j'ai essayé de le secouer, vendredi. Je voulais que le sous-marin remonte à la surface.

— Avez-vous téléphoné à Romain cette nuit ? intervint Ferlatte.

— Pas cette nuit. Je l'ai appelé hier après-midi. Je voulais m'excuser, faire la paix. Il ne m'a pas dit grand-chose, seulement que nous pourrions nous voir cette semaine pour « discuter ».

— Comment avez-vous interprété sa réponse ?

— Je n'étais pas inquiète. Tant qu'on discute, il y a de l'espoir.

Surprenant l'aiguilla sur Euclide Déraspe. La jeune femme déclara que, deux semaines plus tôt, il avait offert à Romain de retourner jouer au Lasso.

— Romain a refusé ? demanda Surprenant.

— Pour lui, les bars, c'était terminé. Il voulait passer à autre chose.

— Comment M. Déraspe a-t-il pris ça ?

— Je n'ai pas assisté à la discussion. Romain m'a juste dit qu'il n'était pas content. De toute façon, ça n'a plus d'importance.

— Ce matin, quand Louis-Marie vous a annoncé la nouvelle, vous avez dit plusieurs fois : « Je le savais, je le savais. » Vous saviez quoi ?

Esther McKenzie déplia sa jambe et cessa de se bercer. Très pâle, elle considéra les deux policiers.

— Je ne sais pas si je devrais vous dire ça...

— Vous devriez, l'encouragea Ferlatte.

— J'ai rencontré Marjolaine, lundi dernier. J'étais sur la plage, à la Dune du Nord. Je ne sais toujours pas si c'était un hasard ou si elle m'a suivie. Elle s'est approchée de moi, m'a regardée comme si j'étais une putain et m'a juré que je n'aurais pas Romain.

— Ce sont ses mots exacts ? demanda Ferlatte d'une voix très douce.

— Elle a dit : « Tu n'auras pas Romain. » Comme si on pouvait *avoir* une personne !

Après une hésitation, Esther McKenzie, les yeux baissés, murmura :

— Elle a ajouté : « Tu ne sais pas c'est quoi, aimer un homme. Je préférerais qu'il crève plutôt que de le perdre. » J'ai la couenne plutôt dure, mais elle m'a fait peur. C'est pour cette raison que j'ai dit à Romain de ne pas la pousser à bout. Je ne sais pas s'il a reparlé à Marjolaine. Depuis mercredi, il n'était pas dans son état normal. Il se passait quelque chose.

— Vous avez un témoin ? demanda Surprenant.

— Non. Je ne veux pas que vous vous serviez de ça contre elle. Elle a perdu son mari, c'est suffisant.

— Vous, qu'avez-vous perdu ? risqua Ferlatte.

Esther McKenzie, sourcils froncés, sembla chercher la réponse au plus profond d'elle-même.

— Honnêtement, quand j'y repense, j'ai peut-être échappé à un paquet d'embêtements.

Elle se pencha et attrapa la bretelle de son accordéon. Surprenant et Ferlatte quittèrent la chambre sans insister. Ils trouvèrent Isabelle Chiasson mâchant du muesli devant la fenêtre du salon. La pluie s'était mise à tomber, oblique sous le vent qui torturait les saules.

— Si vous vouliez sortir en kayak, c'est à l'eau, observa Surprenant en se campant à ses côtés.

— Avec ce temps, ce serait du sport, concéda la femme. Vous avez eu réponse à vos questions ?

— Ça viendra. Une fille sportive comme vous, ça doit se promener à bicyclette ?

— J'ai des problèmes de genoux. Par contre, Esther emprunte souvent mon vélo. C'est une maniaque.

Elle planta sa cuiller dans ses céréales. Le geignement mélancolique de l'accordéon jaillit de la chambre. L'espace d'un instant, Surprenant eut l'impression que c'était Romain Leblanc qui jouait.

24

Murs

— Vous faites un travail bien dur. Vous ne trouvez pas ?

Les mains serrées autour de son bol de café au lait, dans une attitude sans doute peu professionnelle, Geneviève hésita un instant avant de répondre à la question de Marilou Cholette. Ce visage lisse, ouvert, ce sourire passe-partout étaient ceux de l'animatrice. Pour percer son expression, il fallait chercher les yeux qui, malgré le maquillage et la pratique du jeu, trahissaient l'angoisse. « Cette femme a une trouille du diable », pensa la policière.

— Mon métier n'est pas plus dur que le vôtre, répondit-elle.

— Vous faites allusion à mon… congédiement ? insinua l'animatrice.

Le ton était habile, à la fois ironique et faussement peiné. « La garce est heureuse de détourner la conversation. » Geneviève secoua gentiment la tête.

— Voyons, Minou, intervint Denis Guérette. Tu sais bien que l'agente Savoie n'a aucune intention de te rappeler ces mauvais souvenirs !

— Revenons à la soirée d'hier, si vous voulez bien.

Dès qu'elle avait mis les pieds dans la maison du ministre, Geneviève avait eu le sentiment de faire face à un mur. Larrivée, Guérette et Marilou Cholette, de toute évidence, s'étaient concertés et s'en tenaient à des témoignages étanches. Entre vingt et une heures et quatre heures du matin, la soirée s'était déroulée sans événement notable, si ce n'est le coup de téléphone qui avait arraché Romain Leblanc à son violon peu après trois heures. Par la suite, la fête s'était gentiment éteinte sans que personne ne perçoive rien de particulier, par exemple un coup de feu vers quatre heures.

— Un coup de feu ! s'était esclaffé le politicien. Vous croyez bien que nous l'aurions entendu !

Geneviève Savoie le croyait, justement. Patiemment, elle avait essayé de préciser les heures d'arrivée et de départ des divers convives. Elle avait obtenu les réponses les plus vagues. Ou ces personnes ne prêtaient guère attention à leurs semblables, ou ils avaient tous trop bu, ou ils se plaisaient sciemment à maintenir la chronologie de la soirée dans le flou le plus complet.

Avant de parler aux deux célébrités, elle s'était entretenue avec Martin Larrivée. Le réalisateur l'avait reçue dans sa chambre de l'étage, une grande pièce luxueuse qui semblait pour l'instant transformée en atelier de travail : les murs, le lit, les chaises, jusqu'au plancher, étaient encombrés de feuilles sur lesquelles étaient notées, dans un langage cryptique, les différentes scènes de *Suspicion*.

— Je prépare mon montage, avait expliqué Larrivée. Je vous donne cinq minutes. J'ai déjà tout raconté à votre sergent, ce matin.

Le ton, glacial, avait désarçonné Geneviève. Elle avait néanmoins attaqué :

— J'ai appris que vous aviez eu une engueulade avec Romain Leblanc pendant le tournage.

— Je m'accroche régulièrement avec les acteurs et les figurants. Tout le monde dans le milieu vous le dira.

— Il semble que l'histoire ait dépassé le niveau de l'accrochage.

Penché sur ses feuilles, Larrivée avait poussé un soupir agacé.

— Engager Romain Leblanc a été une erreur. J'ai vécu avec les conséquences. Maintenant, le film est tourné. Leblanc est mort. Je passe à autre chose. Avez-vous des questions plus précises ?

— Romain a-t-il menacé de diffuser votre scénario ?

Larrivée avait éclaté de rire.

— Oui ! Une manœuvre ridicule, typique du personnage. Au moment où nous nous parlons, le scénario de *Suspicion* a été présenté à plus d'une vingtaine de comédiens, sans compter les producteurs et les bailleurs de fonds. Comme réalisateur, mon plus grand désir serait de voir l'intrigue de mon film diffusée dans un média quelconque. Ça m'accorderait une publicité inespérée !

— Vous n'avez donc pas d'objection à nous fournir une copie de ce scénario ?

— Publiciser une histoire, c'est une chose. La voir associée à un meurtre, c'en est une autre. Un film, c'est beaucoup d'argent. Il y a des contrats, des droits, c'est compliqué.

— Il s'agit d'une enquête pour meurtre, monsieur.

Après avoir posé sur l'agente un regard ennuyé, le réalisateur avait tiré d'une mallette un cartable à la reliure usée et le lui avait tendu sans ménagement.

— Amusez-vous !

Éprouvant le sentiment d'avoir marqué un point, Geneviève avait pris le document et demandé à Larrivée où il se trouvait entre trois heures et sept heures la nuit précédente.

— Saint-ciboire d'hostie de christ ! J'étais ici, dans la maison. Je buvais ou je cuvais mon vin. Je n'ai pas mis les pieds dehors. Marilou et Denis peuvent en témoigner : je n'ai pas traversé le champ pour aller tirer Romain à bout portant dans son salon !

— Comment avez-vous appris que Romain Leblanc avait été tiré à bout portant dans son salon ?

« Cette fois, je te tiens, la star ! »

Loin d'être embêté par la question de Geneviève, Martin Larrivée avait émis un rire réjoui :

— Le téléphone n'arrête pas de sonner depuis ce matin. Tout le monde, aux Îles-de-la-Madeleine, sait que Romain Leblanc a été assassiné d'une balle de 22 en plein cœur dans son salon cette nuit. Je peux même vous garantir que la nouvelle est rendue à Verdun, à Ottawa, à New York, à Tombouctou, madame. Le tam-tam madelinot, que ça s'appelle !

Muette, Geneviève Savoie n'avait eu aucune difficulté à identifier la source de la rumeur. Après avoir été mise en présence du corps de son mari, Marjolaine Vigneau avait appelé sa mère, qui avait appelé la parenté, et c'était parti. Il aurait fallu empêcher la veuve de la victime de communiquer la nouvelle. Il s'agissait là, d'entrée de jeu, d'une faille dans l'enquête.

Martin Larrivée l'avait observée avec amusement, lisant dans ses pensées.

— Vous comprendrez, madame, que si quelqu'un s'est amusé à maquiller le meurtre de Romain Leblanc de façon à ce qu'il ressemble à mon scénario, ça ne peut que me réjouir. Encore de la publicité gratuite pour *Suspicion* ! Là, vous m'excuserez, j'ai du travail et vos cinq minutes sont écoulées.

Maintenant, Geneviève avait en face d'elle l'honorable Denis Guérette et Marilou Cholette. Assis côte à côte à la table de chêne blond qui reflétait la lumière incertaine du dehors, ils faisaient front commun, soudés par la peur de voir leur réputation éclaboussée par un crime. Ces deux-là partageaient l'aisance, le confort et le prestige. Ébranlée par les allusions de Gilbert Poulin à une possible liaison entre Guérette et Larrivée, Geneviève avait l'impression que le lien qui unissait le politicien et Marilou Cholette n'était qu'une façade. « Suis-je sévère ? Ces gens s'aiment peut-être réellement, à leur manière », songea-t-elle. Résistant à la tentation de les juger, elle revint à la charge.

— Vous êtes certains qu'aucun d'entre vous n'a quitté la maison ?

— Je vous répète que ni Denis, ni Martin, ni moi ne sommes sortis de la maison, répondit posément Marilou Cholette. Les derniers invités sont partis vers quatre heures et demie. Il ne restait plus rien à boire, je suppose.

Guérette se racla la gorge.

— Tu fais erreur, Marilou. Je viens de me rappeler que je suis brièvement sorti après le départ de Romain.

— Première nouvelle, grinça sa conjointe. Pour aller où, chéri ?

Guérette se tourna vers Geneviève, une moue penaude affaissant davantage son visage.

— Je suis allé fumer une cigarette derrière la remise. J'ai arrêté depuis trois mois, mais j'ai parfois des rechutes.

— Et il va se cacher, comme ça, comme un gamin de douze ans, ricana nerveusement Marilou.

— Vous avez idée de l'heure à laquelle vous êtes sorti ?

— Quelques minutes après le départ de Romain. Je ne suis pas resté dehors longtemps, pas plus de dix minutes.

— Vous seriez donc rentré vers...

— Précisément quatre heures moins quart. Je suis certain de l'heure, j'ai regardé ma montre. Je commençais à avoir hâte que les gens s'en aillent. J'aurais dû vous le dire d'emblée, mais je craignais d'avoir l'air suspect. Finalement, je préfère opter pour la transparence.

— Est-ce qu'on faisait encore de la musique chez vous à quatre heures moins quart ? demanda Geneviève d'une voix neutre.

— Le petit François jouait toujours, je crois.

— Vous croyez ?

— François jouait du piano, assura Marilou Cholette.

Geneviève n'avait pas l'habitude des interrogatoires. À ce moment précis, elle regretta que Surprenant ne soit pas à ses côtés.

— Et personne n'a entendu de coup de feu ? reprit-elle.

— Je conviens que c'est difficile à croire, dit Denis Guérette, mais c'est la vérité. Nous n'avons pas entendu de détonation cette nuit.

Tout en se demandant pourquoi le politicien, soudainement, avait choisi de lui dire qu'il était sorti après le départ de Romain, Geneviève Savoie comprit qu'elle ne pourrait pas percer le mur qui lui faisait face. Mieux valait laisser les célébrités mariner dans leur jus. Elle se leva et sortit, le scénario de *Suspicion* à la main.

Une fois dehors, elle prit conscience qu'elle avait omis d'aborder le point le plus délicat de la situation : Romain et Marilou avaient, semblait-il, été amants. Un policier plus aguerri serait-il parvenu à glisser cette question dans l'interrogatoire ? Probablement.

Le ciel, couvert et menaçant, confirmait la fin de cet été où elle avait été ballottée par des sentiments si violents. Plus que six jours avant le départ de Surprenant. Geneviève Savoie sentit, une nouvelle fois, l'étreinte du chagrin dans sa poitrine. Elle appela chez elle et demanda des nouvelles de ses enfants à sa gardienne. Après s'être baignés une partie de l'après-midi à la Martinique, les garçons mangeaient une collation devant le téléviseur. « Ne t'inquiète pas, Geneviève. Tu peux rentrer quand tu voudras. »

Brave Martha ! Geneviève n'osait imaginer ce que serait sa vie sans sa voisine.

25

Caïn

À peine sorti de la maison où habitait Esther McKenzie, Olivier Ferlatte s'approcha des kayaks rangés près de la remise.

— J'aimerais bien essayer un de ces jouets en pleine mer. Quel temps prévoit-on pour demain ?

— Je ne pense pas que ce soit joli, maugréa Surprenant.

— Dommage. Ces kayaks ne sont pas enchaînés. Personne n'a peur du vol ici ?

— Vous avez tout compris.

Ferlatte, l'air songeur, examinait toujours les kayaks. Surprenant attendit quelques secondes que son homologue du continent émette quelque suggestion quant à la suite de l'enquête, puis proposa :

— Trois heures et dix. Nous avons le temps de faire une petite visite à Caïn.

— Caïn ?

— Je vous expliquerai.

Eudore Leblanc habitait, du côté de la mer, un petit chalet déparé par une cheminée extérieure en acier. Un pick-up rouillé était stationné devant un bûcher de résineux. Sur la porte, un message était scotché : « CHERS POLICIERS, LA MAISON EST FERMÉE POUR CAUSE DE MEURTRE. JE SUIS À LA CÔTE. »

Ferlatte se retourna et jeta un œil du côté des buttes. La maison mauve de Romain Leblanc était bien visible.

— André, ce gars-là a fait exprès pour s'installer juste en face de chez son père.

— Ou de chez son frère.

À l'arrière, un sentier long de cinquante mètres menait à la mer. Dans une crique où dansait une eau écumeuse, un homme faisait du *snorkel* sous la garde d'un schnauzer. Non loin du nageur, une caisse flottante était accrochée à une bouée.

— On appelle les garde-pêche ? ironisa Ferlatte.

— Faisons plutôt un peu d'exercice, proposa Surprenant en lui montrant une corde tendue le long de la muraille.

Si elle se fit sans trop d'encombre leur descente provoqua un concert d'aboiements de la part du schnauzer. L'animal se révéla aussi inoffensif que bruyant. Alerté par le vacarme, le plongeur nagea lentement vers le rivage, traînant son butin.

— Pas l'air tracassé, ton Eudore, observa Ferlatte.

Surprenant ne répondit pas. Nez en l'air, il s'abreuvait de l'air iodé, du fracas des vagues qui s'engouffraient dans les grottes, du ballet des sternes et des goélands entre falaise et rochers. Dans ces moments-là, il ressentait, comme une blessure intime, une véritable douleur à l'idée de quitter les Îles.

Des clapotements le tirèrent de sa méditation. Eudore Leblanc sortait de l'eau, masque sur le front. Sans trahir le moindre trouble, il déposa trois gros homards aux pieds des policiers.

— Qu'est-ce que je peux faire pour votre service ? demanda-t-il d'un ton matois.

— Vous savez que je pourrais vous signaler ? attaqua Surprenant.

L'homme, dont le visage hâlé était recouvert d'une barbe qui rappelait celle de son chien, examina calmement Surprenant, puis haussa les épaules.

— Vous ne le ferez pas ! Vous n'avez pas de temps à perdre avec un petit braconnier comme moi. En plus, je suis un témoin précieux.

Eudore Leblanc était la copie blonde de son frère. Mince et musclé, il semblait en excellente forme pour un fêtard au long cours.

— Vous savez ce qui est arrivé à votre frère ? demanda Surprenant.

Eudore Leblanc ôta son masque et entreprit de se vider les conduits auditifs en se tapant sur le crâne.

— Marjolaine m'a dit qu'il s'est fait tirer dans son salon.

— Ça n'a pas l'air de beaucoup vous attrister.

Leblanc cessa son manège et garda la tête inclinée, comme s'il réfléchissait. Il leva vers Surprenant des yeux d'un vert troublant :

— Godèche de godême ! Vous avez raison ! Vous pouvez l'écrire dans votre procès-verbal : la mort de mon frère me fait plaisir.

— Pourquoi ?

— Je gèle ici. Ça vous dirait de retourner en haut ? Bardeau !

Le schnauzer, de l'écume plein les moustaches, accourut.

— C'est un chien ou une chienne? s'informa Ferlatte.

— Ça dépend de l'orthographe, répondit Eudore.

Interloqué, Ferlatte se tourna vers Surprenant.

— Ça concerne la chasse aux phoques, expliqua celui-ci. Les Madelinots ont la mémoire longue.

Le shack d'Eudore Leblanc, une seule pièce flanquée d'une salle de bains et d'une chambre minuscule, fleurait le cannabis à plein nez. La décoration était spartiate, mais les deux plants de mari devant la fenêtre, la guitare sur un pied entre deux énormes colonnes de son, les chaises de bambou de style néo-hawaïen, la photo du propriétaire hirsute devant une Westfalia peinturlurée donnaient à l'ensemble une allure résolument sixties. Malgré un désordre relatif, les lieux étaient raisonnablement propres.

— Vous vivez seul ici? questionna Ferlatte.

— Une femme à plein temps, j'ai passé l'âge.

— Je vous comprends, approuva Ferlatte avec un rire que Surprenant trouva déplacé.

Voulant remettre l'interrogatoire sur les rails, il demanda à Eudore Leblanc pourquoi la mort de son frère le réjouissait. Le Madelinot, qui se peignait la moustache devant le miroir de la salle de bains, mit quelque temps à répondre:

— Quand j'ai dit que la mort de Romain me faisait plaisir, j'exagérais un brin. Je dirais plutôt qu'elle me soulage. Ma mère est morte, mon père est mort, mon frère est mort. À cette heure, Eudore à Maurice peut être qui il est sans déranger personne.

— Vous avez dérangé, si je comprends bien?

— Romain était l'aîné. Il avait l'intelligence, le charme, une belle femme, des enfants... Surtout, il jouait du violon. Moi, je grattais la guitare, mais je ne pouvais pas le galoper*. Qu'est-ce qu'il me restait à faire, à part déranger ?

Toujours absorbé par l'entretien de ses phanères, Eudore Leblanc se confessait sans gêne et sans émotion. Soit il avait accepté depuis longtemps ces données essentielles de son développement, soit il refusait d'en assumer la responsabilité, jugea Surprenant.

— C'est pour cette raison que votre père vous a déshérité ? poussa Ferlatte, qui avait parfaitement assimilé le briefing de Surprenant.

Leblanc éclata de rire.

— C'est arrivé il y a cinq ans ! Je dérangeais, tandis que Romain avait le sens des affaires. Ça, mon père appréciait.

— En quoi Romain avait-il le sens des affaires ? demanda Surprenant.

Sa toilette terminée, Leblanc se déplaça vers l'extrémité cuisine de l'habitation. Tout en tirant un gros chaudron d'une armoire, il insinua d'un ton dédaigneux :

— Disons qu'il savait être au bon endroit au bon moment.

« L'animal est beaucoup moins détaché qu'il voudrait le paraître », pensa Surprenant.

— Il semble que vous ne portiez pas votre frère dans votre cœur, constata Ferlatte. Récapitulons, si vous le voulez bien. Votre père vous déshérite il y a cinq ans, parce que, selon vos mots, « vous dérangiez ». Il meurt

---

* Suivre.

subitement en mai. Vous revenez aux Îles pour constater que votre frère Romain hérite effectivement de tous les biens familiaux. D'après ce que nous avons appris, cet héritage est assez important. Comment avez-vous réagi, monsieur Leblanc ?

Eudore sourit.

— Je vous mentirais si je vous disais que je n'ai pas espéré que mon père ait changé d'idée. Mais il était aussi têtu qu'une mule.

— Je vous demande comment vous avez réagi par rapport à votre frère.

— Romain est le digne fils de papa. Il m'a dit bonjour, m'a donné une tape dans le dos et n'a pas levé le petit doigt pour m'aider.

— Vous avez loué ce chalet en face de chez lui, continua patiemment Ferlatte. Pourtant, vous deviez le détester.

— Je ne vous dirai pas le contraire. En mai, j'ai été publiquement renié par mon père, puis par mon unique frère. Je vous vois venir... Romain et moi ne nous sommes pas adressé la parole depuis l'enterrement. J'ai fêté mes quarante ans en juillet. Pas un cadeau, pas même un coup de fil. Romain se sentait peut-être coupable de m'avoir laissé tomber. La culpabilité n'était pas un sentiment qu'il tolérait longtemps. Il a donc coupé les ponts.

Encore une fois, Surprenant fut frappé par le sang-froid d'Eudore.

— Où étiez-vous hier soir, monsieur Leblanc ?

— Savez-vous quelle date on est ? On est le 25. Ça veut dire que j'attends mon chèque de bien-être et que je n'ai pas les moyens de sortir dans les bars. Hier soir, j'étais tranquille ici à descendre mes deux *king cans* en écoutant le câble que j'ai piraté, comme le reste, de mon voisin Phil à Bastringue.

— Vous étiez seul ? s'enquit Ferlatte.

— Je n'ai pas d'alibi, si c'est ce que vous voulez savoir.

Surprenant se campa devant la fenêtre qui donnait sur la route.

— Même après deux *king cans*, vous pouviez voir ce qui se passait chez Romain...

— Chez Romain, pas grand-chose. Mais ça ne dérougissait pas chez Guérette. Un char après l'autre, on aurait dit des fourmis qui faisaient la queue devant un sac de farine.

— Pas grand-chose... glissa Ferlatte alors qu'il jetait un œil dans la chambre à côté. C'est quand même pas rien.

Eudore Leblanc sortit pour aller chercher ses homards, qu'il déposa sans ménagement dans l'évier. Bardeau jappa, s'activa frénétiquement. Leblanc se pencha au-dessus de son chaudron. L'eau ne bouillait pas encore.

— Vers deux heures et quart, j'ai pu voir une auto monter chez Romain.

— Vous l'avez reconnue ? demanda Ferlatte.

— Aux Îles, c'est pas comme en ville. C'est juste si on n'a pas nos noms écrits sur nos chars.

Eudore Leblanc saisit un homard par la carapace et le brandit en direction de Surprenant.

— Vous avez faim ?

Le crustacé agitait furieusement ses pinces. Surprenant eut le sentiment qu'Eudore Leblanc les avait menés exactement où il le voulait.

— L'auto, ordonna Surprenant.

— Une Dodge Neon bleue. La vieille Rénégonde avait peut-être décidé de veiller. Ces Havre-aux-Maisons-là, c'est pas tuable.

— Combien de temps l'auto est-elle demeurée là-haut ? s'impatienta Ferlatte.

— Je peux vous dire que la Neon était encore là à trois heures moins dix quand je me suis couché. Vous êtes sûrs que vous ne prendrez pas un homard ?

Réprimant une grimace de dégoût, Ferlatte déclina l'offre d'Eudore avant de lui déclarer, d'un ton lourd de sous-entendus, qu'il reviendrait bientôt lui rendre visite.

* * *

À la fenêtre, Eudore Leblanc regarda les enquêteurs grimper en silence dans la jeep. Ces deux-là ne s'entendaient pas, c'était visible comme le nez dans la face. Il lui serait d'autant plus facile de se faufiler entre les deux. Le ciel s'assombrissait de minute en minute, les saules de Phil à Bastringue s'affolaient sous des rafales de nordet. Pourtant, il faisait beau soleil quelques heures plus tôt... Aux Îles, le temps n'était pas une fiance*. Dès qu'il aurait l'argent, il irait à Montréal. Ses plans étaient déjà tracés. En novembre, il partirait au Mexique. Tulum... San Cristobal de las Casas... Cozumel... Que le diable le charrisse s'il passait encore un hiver au Québec.

Il retourna à son coin cuisine. L'eau bouillait. Il déposa les trois homards dans le chaudron et referma le couvercle. Il perçut un discret remue-ménage, quelques

---

* Une certitude à laquelle on peut se fier.

raclements. « Crevez, charognards », songea-t-il. Lui aussi était un vautour, à sa façon. Du quatuor qu'avait été sa famille, il était l'unique survivant. Il se palpa l'épigastre. La visite des policiers avait rouvert la blessure du reniement de son père. Il se remémora les soirées de mai au salon funéraire, la cérémonie à l'église de Fatima, les messes du dimanche de son enfance. *Au commencement était le Verbe*... Des interminables sermons du père Bouffard, il ne se rappelait guère que cette citation. Lui, Eudore Leblanc, avait vite saisi le pouvoir des mots, ce qu'il importait de savoir, de cacher, de révéler au moment opportun. Son plan avait fonctionné au-delà de toutes ses espérances.

Plus rien ne bougeait dans le chaudron. La pluie commençait à fouetter ses fenêtres. Il lui restait quelques cartes à jouer. Ensuite, il laisserait derrière lui ces îles venteuses où il n'avait jamais été que le frère de l'autre.

26

Pistes

Quand Surprenant et Ferlatte arrivèrent au poste, à 15 h 55, Mad Dog Dépelteau veillait aux derniers détails de sa mise en scène. Six journalistes, dont deux débarqués du continent, se pressaient devant la table de conférence, couverte pour l'occasion d'une nappe verte. Le drapeau de la SQ était déployé à l'arrière, entre les deux acacias que Majella avait apportés du hall d'entrée. Bien en vue devant deux micros, par ailleurs inutiles, de petits cartons portaient les noms de Ferlatte et de Dépelteau, non loin de deux verres et d'une carafe d'eau dans laquelle flottaient des glaçons.

Ferlatte se dirigea vers Dépelteau. Surprenant réprima un mouvement de frustration devant sa mise à l'écart et évalua la situation. Tremblay était demeuré sur les lieux du crime en compagnie de l'équipe technique. Les inséparables Talbot et Barsalou patrouillaient jusqu'à dix-huit heures. Les autres membres de l'escouade s'étaient comme d'habitude retranchés dans le cubicule. Parmi eux, Geneviève lui adressait un regard pressant.

Surprenant profita du brouhaha provoqué par le début de la conférence pour la prendre à part.

— Ça va ? demanda-t-il.

— J'essaie de me débrouiller.

Pendant que Ferlatte esquivait avec aisance les questions des journalistes, Surprenant résuma brièvement ses visites au Lasso et chez Esther McKenzie.

Geneviève paraissait mal à l'aise.

— Et toi ? chuchota-t-il.

— J'ai appris des faits intéressants chez le ministre Guérette. J'ai aussi mis la main sur le scénario du film. Il faut que j'en parle aux autres, André. Je ne peux pas jouer à l'espionne pour ton seul bénéfice.

Surprenant réfléchit, puis s'inclina. Geneviève ne pouvait mener une enquête en parallèle sans s'exposer à des représailles. Ses révélations mettraient sans doute du piquant dans la réunion.

Devant eux, les journalistes, spécialement l'envoyé de TVA, s'agitaient: Romain Leblanc avait-il, oui ou non, été assassiné ? Ferlatte, sans rire, déclara qu'un seul fait semblait certain: la mort du musicien n'était pas naturelle. Pour la cause précise du décès, il faudrait attendre le rapport d'autopsie et la suite de l'enquête.

Le président-fondateur-éditeur-trésorier-journaliste du *Fanal* leva la main.

— Est-il vrai que la maison de Romain était verrouillée de l'intérieur ?

Ferlatte se tourna vers Dépelteau, qui avança ce demi-mensonge :

— Nous pouvons affirmer que la maison de M. Leblanc n'était pas hermétiquement fermée. C'est tout ce que nous dirons à ce sujet. Pour le reste, nous vous convoquerons en temps et lieu.

Dans la cohue qui s'ensuivit, Surprenant glissa à Geneviève :

— Je me demande de qui ce journaliste a appris que la maison était close.

— Grâce à Marjolaine et à sa mère, tout l'archipel est au courant des détails de la scène du crime.

— Merveilleux.

— Je parie que Ferlatte nous remettra ça sous le nez d'ici peu. Avant que j'oublie : Majella m'a dit que Romain a été vu chez le notaire Bourgeois la semaine passée.

Les photographes et les journalistes quittaient la salle. Dépelteau et Ferlatte, après avoir éludé quelques dernières questions, se dirigèrent vers Surprenant.

Dents serrées, celui-ci dit à Geneviève :

— Je vais encore avoir besoin de toi, mais pas de la façon que tu crois.

La guidant par le bras, il la présenta à Ferlatte comme « sa meilleure collaboratrice », puis entraîna Dépelteau à l'écart pour lui confier en primeur ses découvertes.

Quelques minutes plus tard, Dépelteau convoqua tout le monde dans le cubicule. La pluie crépitait sur les vitres. L'île d'Entrée avait basculé dans la grisaille. De courtes vagues écumeuses s'élançaient à l'assaut des caps. En l'espace de quelques heures, l'été avait cédé la place à l'automne. Le lieutenant présenta Ferlatte à l'escouade. Ce dernier, bien qu'il ne parût pas insensible au prestige que lui procurait son statut, joua les modestes et pria Surprenant de diriger la réunion.

Pierre Marchessault sortit son cahier spiralé. L'enquête de voisinage avait tout de même permis d'apprendre trois faits intéressants. Un mécanicien nommé Charlie Rankin, anglophone de Grosse-Île marié à une Déraspe de Fatima et par conséquent francisé, rapportait la présence d'une Dodge Neon bleue « vers trois heures du matin » en face de la maison de la victime. Malheureusement, Charlie Buddy, tel qu'il était surnommé à cause de son caractère amical et de ses talents de carrossier, ne pouvait en dire davantage, ayant ensuite retraité vers sa chambre à coucher.

— Avez-vous pu préciser l'heure ? demanda avidement Ferlatte.

— « Vers trois heures du matin. » C'est tout ce que j'ai pu obtenir.

— L'information est corroborée par Eudore Leblanc, dit Surprenant. Il affirme avoir vu la Neon arriver à deux heures et quart. Elle aurait toujours été devant chez Romain à trois heures moins dix. La belle-mère de Romain, Rénégonde Vigneau, possède une Neon bleue. Jusqu'à preuve du contraire, c'est notre meilleure piste.

Marchessault continua. Monique Leblanc, quarante-quatre ans, cousine germaine de Romain et d'Eudore, faisait parfois le ménage chez son illustre parent. Quatre jours avant sa mort, soit le mercredi, Romain lui avait confié qu'il songeait à se départir non seulement de la maison, mais de tout l'héritage de son père. Quand elle lui avait demandé où il comptait habiter, le violoneux avait mystérieusement répondu : « Là où j'ai toujours été heureux. »

Le vendredi 16 août, soit huit jours avant le meurtre, une jeune fille de quinze ans, Audrey Boudreau-Cyr, avait entendu des coups de feu dans le bois pendant qu'elle roulait à bicyclette dans le chemin Huet. Peu de temps après, elle avait vu Romain et Esther qui rentraient chez eux, main dans la main, à travers champs. C'était Esther qui portait la carabine.

Marchessault rangea son carnet. Marie-Ève Labbé leva timidement le crayon qu'elle avait mâchonné comme une écolière.

— Je n'ai pas de fait nouveau à rapporter, seulement une impression.

— Une impression ! s'étonna Ferlatte avec une méchanceté gratuite. Allez-y !

La jeune agente, affichant une assurance qui réjouit Surprenant, s'élança :

— Tous les gens que j'ai interrogés semblaient partager un même sentiment : la mort de Romain les désolait, mais ne les surprenait pas. C'est à peine s'ils ne m'ont pas dit que ça devait arriver.

Surprenant glissa rapidement sur l'impression de Marie-Ève Labbé, tout en se disant en son for intérieur qu'elle avait son importance. Il se tourna vers Alain McCann et lui demanda ce qu'il avait appris sur la victime.

McCann avait devant lui une pile de fax et de relevés. D'une voix neutre, il commença :

— Romain Leblanc, quarante-deux ans, né à Fatima, marié à Marjolaine Vigneau en 1985. Deux enfants, Jonathan, seize ans, et Marianne, douze ans. En plus de sa musique, il effectuait aussi des travaux d'ébénisterie et de menuiserie. Les relevés bancaires ne font état d'aucune entrée d'argent depuis la mi-juillet.

— Il n'avait peut-être plus besoin de travailler, avança Surprenant. Selon sa femme, il a hérité d'une forte somme à la mort de son père, en mai.

McCann se gratta la tête.

— Si Romain a hérité de son père, ça ne paraît pas beaucoup dans ses comptes. En date d'aujourd'hui, il a exactement, pour tout avoir, douze cent vingt-deux dollars à la banque. Il y a eu un dépôt de cinq mille dollars au début de juin, qui a fondu en un mois.

Surprenant songea aux vieux billets de vingt dollars trouvés dans le portefeuille de Leblanc.

— Le père est décrit comme une sorte d'usurier. Il faudra fouiller la maison de fond en comble. Il y a peut-être un bas de laine quelque part.

— J'y ai songé, reprit McCann. D'après le gérant de banque, le vieux Maurice Leblanc était un drôle de pistolet. Il passait à la banque deux ou trois fois par semaine, mais ne faisait jamais de grosses transactions. La situation était différente il y a une dizaine d'années. Il achetait et revendait des propriétés et possédait ce que le gérant a décrit comme « un gros fonds de roulement ». Mais depuis quatre ou cinq ans, le bonhomme n'avait jamais plus que trois ou quatre mille dollars en banque.

— Avez-vous vérifié les cartes de crédit de la victime ? questionna Ferlatte.

— Même pas cent dollars de dépenses ce dernier mois. Romain Leblanc vivait *cash*.

— Le vol peut être un mobile, suggéra Surprenant.

McCann enchaîna sur les relevés de téléphone portable. Le jour de sa mort, Leblanc avait reçu trois appels. Le premier, à 13 h 12, provenait du domicile d'Isabelle Chiasson, probablement d'Esther McKenzie. Le deuxième, à 17 h 14, avait été passé de son ancien domicile à Havre-aux-Maisons, et enfin le dernier, à 3 h 09, du Lasso. Le samedi soir, à 19 h 47, Leblanc avait appelé un dénommé François Nadeau, à L'Étang-du-Nord.

— Qui est ce François Nadeau ? demanda Ferlatte.

— C'est un technicien d'Hydro-Québec. Romain Leblanc l'aurait invité à venir le rejoindre au party du ministre Guérette.

— Parlant du portable, on ne l'a pas retrouvé ? s'informa Surprenant.

— Introuvable, soupira McCann.

— Deuxième piste ! annonça Ferlatte. Un suicidé ne prend pas la peine de faire disparaître son téléphone. Si vous voulez mon avis, nous trouverons notre meurtrier d'ici vingt-quatre heures. Le type n'a pas l'air trop *bright* !

Ignorant Ferlatte, Surprenant se tourna vers Geneviève.

— Peux-tu nous parler de tes trouvailles ?

Geneviève Savoie, d'une voix ferme, fit le compte rendu de ses entrevues avec Gilbert Poulin, dit La Marmotte, et le trio de célébrités de la ville. Au fil de son récit, le visage de Dépelteau prit une teinte rubiconde : l'agente avait outrepassé les limites de ses fonctions. Ferlatte ne parut pas s'en offusquer, se permettant même de souligner la fin de l'intervention par un sifflement flatteur.

— *Jesus !* Le ministre Guérette a quitté sa maison, soi-disant pour fumer une cigarette, quelques minutes après le départ de Leblanc.

— Je ne connais pas Denis Guérette, avança prudemment Dépelteau, mais je serais surpris qu'un ministre fédéral s'abaisse à tuer un violoneux. Cet homme a trop à perdre pour se formaliser de l'infidélité d'une... femme.

— Surtout s'il est pédé, pouffa Marchessault.

— Cette histoire de scénario nous ouvre quand même certaines portes, intervint Surprenant. À moins que je ne me trompe, nous n'avons encore trouvé aucune copie de scénario chez Leblanc. Pourquoi le meurtrier se serait-il amusé à jouer de la sorte ? Guérette s'est absenté de chez lui, mais les deux autres ont des alibis en béton. Ils étaient toujours au party.

— As-tu ce scénario en ta possession, Geneviève ? demanda Dépelteau.

— Il est sur mon bureau.

— Tu le remettras au sergent Ferlatte.

Après un court silence, Surprenant orienta la discussion vers les suites immédiates de l'enquête. Pendant près d'une heure, les policiers échangèrent les informations recueillies depuis le matin. S'ils connaissaient mieux Romain Leblanc et les tensions qui auraient pu pousser certaines personnes de son entourage à le supprimer, les circonstances exactes du meurtre, commis à la faveur de la nuit, restaient floues. Ils ne disposaient d'aucun témoin oculaire. Le mobile du crime demeurait un mystère, de même que l'origine du coup de téléphone de 3 h 09 et la possible similitude entre le crime et le scénario de *Suspicion*. L'autopsie et l'examen de la scène leur permettraient peut-être de faire une percée. La carabine portant des empreintes de bonne qualité, Ferlatte suggéra qu'on prenne, pour fins de comparaison, celles des quelques suspects potentiels.

— Vous pensez à qui ? demanda Surprenant.

— Nous devrions trouver sur cette arme les empreintes d'Esther McKenzie. Il faudrait obtenir aussi celles de Marjolaine Vigneau, d'Eudore Leblanc, de

Marilou Cholette, de Martin Larrivée et du ministre Guérette.

Cette dernière mention provoqua quelques «Oh!» parmi l'assemblée.

– L'honorable était cocu, tout de même, plaisanta Ferlatte en regardant Geneviève.

La mention de ces noms précis avait néanmoins créé un malaise chez les policiers. L'enquête n'était pas un jeu intellectuel. Quelque part sur l'archipel, un homme ou une femme faisait face au fait qu'il avait tué un de ses semblables.

– Et le propriétaire du Lasso? s'informa McCann.

– L'homme est intelligent, dit Ferlatte. Il n'aurait jamais tué Leblanc après l'avoir appelé de son bureau. De plus, il n'avait pas de mobile suffisant.

Mad Dog proposa de s'attaquer en priorité à la question de la Neon.

– Ce n'est quand même pas rien! argumenta-t-il. Que faisait cette vieille Radigonde…

– Rénégonde, corrigea Surprenant.

– ... chez son gendre vers trois heures du matin?

Olivier Ferlatte échangea un regard avec Surprenant. Il avait beau être débarqué quatre heures auparavant, il savait que les octogénaires, fussent-elles originaires de Havre-aux-Maisons, courent rarement les rues, encore moins les routes mal éclairées des Îles, à une heure aussi tardive. D'autres questions se pressaient dans l'esprit de Surprenant. Qui était au volant de la Dodge Neon la nuit précédente? L'auto était-elle toujours chez Romain Leblanc à 3h09, quand le musicien avait été convoqué à son dernier rendez-vous? Le meurtre pouvait-il être le fait de complices, l'un appelant du Lasso, l'autre attendant Romain Leblanc chez lui?

Battu par la pluie, le cubicule baignait dans la lumière laiteuse du jour déclinant. Sentant soudain le poids de la fatigue, Surprenant déclara qu'une visite chez les Vigneau à Havre-aux-Maisons s'imposait. Les yeux fixés sur le manchot de l'affiche, il ajouta:

— Je vois le meurtre comme une sorte de réaction chimique provoquée par des éléments instables. Nous devons trouver ce qui a enclenché la crise qui a entraîné la mort de Romain. À mon avis, cette crise a débuté en mai par la mort subite de son père. Il est devenu riche du jour au lendemain. En juin, il s'est installé dans la maison paternelle avec sa jeune maîtresse. Un deuxième événement, peu de temps avant sa mort, a aggravé la crise. C'est cet événement que nous devons identifier parmi la foule de faits et de données que nous recueillons. Alors, nous comprendrons.

Surprenant étant d'un naturel plutôt taciturne, l'escouade demeura saisie par la longueur de sa tirade. Marchessault rompit le silence.

— Tu n'as pas une idée au sujet de cet événement?

— Dans cette histoire, il y a deux fils conducteurs: les femmes et l'argent. Leblanc était placé devant de multiples choix. Il a fait un geste, je ne sais pas lequel, qui a entraîné son exécution. Je crois que la personne qui peut nous en dire le plus sur le sujet est sa femme.

— La première suspecte, comme toujours, glissa ironiquement Geneviève.

Surprenant quitta le manchot des yeux et, sans répondre, lui adressa un sourire indéchiffrable.

27

Le clan des Vigneau

Meurtre ou pas, on était dimanche et l'horloge marquait dix-huit heures. Surprenant affecta Marchessault et Bonenfant à la patrouille et donna congé aux autres agents. Il remarqua que Geneviève Savoie accueillait sa libération avec soulagement. La journée avait été longue. Elle avait dû faire garder ses garçons à la maison. Demain, elle retrouverait son quotidien de mère de famille monoparentale : la préparation des goûters pour le terrain de jeux et les achats de matériel scolaire en prévision de la rentrée. Si Surprenant se réjouissait le plus souvent de ne plus avoir ce genre de soucis, il lui arrivait de regretter le temps où ses enfants réclamaient une présence assidue. Sa vie était alors simple, balisée par des devoirs immédiats. Maintenant, il ne savait plus que faire de la liberté pour laquelle il avait sacrifié son couple. Dans le réduit où il tentait de cloisonner ses états d'âme, il sentit la familière montée de l'angoisse : il ne connaîtrait plus l'amour, il ne mènerait pas à terme cette enquête, il avait commis, en quittant sa femme et en abandonnant ses enfants aux aléas du monde, une faute dont les conséquences le poursuivraient jusqu'à la fin de ses jours.

— Ça va, André ?

Ferlatte s'était approché. Surprenant eut la désagréable impression que le jeune enquêteur lisait en lui avec une aisance ennuyée. Qui sait ? Peut-être avait-il même eu accès à son dossier médical ? « Je deviens paranoïaque », pensa-t-il en empruntant un air dégagé.

— Première classe.

Ferlatte suggéra d'aller visiter la propriétaire de la Neon avant le souper. Sous prétexte d'obtenir l'adresse de Rénégonde Vigneau, Surprenant se rendit au bureau de Majella Bourgeois. La secrétaire avait réussi à entrer en contact avec la femme de ménage du ministre Guérette.

— Cette pauvre Thérèse ! J'ai dû la prêcher pendant dix minutes pour qu'elle m'apprenne ce que je savais : l'honorable et la Marilou couchent chacun dans leur chambre et le tapis est pas usé entre les deux. L'autre, le grand *cinéastre*, c'est comme le ver dans la pomme : il grignote tout ce qu'il peut, y compris, d'après les jouets qui traînent dans la table de chevet, le manche du ministre.

Majella Bourgeois leva vers Surprenant un regard où affleurait une pointe de défi : elle avait beau être vieille fille, elle en connaissait un bout sur les mœurs contemporaines.

— Autre chose ?

— Romain a passé l'été sur la galère. La coke, les bars, les restaurants... D'après tout le monde, il flambait l'héritage de son père. Il a largué son entourage pour se tenir avec du monde du continent. Il s'est passé quelque chose entre lui et Louis-Marie. Avant, c'était de bons amis. Depuis la mort du père de Romain, ils ne se parlaient plus. Pire, ils ne faisaient plus de musique ensemble.

«Jusqu'à ce dernier vendredi où Louis-Marie a mangé chez Romain», pensa Surprenant avant de demander où habitait Rénégonde Vigneau.

— Chez Marjolaine. Les deux maisons sont collées. La Rénégonde a tout le temps le nez dans les chaudrons de sa fille. Peut-être que Romain en a eu assez, au bout de vingt ans.

Dans l'entrée du poste, face aux portes vitrées sillonnées de rigoles diagonales, Surprenant vit Geneviève remettre à Ferlatte le scénario de *Suspicion*. Les deux semblaient s'amuser ferme. Les interrompant sans ménagement, Surprenant proposa à Ferlatte de partir aussitôt pour Havre-aux-Maisons. Geneviève prit congé, non sans lui avoir adressé un regard de reproche.

Ferlatte monta dans la Cherokee en cachant mal sa satisfaction. Gris sous les paquets de pluie que charriait le vent d'est, Cap-aux-Meules présentait, en ce début de dimanche soir, l'austère visage d'un navire assailli par un grain. Les commerces étaient fermés, les stationnements, déserts. L'unifolié qui annonçait les bureaux du gouvernement fédéral était aussi rectangulaire que celui qui ornait le coin supérieur gauche des chèques d'assurance-emploi. Au port, devant une quinzaine de rangées de camions-remorques, de camping-cars et d'automobiles surchargés, le traversier pour Souris était demeuré à quai.

— En plein été, ça arrive souvent? s'informa Ferlatte en désignant la mer déchaînée.

Sous ses airs désinvoltes, Jack Nicholson semblait mal à l'aise face à la violence des éléments. Pour une raison qu'il ignorait et tenait à ignorer, Surprenant avait toujours éprouvé un étrange bien-être à se trouver prisonnier du mauvais temps. Sentant qu'il tenait là un avantage, il déclara, après un silence battu *allegro* par les essuie-glaces :

— Aux Îles, c'est une grave erreur de confondre l'été et le beau temps.

Ferlatte hocha la tête, essuya la buée sur la vitre de sa portière.

— C'est un « été d'esprit », si je comprends bien ?

Surprenant laissa filer le calembour, happé par un nouvel accès de nostalgie. Aux Îles-de-la-Madeleine, l'été était bref mais lumineux. Mirage surgi des brumes du printemps, ce mois et demi de tiédeur avait des parfums d'oasis ou d'escale. Il fallait se lever tôt, se coucher tard, se hâter d'en jouir avant que se referme le couvercle de l'automne.

Ils dévalèrent la côte du Bellevue et traversèrent le pont de Havre-aux-Maisons. Marjolaine Vigneau habitait, chemin des Marais, une grande maison à toit plat, d'un rose qui devait être pimpant au soleil mais qui pour l'heure tournait au violet. Quatre véhicules étaient stationnés dans l'allée. À l'arrière, protégé du vent par une clôture à neige, s'étendait un potager d'une dimension impressionnante. La Neon de Rénégonde était garée devant la maison voisine.

Ferlatte frappa chez Marjolaine. Véritable cerbère, la belle-mère du défunt les attendait derrière le battant.

— Par Jésus-Cyist ! Allez-vous laisser la petite tyanquille ?

— C'est vous que nous venons voir, madame, annonça Ferlatte.

Surprenant présenta son collègue. La présence d'un enquêteur d'en dehors sembla amadouer la vieille dame. Après l'avoir isolée dans un salon où trônaient un piano, une horloge grand-père et un renard empaillé, Ferlatte apprit peu de choses. Le soir précédent, Rénégonde Vigneau, née Poirier, s'était couchée à son heure habituelle, soit vingt-trois heures. Elle s'était réveillée à six heures mais ne s'était levée qu'à sept heures moins quart, ce qui lui avait donné l'occasion de voir sa fille, « la tête comme une déteyyée », sauter dans sa fourgonnette et partir vers le chemin de la Pointe-Basse.

— Vous êtes certaine de l'heure ? demanda Surprenant.

— Mon cadyan a des numéyos gyos comme des fyaises des États.

La vieille parut fort surprise quand Ferlatte lui demanda si quelqu'un avait pu utiliser sa Neon pendant la nuit. Elle finit néanmoins par admettre que Marjolaine possédait un double de ses clefs.

Ferlatte voulut voir la veuve. Rénégonde conduisit les deux hommes dans la cuisine, située à l'arrière. Entourée d'une demi-douzaine de femmes, dont deux semblaient être ses sœurs, Marjolaine Vigneau fumait une énième cigarette. Elle leva vers les policiers des yeux rougis.

— Vous avez quelque chose à m'annoncer ?

Ferlatte exigea de voir Marjolaine seule. Les femmes se replièrent au salon. Surprenant tira la porte-accordéon qui donnait sur le corridor. Marjolaine Vigneau, tête basse, avait éteint sa cigarette et entrepris d'effilocher des allumettes. Quand Ferlatte, au bout de quelques questions anodines, aborda le sujet de la Neon, elle ferma les yeux, davantage inquiète que surprise, puis dit qu'il existait, à sa connaissance, au moins trois Neon bleues aux Îles.

— Nous vérifierons. Pour l'instant, nous considérons qu'il s'agit de celle de votre mère.

Marjolaine Vigneau se taisait. Surprenant s'assit en face d'elle et posa ses deux mains sur la table, comme pour lui montrer qu'il n'avait pas d'arme.

— Nous permettez-vous de parler à votre fils, madame ?

Marjolaine Vigneau n'avait rien d'une comédienne. Dès qu'elle leva les yeux sur lui, Surprenant sut qu'il avait visé juste.

— Il est dans sa chambre.

— Faites-le descendre.

— Maman !

La vieille Rénégonde apparut à une vitesse qui trahissait son écoute derrière la porte.

— Appelle Jonathan.

Quelques instants plus tard, un adolescent, trapu mais les épaules développées, se glissa dans la cuisine. Sans regarder les policiers, il se dirigea vers le comptoir et sortit le pot de Nutella.

— On a à te parler, le jeune ! s'énerva Ferlatte.

— Jonathan ! gronda sa mère.

— J'ai faim.

— Tu mangeras plus tard.

Tournant toujours le dos aux policiers, Jonathan Leblanc entreprit de se préparer deux tartines. Excédé, Ferlatte s'approcha, lui arracha son couteau et le lança dans l'évier.

— Va t'asseoir à côté de ta mère avant que ça aille plus mal !

Surprenant observait le mouvement de colère de son collègue avec intérêt. Se pouvait-il que le prodige soit moins cool qu'il ne semblait ?

Calmement, Jonathan reboucha le pot de Nutella et se tourna vers les policiers.

— Si vous avez des questions, c'est le temps.

Yeux bleus, nez droit, regard ombrageux : le fils ressemblait au père, en plus massif. À seize ans, il faisait preuve d'un aplomb, ou d'une impertinence, peu commun.

— As-tu aussi des fringales la nuit ? demanda Surprenant.

— Rapport ?

— Tu n'aurais pas emprunté la voiture de ta grand-mère, la nuit passée ?

Jonathan regarda sa mère d'un air accusateur puis, d'un ton décidé, lâcha le morceau. En compagnie de son ami Samuel, il s'était rendu chez son père vers deux heures et quart, espérant y trouver de la bière. À leur arrivée, la maison était déserte. Il n'y avait pas de bière au frigo, « juste du maudit vin blanc ». Ils s'étaient fait chauffer un pâté.

— Pourquoi ne l'avez-vous pas terminé ? s'enquit Surprenant, qui avait pu apprécier, ces dernières années, les capacités d'un estomac adolescent.

— Sam a reçu un appel sur son cell. Il y avait un party chez Carole-Anne. Il fallait qu'on rapplique au plus vite.

— À quelle heure êtes-vous partis ? demanda Ferlatte.

— Trois heures, je dirais.

— Vous n'avez rien remarqué de spécial ?

— Rien *en toutte*.

— Rien qui puisse expliquer la mort de ton père ? insista Surprenant.

Fesses appuyées contre le comptoir, l'adolescent parut soudain vulnérable.

— Non. Ce que je sais, c'est qu'il a eu ce qu'il méritait.

— Tu es bien dur envers lui.

— Je ne serai jamais aussi dur envers lui qu'il l'a été envers nous autres.

Pressé de s'expliquer, Jonathan Leblanc se tut quelques instants, avant d'exploser :

— Demandez donc à ma mère ! Je suis sûr qu'elle va tout vous raconter !

Il sortit précipitamment, au bord des larmes. Ferlatte, avec un tact que Surprenant apprécia, observa un moment de silence avant de se racler discrètement la gorge.

— Romain a jamais eu le tour avec les enfants, commença Marjolaine sans lever les yeux. Jonathan voulait faire de la menuiserie avec lui cet été, mais Romain est parti sur sa galère. Jonathan n'a pas d'oreille pour la musique. C'est pas pour rien qu'il lève des poids dans la cave : il voulait que son père s'aperçoive de son existence.

Surprenant changea de sujet.

— Madame Vigneau, que s'est-il passé il y a deux semaines ? Le samedi et le dimanche, pour être plus précis.

— Qui vous a mis au courant ?

— Ça n'a pas d'importance.

La femme soupira.

— Si je parle, ça ira où ?

— Nulle part. J'ai besoin de comprendre. Ça ne pourra que vous aider.

Marjolaine Vigneau se taisait. Surprenant se leva et inspecta la pièce. Malgré les événements, il y découvrit l'habituelle propreté des cuisines des Îles. Le comptoir était essuyé, l'évier sentait le récurant, le plancher était lavé, la cuisinière, astiquée comme pour une inspection. Sur la porte du réfrigérateur, il trouva, maintenus par des oursons magnétiques, des horaires de terrain de jeux, des photos d'enfants, des numéros de téléphone, dont ceux des pompiers et du centre antipoison. Des tomates de jardin mûrissaient devant une fenêtre. Rien ne traînait. Le contraste entre cette pièce et la cuisine de la maison du chemin des Arsène était saisissant. Il comprit pourquoi Romain Leblanc revenait toujours à sa Marjolaine après ses escapades : cette femme le rassurait et lui permettait de retrouver ses balises.

Il se retourna vers Marjolaine Vigneau. Sans qu'il eût à dire un mot, elle se mit à parler, les yeux toujours rivés sur ses mains :

— Ce samedi-là, j'ai eu une aventure. J'ai fait exprès. Je sais que je n'aurais pas dû. Romain l'a appris le lendemain, je ne sais pas comment ni par qui. Il ne l'a pas pris. Il était fou amarrable*. Un homme infidèle, ça ne supporte pas d'être trompé.

— Vous pouvez nous donner des détails ? demanda Ferlatte.

— Vous voulez savoir avec qui... Évidemment. J'ai couché avec un musicien de Moncton qui jouait au

---

* À lier.

Lasso. Ça ne portait pas à conséquence, il reprenait le bateau le lendemain.

Il y eut un silence. Une question brûlait les lèvres de Surprenant.

— De quoi jouait ce musicien ?

— Du violon, bien sûr. Je vous l'ai dit : j'ai fait exprès. Une femme se tanne de voir son mari se pavaner partout avec une floune ! Ça m'a bien servie ! Une semaine plus tard, je recevais une lettre d'avocat. Aujourd'hui, Romain se fait tirer dans son salon. Arrêtez de me regarder comme des emplâtres ! Je l'aimais ! Jamais je ne l'aurais tué !

— J'aimerais voir cette lettre, madame.

La lecture du document, daté du seize août et signé Emmanuel Lebreux, évoqua chez Surprenant un souvenir douloureux : il avait reçu le même genre de missive quelques mois auparavant. Romain Leblanc y annonçait officiellement qu'il se déclarait séparé de corps et voulait divorcer. Une rencontre était exigée « dans les plus brefs délais ».

Ferlatte lisait par-dessus son épaule. Il demanda à Marjolaine Vigneau si elle avait donné suite à cette lettre ?

— Non. Moi, la folle, j'espérais toujours qu'il change d'idée. Par contre, s'il avait vraiment voulu partir avec sa *gueurda*, vous pouvez être sûrs qu'il aurait payé pour ! L'héritage de son père y aurait passé !

— À propos d'Esther, l'avez-vous vue dernièrement ? demanda Surprenant.

Marjolaine Vigneau lui décocha un regard où affleurait une certaine panique.

— La petite maudite ! Elle vous a conté notre rencontre sur la plage ?

— Que lui avez-vous dit exactement ? poursuivit Surprenant.

— Qu'elle n'aurait jamais Romain, rien que ça. Une femme blessée, ça dit des niaiseries.

— Vous lui avez même dit que vous aimeriez mieux qu'il crève plutôt que de le perdre, renchérit Ferlatte.

— Des niaiseries, encore. Si vous voulez utiliser ça contre moi, vous avez beau. Faites ce que vous voulez, accusez-moi, traînez-moi en cour ! Je m'en fiche comme de l'an quarante ! J'ai aimé Romain, je lui ai donné deux enfants, j'ai enduré qu'il me trompe. Maintenant, c'est terminé ! Je ne suis pas loin de penser comme Jonathan : il a eu ce qu'il méritait.

D'un geste de la main, Marjolaine Vigneau lança ce qui restait du paquet d'allumettes au bout de la table. À en juger par la hargne qui brouillait ses beaux traits, Romain Leblanc était peut-être aussi bien mort que vivant. Les deux policiers prirent congé. En sortant, Ferlatte, d'un ton aussi neutre que cruel, avertit la veuve qu'un technicien viendrait recueillir ses empreintes, de même que celles de son fils.

28

Lignes de cœur

Dès que Surprenant et Ferlatte eurent quitté la maison, Rénégonde Vigneau s'engouffra dans la cuisine :

— Est-ce que ces yats t'ont encoye touymentée ?

Toujours assise à la table, Marjolaine fixait la paume de ses mains comme si elle les voyait pour la première fois.

— Allez-vous-en, maman. S'il vous plaît.

— Si tu cyois que je vais te laisser seule à byoyer du noiy !

— Sortez toute la gang ! Je veux être seule avec les enfants !

Le malheur, dans sa phase aiguë, donne tous les droits. Rénégonde battit en retraite, non sans maugréer contre l'humeur de sa fille. Marjolaine entendit quelques chuchotements dans le salon, le bruit mat de la porte d'entrée contre le caoutchouc du coupe-vent : la cellule de crise des Vigneau se transportait chez sa mère.

Marjolaine scrutait l'entrelacement des lignes sur la pulpe de ses doigts. Ses empreintes comme les sillons de sable que le vent sculptait patiemment derrière les dunes. Si sa peau se régénérait constamment, ces lignes fines demeuraient immuables et permettaient de l'identifier aussi sûrement que son ADN parmi six milliards d'humains. Quelles empreintes Romain — son beau Romain, comme elle se plaisait à l'appeler au temps de leurs amours — laisserait-il dans sa vie ? Elle examina les lignes profondes qui barraient ses paumes. Laquelle était la ligne de cœur ? La plus haute, sous ses doigts crevassés par le jardinage et le ménage. Elle courait, large comme un fleuve, avant de se séparer en deux rameaux sous son majeur. Vivrait-elle un autre amour ? Un autre amour ne couvait-il pas sous la cendre des vingt dernières années ? Les gens pourraient dire ce qu'ils voudraient : elle aurait été, jusqu'au bout, la femme d'un seul homme.

Romain Leblanc avait saccagé sa vie avec la violence d'une tempête d'automne. Il l'avait séduite, abandonnée, lui avait fait des enfants qu'il avait par la suite négligés pour poursuivre sa chimère, ce contrat que lui avait imposé son père. Maurice Leblanc, avec son poignet cassé, avait dû abandonner le violon. Romain réaliserait son rêve de devenir le meilleur violoneux des Îles. Il y était parvenu, mais l'ambition de son père avait laissé dans son âme une brûlure qu'aucun succès, qu'aucune conquête féminine ne pouvaient apaiser. Au printemps, elle avait espéré que la mort subite de son beau-père lui rendrait son mari. Ce serait peut-être arrivé si l'autre n'avait pas débarqué du continent avec son accordéon.

Marjolaine Vigneau secoua la tête. Si Esther McKenzie n'était pas apparue, Romain en aurait trouvé une autre.

Louis-Marie le lui avait dit, pas plus tard que le mois dernier : « Pour aimer Romain, il faut accepter le fait qu'il ne changera pas. Il est comme ça, c'est tout. » Mais Louis-Marie lui-même, l'ami fidèle, avait fini par jeter la serviette.

Pourquoi ?

Dehors, il pleuvait toujours. Romain était mort. Ce dimanche de tempête marquerait pour toujours la fin des chimères. La veuve regarda les rigoles de pluie qui couraient comme autant de lignes de vie sur les fenêtres de la cuisine. Derrière, dans la pénombre, les clôtures qui protégeaient son jardin ployaient sous les assauts du vent d'est. Elle avait toujours été cette femme sage et aimante qui faisait pousser la vie malgré les intempéries. Quand la poussière serait retombée, elle pourrait peut-être changer de personnage.

Elle sentit le plancher vibrer. Jonathan se signalait à son attention. Elle l'imagina soulevant ses poids au son de Metallica. Cet homme-enfant lui faisait peur. Avait-il dit toute la vérité à Surprenant ? Samuel pourrait confirmer son histoire. Mais pouvaient-ils se fier à Samuel Lafrance ? Ce n'était pas un enfant de chœur, lui non plus.

Des pas légers descendaient l'escalier. Marianne apparut, en jaquette, le visage chiffonné par les larmes. L'air résolu, elle alla s'appuyer contre le réfrigérateur, face à sa mère.

— Tu sais ce qui s'est passé, n'est-ce pas, maman ?

Après un moment de silence ou d'hésitation, Marjolaine fit non de la tête.

— Une seule personne sait ce qui s'est passé. Ce n'est pas moi.

29

Passe d'armes

Courbés contre les rafales, les deux enquêteurs se pressèrent vers la Cherokee. Sans commenter leurs dernières trouvailles, Ferlatte demanda à Surprenant de lui indiquer un bon restaurant.

— Tu vis seul, ajouta-t-il d'un ton neutre. Ça te fera sans doute plaisir de souper avec moi.

— Vous avez lu ça dans mon dossier ?

— Non, ton amie Geneviève m'a raconté.

Ferlatte adressa à Surprenant un sourire d'autant plus inquiétant qu'il semblait amical. « Dépelteau ! » ragea intérieurement Surprenant en reprenant le chemin de Cap-aux-Meules. Geneviève avait toujours été d'une discrétion à toute épreuve. Il n'y avait qu'une explication possible : Mad Dog avait transmis les détails de sa vie privée à Ferlatte. Pire, ses déboires conjugaux, sa liaison avec Geneviève Savoie, ses problèmes psychologiques devaient être consignés dans son dossier, sous forme de mémos dont il n'osait imaginer les termes.

L'ascension de Ferlatte avait été si rapide qu'il ne pouvait qu'être dans les bonnes grâces des dirigeants de la Sûreté. Il pouvait fort bien avoir été chargé d'une double mission : il devait résoudre l'affaire Romain Leblanc, mais aussi s'assurer que le sergent-détective André Surprenant était apte à assumer sa récente promotion au Bureau des enquêtes criminelles de Québec.

Le Cap Horn, « bistro marin » tenu par un Breton débarqué aux Îles deux printemps plus tôt, portait un nom d'autant plus saugrenu qu'il était situé en plein champ, à plus d'un kilomètre de la côte, sur une colline herbeuse qui dominait Cap-aux-Meules. L'enseigne ne rassura pas Ferlatte, qui demanda si on y servait autre chose que des « bêtes des profondeurs ».

— Pas de panique ! railla Surprenant. Il y a un menu pour les carnivores.

L'intérieur du restaurant, avec ses bois, ses cuivres et ses accessoires de marine, évoquait une taverne portuaire haut de gamme. L'odeur des moules, la mélancolie poignante des airs de Ferré et de Mouloudji, la pluie qui brouillait les feux du port en contrebas : on se serait cru un soir de novembre à Brest ou à Quimperlé.

Le repas se déroula dans une atmosphère tendue. Ferlatte tenta de faire parler Surprenant. Ce dernier marmonna des monosyllabes en se délectant de pétoncles et de bouillabaisse et en éclusant un excellent chablis. Plus jeune, il aurait peut-être éprouvé des remords à ripailler ainsi aux frais du contribuable. À quarante et un ans, cynisme ou sagesse, il ne s'en formalisait plus.

Jack Nicholson semblait particulièrement intéressé par la chronologie et la mécanique du crime.

— *Back to the basics*, commença-t-il en repoussant son entrecôte. À deux heures et quart, Jonathan et son ami Samuel arrivent chez Romain. La maison est vide. Ils mangent et repartent à trois heures. Du moins selon leur témoignage.

— Hum, hum.

— Il faudra vérifier demain l'alibi fourni par ce Samuel Lafrance.

— Absolument.

— À trois heures neuf, quelqu'un appelle Romain du bureau d'Euclide Déraspe au Lasso.

— Exact.

— Pourquoi cet appel ? Puisque Romain a immédiatement quitté le party chez le ministre, nous avons tenu pour acquis que quelqu'un, l'assassin ou un complice de l'assassin, voulait l'attirer chez lui. Ton vieux témoin…

— Aldège Leblanc.

— ... rapporte un coup de feu vers quatre heures, ce qu'aucun autre voisin, bizarrement, n'a confirmé. Si nous adoptons l'hypothèse que l'assassin n'avait pas de complice, il est donc parti du Lasso en même temps que Romain quittait la maison de Denis Guérette. Le meurtre ayant eu lieu vers quatre heures, il ne s'est pas rendu chez Leblanc en auto. C'était trop risqué.

— À moins d'emprunter la voiture d'un voisin, marmonna Surprenant.

— *The question is* : qui pouvait appeler Romain Leblanc à trois heures du matin et l'attirer chez lui ?

— Ça peut être n'importe qui, par exemple un compagnon de galère qui l'invite à faire quelques lignes de poudre. D'après ce que j'ai compris, Romain se laissait facilement entraîner dans ce genre de situation.

— Ce n'est pas mon opinion. Selon le *modus operandi*, le meurtre a été commis par quelqu'un qui connaissait la maison. Par un proche.

— Vous savez, le coup de téléphone n'a peut-être aucun rapport avec le meurtre... Et nous n'avons pas encore parlé du scénario !

— Je le lirai ce soir. Honnêtement, je ne sais pas comment l'intégrer dans le cours des événements.

— Moi non plus. Vous devriez essayer la tarte à Lafayette, c'est une spécialité locale.

Ferlatte perdit patience.

— Écoute, Surprenant, on n'y arrivera jamais comme ça. Tu me dis ce que tu penses ou tu fais de l'air.

— C'est vous qui êtes responsable de cette enquête, Ferlatte. Dans six jours, je travaillerai dans une équipe des crimes contre la personne, comme vous. Pour l'instant, je suis votre subordonné et j'attends vos ordres.

Olivier Ferlatte était un être trop cérébral pour s'abandonner longtemps à ses émotions. La réplique de Surprenant sembla le tirer de quelque rêve. Reprenant tous les dehors de la civilité, il commanda une coupe de fruits, un verre d'eau minérale et, la voix aussi douce et aussi tranchante qu'un scalpel, demanda à Surprenant s'il savait ce que sa situation avait de *touchy*.

Tout à ses profiteroles, Surprenant déclara qu'il avait conscience de ne pas jouir, auprès de ses supérieurs, de l'estime qu'auraient justifiée ses capacités et ses états de service.

— Tes états de service ! Je ne comprends pas pourquoi tu as obtenu ce job à Québec. Tu es un *loner*, un *loose cannon on the deck*.

Surprenant, goguenard, leva les yeux vers les sextants, les bouées, les fanions qui ornaient les murs du restaurant.

— Au moins, je ne détonne pas dans le décor.

La boutade n'était pas innocente. Ferlatte n'avait pas d'expérience. Il s'était perfectionné dans les centres-villes américains. Il n'aimait ni la mer, ni le poisson, ni le mauvais temps, ni la tarte à Lafayette. Il n'était guère outillé pour mener enquête dans un archipel isolé.

Ferlatte se taisait, comme s'il craignait d'en avoir trop dit.

— J'imagine que vous n'avez pas besoin d'un *loose cannon*, sergent Ferlatte. Faisons cavalier seul. Vous serez plus tranquille.

— Ne joue pas ce jeu-là avec moi. Je peux te couler n'importe quand, Surprenant. Un mot, un coup de téléphone, et couic ! tu restes coincé ici, comme un homard dans un chaudron.

La menace était claire. L'atmosphère du restaurant avait changé. Deux ou trois couples d'amoureux sirotaient des digestifs pendant que Carlos Jobim distillait son spleen doux-amer. Surprenant prêta l'oreille à un solo de saxophone, puis se tourna vers Ferlatte :

— Tu veux me couler ? Fais-le, je m'en fous.

Ferlatte posa sur Surprenant un regard franchement amusé.

— Tu es encore plus *dumb* que je croyais. Faisons cavalier seul, comme tu dis. Demain, je travaillerai avec Geneviève. Je suis sûr qu'elle me sera plus utile que toi.

Surprenant leva son verre d'armagnac et, d'un clin d'œil, salua son rival.

30

Le petit François

Il était plus de vingt et une heures quand Ferlatte immobilisa la Cherokee devant l'auberge Madeli, au centre de Cap-aux-Meules. Il tendit ses clefs à Surprenant et lui suggéra, sans aucune amabilité, de rentrer chez lui en taxi.

Ferlatte ramassa sa petite valise, son sac d'ordinateur et disparut dans le hall de l'hôtel. Resté seul, Surprenant dut admettre qu'il avait trop bu pour conduire. Ferlatte était-il assez retors pour le faire intercepter s'il prenait le volant? Même si sa maison n'était qu'à deux kilomètres de l'auberge, Surprenant ne voulut pas prendre le risque. Abandonnant la jeep dans le stationnement, il décida de marcher un peu pour s'éclaircir les idées. La pluie avait cessé. Les jambes engourdies par l'alcool et la fatigue, Surprenant leva le nez vers le ciel. Au nord, quelques étoiles scintillaient du côté de l'île Brion. Il interrogea les drapeaux qui flottaient devant le centre hospitalier: le vent, bien que moins violent, tenait toujours à l'est, ce qui n'augurait rien de bon pour le lendemain.

L'air frais, conjugué à la prise de conscience de la folie qu'il venait de commettre en défiant Ferlatte, le dégrisa tout à fait. Quelle mouche l'avait piqué ? Pourquoi se mettait-il continuellement dans une position d'outsider ? Recherchait-il un châtiment ? Souhaitait-il se faire expulser de la Sûreté plutôt que de changer lui-même ses conditions d'existence ? Sa psychologue avait évoqué, subtilement, sa tendance à laisser pourrir les situations, à fuir l'engagement, à reporter les échéances.

Le chant d'un accordéon lui parvint au milieu du chuintement des pneus des autos qui circulaient sur le chemin principal : ses pas l'avaient porté jusqu'à la Caverne.

Esther McKenzie avait-elle choisi de tromper sa peine en joignant un *jam* ? Il entra.

Quand j'ai perdu le nord
Quand j'ai peur de la mort
Il me reste le bord de la côte
Le bord de ta côte

Dans un coin, les trois musiciens entrevus le midi jouaient avec un bonheur relatif la chanson fétiche du disparu. L'accordéon n'était pas celui d'Esther mais d'un quatrième larron, un petit homme râblé, barbu, qui ressemblait à un lutin. Était-ce à cause de la mort de Romain Leblanc ? Bien qu'on soit dimanche et qu'il fasse un temps de cochon, le bar abritait une trentaine de buveurs. Sentant les regards converger vers lui, Surprenant se réfugia au bout du comptoir, sous la collection de vinyles de Platon Longuépée.

Il commanda un café brésilien, ce qui sembla déstabiliser la jouvencelle qui s'était avancée pour le servir. Elle alla consulter un collègue plus aguerri, lequel s'acquitta de sa commande en consultant un aide-mémoire. Ce fut finalement Platon en personne qui vint servir Surprenant.

— Pareille mixture ! Tu dois avoir de quoi jongler ! Tu vas passer la nuit à gigoter comme un éplan* dans ta paillasse !

Surprenant remercia son ami de sa sollicitude mais l'assura qu'il se sentait assez fatigué pour dormir jusqu'à la fête du Travail.

— Fatigué ! Fatigué ! On est tous fatigués, à nos âges ! Ça nous empêche pas d'écouter sonner le coucou comme des vieilles femmes !

Surprenant ne disant rien, le tenancier se pencha et, après s'être gratté un favori :

— Si tu es si fatigué, qu'est-ce que tu fais à cette heure dans mon débit de boisson ?

— Il s'est passé quelque chose dans la vie de Romain, ces derniers jours. J'ai besoin de le savoir, et vite à part ça.

— Tu as parlé à Louis-Marie ?

— Il ne m'a pas aidé pour la peine.

Du menton, Platon pointa l'accordéoniste.

— Essaie le petit François. Il était chez le ministre hier soir.

Du fatras qui s'était logé dans son cerveau pendant la journée, Surprenant extirpa ce détail du témoignage de Marilou Cholette : le petit François accompagnait Romain Leblanc au piano au moment où ce dernier

---

* Éperlan.

s'était éclipsé pour se rendre chez lui. S'agissait-il du François Nadeau qui, selon les relevés de McCann, avait reçu un appel de Romain vers vingt heures le soir précédent ?

— Je peux emprunter ton bureau ? demanda Surprenant.

— T'as beau, répondit Platon après un instant d'hésitation. Mais fouille pas dans les tiroirs.

— Qu'est-ce que tu caches là ? De la coke ?

— Pire que de la coke : un manuscrit. Dis ça à personne ou je pourrai plus jamais coacher une équipe de hockey. Quand le *set* sera fini, va t'installer dans le bureau, je vais t'envoyer François.

Dix minutes plus tard, Surprenant poussait la porte du réduit sans fenêtre dans lequel Platon comptabilisait ses recettes et élaborait son œuvre. Puanteur de cigarillo, coffre-fort d'acier, bureau de chêne couturé de graffitis, calendrier du Canadien de Montréal sur le mur de préfini : la pièce n'avait rien d'inspirant. Dans le troisième tiroir, Surprenant trouva une pile de cahiers Canada, numérotés de 1 à 11 en chiffres romains et dont le premier portait le titre *Petits cataclysmes*. Quelques centimètres plus bas, produit de trois essais raturés au crayon de plomb, s'étalait le sous-titre « Mémoires d'un mésadapté social ».

« Petits cataclysmes », songea Surprenant. L'assassinat de Romain Leblanc n'était-il pas le résultat d'une suite de petites catastrophes ?

Il feuilletait le tome I du manuscrit lorsque la porte, sur laquelle était fixée une photo d'Hemingway, s'ouvrit sur le petit François. Vu de près, avec ses joues hâlées, ses épaules découpées et ses sourcils fournis, l'homme ressemblait moins à un lutin qu'à un figurant dans un film d'Astérix.

— Vous êtes François Nadeau ?

— Pour vous servir.

— Vous travaillez à Hydro-Québec ?

Nadeau, plutôt surpris, acquiesça. Soupçonnant que son teint et sa carrure ne résultaient pas de la pratique du piano, Surprenant s'informa de la nature exacte de son travail à la société d'État. François Nadeau, trente-neuf ans, était monteur de lignes, mais s'occupait aussi, à temps perdu, entre ses quatre enfants, ses claviers, son bateau et son char à glace, d'une exploitation de choux-raves et d'un élevage de lamas.

— Côté sommeil, ça va ?

— Je me rattrape pendant l'hiver.

— Parlez-moi de la soirée d'hier.

En ce qui regardait la fête elle-même, le récit du pianiste n'apporta pas beaucoup de nouveaux éléments. Romain Leblanc l'avait appelé chez lui vers vingt heures pour l'inviter chez le ministre Guérette. Nadeau, qui connaissait bien le répertoire du violoneux, ne s'était pas fait prier, d'autant plus que Leblanc l'avait assuré que l'événement serait bien arrosé et que le ministre lui remettrait un petit quelque chose si la soirée était une réussite.

— Vous voulez dire que le ministre vous a payé pour jouer dans son salon ? s'étonna Surprenant.

— Ces gens-là paient pour tout, monsieur. Ça leur donne l'impression d'avoir le contrôle.

La soirée s'était déroulée de façon prévisible. Les invités, Madelinots et gens de cinéma confondus, avaient attaqué le cellier du parlementaire et braillé du Vigneault et du Beau Dommage autour du piano. Vers minuit, Marilou, qui « était aussi gaie qu'un squelette », avait servi un goûter commandé à grands frais chez un traiteur de Cap-aux-Meules.

— Vous avez une idée de ce qui la tracassait ?

— D'après ce que j'ai pu comprendre, Romain lui avait donné son bleu. Le tournage était terminé, l'été achevait, Romain retournait à ses affaires, comme un goéland qui avait vidé une charogne.

Par ailleurs, le témoignage du petit François, qui était doté d'un brutal sens de l'image, offrait une perspective nouvelle sur les relations qui existaient entre Romain et « les péteux de broue de la ville ». Alors que la plupart des témoins avaient prétendu que Romain avait été en quelque sorte corrompu par la fréquentation de l'honorable Guérette, de Marilou Cholette et de l'équipe de tournage de *Suspicion*, Nadeau sous-entendait que c'était plutôt Romain qui avait semé la bisbille chez ses voisins. Non satisfait d'avoir transformé Marilou Cholette en une « pitoune prête à payer pour se faire donner une rince », il avait traité Guérette de « minus du Patrimoine », en plus de déconsidérer Larrivée auprès de son équipe en insinuant qu'il « payait de son cul », chaque nuit, le financement de son œuvre par le gouvernement du Canada.

— Ce en quoi il ne se trompait peut-être pas, soupira Surprenant.

— N'empêche ! Disons que Romain a peut-être tiré un peu trop fort sur la couverte.

— Qu'est-ce que vous voulez dire ?

Le petit François considéra Surprenant d'un air méditatif. Ce sergent était-il rusé ou idiot ?

— Même s'il est aux hommes, Guérette n'a peut-être pas apprécié de se faire voler sa blonde par un violoneux.

— Qu'est-ce que vous allez me sortir ? Un tueur à gages de la GRC ?

— Pas besoin ! Contrairement à la majorité de ceux qui étaient là hier soir, j'avais encore ma tête. Une chose dont je me rappelle, c'est que Guérette a disparu de la circulation quelques minutes après Romain. Vous pouvez demander à Marilou : elle s'est mise à le chercher partout, comme une vache qui aurait perdu son veau.

— Que s'est-il passé après le départ de Romain ?

— Pas grand-chose. J'ai continué de jouer. Les gens se sont remis à chanter.

— Vous avez quitté la maison à quelle heure ?

— Je dirais quatre heures et vingt.

— Vous n'avez pas entendu de bruits suspects ?

— Vous parlez d'un coup de 22 ? Rien du tout. Comme je vous l'ai dit tantôt, le monde chantait, une vraie chorale !

— Vous affirmez que le ministre a quitté la maison après Romain. Avez-vous revu Guérette par la suite ?

— Il m'a remis un chèque, tel que promis, quelques minutes avant mon départ.

— À votre avis, était-il rentré depuis longtemps ?

— Je ne sais pas. Ce qui est certain, c'est qu'il n'avait pas l'air très en forme. Il paraissait stressé.

Dans le bar, à côté, jouait la *Valse Brunette*. Surprenant écouta, en proie à un sentiment de tristesse.

— Connaissiez-vous bien Romain, monsieur Nadeau ?

— Je le connaissais suffisamment.

— Ce qui veut dire ?

— C'était un gars avec qui je faisais de la musique, à l'occasion, depuis plus de vingt ans.

— Depuis ce matin, le portrait que j'ai pu me faire de lui n'est pas très flatteur. Comment un…

— Faux frère ? suggéra Nadeau.

— Comment un faux frère tel que lui a-t-il pu devenir un si bon musicien ?

Le petit François sourit. Ce sergent, tout compte fait, n'était pas un idiot.

— Romain possédait un don, monsieur l'enquêteur. On appelle ça le talent brut. Il ne savait pas lire la musique, mais il était capable d'absorber tout ce qu'il entendait et de le mémoriser. Ensuite, il répétait jusqu'à ce qu'il puisse le jouer parfaitement, parce que c'était aussi un bûcheur infatigable. Il avait de la dextérité manuelle, il jouait et chantait juste. À force de baigner dans la musique, il est même devenu capable de se laisser aller à son instinct et d'improviser.

— Je l'ai vu jouer, l'an dernier. Je sais de quoi vous parlez.

— Nous, on le connaissait. On savait qu'il tournait autour de certaines formules. Le public, lui, ne s'en apercevait pas. Je ne dis pas ça pour vous insulter. Romain, c'était ça : un talent brut et de l'ambition. Mais le vrai musicien, ce n'était pas lui, c'était Louis-Marie.

— C'était quand même Romain qui composait ?

Nadeau esquissa une moue amusée, comme s'il devait expliquer des évidences à un novice.

— Romain arrivait avec quelques accords, parfois un bout de mélodie. C'est Louis-Marie qui arrangeait le tout, paroles et musique. Plus que ça, c'est Louis-Marie qui lui a tout appris, depuis le jour où ils se sont connus à la polyvalente. Avez-vous dix minutes ? Je vais vous expliquer ça…

31

Crépuscule

Berthe Lapierre poussa les manettes qui verrouillaient les roues de son fauteuil roulant. De son bras gauche, le bon, elle souleva l'une après l'autre ses jambes de façon à les déposer sur le plancher entre les appuie-pieds, qu'elle releva ensuite en grimaçant de douleur. Elle souffla un peu, le temps de s'assurer que le fauteuil était bien positionné, que les freins étaient poussés et que le poteau que Louis-Marie avait installé à un mètre de son lit était à la portée de sa main.

La douleur dans son ventre s'atténua. C'était le moment. Elle s'avança les fesses au bord du siège en se tortillant, agrippa le poteau de sa main gauche et, mobilisant tous les muscles qui répondaient encore à son appel, se mit debout. Le reste était un jeu d'enfant: faire deux petits pas, pivoter d'un quart de tour et se laisser choir doucement sur le lit.

Elle avait réussi. Louis-Marie, à l'étage, devait tendre l'oreille. Il redoutait le bruit qui signalerait une chute.

Mais elle y était parvenue seule, une autre fois. Elle ne voulait pas que son fils l'aide à faire ses transferts. Quand elle ne pourrait plus, elle demanderait de l'aide à Régina et au CLSC. Pour l'instant, elle tenait à garder cette parcelle d'autonomie.

Une autre fois... Son existence était maintenant jalonnée d'autres ou de dernières fois. Le vent siffla dans les corniches. Cette tempête mettait fin à ce qu'elle savait être son dernier été. Par la suite, il y aurait le bref flamboiement de septembre, la lumière dorée, le vent plus frais, puis les jours raccourciraient et les Îles s'enfonceraient inexorablement dans l'hiver.

Dernier été, dernier automne, verrait-elle ses dernières fêtes ? Avec un mélange de douleur et de soulagement, elle exécuta les manœuvres qui lui permettaient de passer de la position assise à couchée. Voilà. Elle n'avait plus qu'à allonger la main gauche, à se couvrir de sa courtepointe pour goûter quelques moments de repos. Un ou deux mois, tel avait été le verdict du spécialiste de Québec. La chimiothérapie n'avait fait que ralentir la marche de sa tumeur. Un cancer des ovaires ! Elle avait toujours pensé qu'elle mourrait de sa sclérose en plaques, s'étouffant petit à petit dans ses sécrétions. Au lieu de quoi, elle serait rongée par les cellules folles qui s'échappaient de ces organes qui avaient si peu servi. Il s'agissait là, peut-être, d'une juste revanche de la part de son corps. Elle s'était retrouvée veuve à vingt-trois ans, enceinte de son seul enfant. Après une année d'amour, elle s'était réfugiée dans sa blessure, comme un bateau dans une anse, et n'avait jamais repris la mer. Il s'était bien présenté des prétendants, mais aucun ne valait le quart de son Benoît. « Remarie-toi ! lui enjoignait sa mère. Si t'as pas besoin d'un homme, ton mousse a besoin d'un père. » Louis-

Marie était sage, dégourdi, intelligent, parfaitement heureux avec elle. Il n'avait nul besoin qu'un inconnu vienne l'arracher à la quiétude de la maison de la Belle-Anse, à ses instruments, à sa musique.

Berthe Lapierre sourit. Sa maison. Elle revoyait Benoît montant les solives, voltigeant sur les poutres, clouant les bardeaux sous le soleil déclinant de juillet. L'été 1957, l'été de leur mariage, de leurs grandes amours. Ses éblouissements répétés quand il s'enfouissait entre ses cuisses, l'odeur de l'amour sur son corps, qu'elle gardait le plus longtemps possible, comme un parfum des vieux pays. Quand Benoît avait disparu, il lui était resté son fils à naître et sa maison, dont chaque planche, chaque clou, gardait son empreinte. Si elle y rajoutait les souvenirs, c'était bien assez pour une vie.

Elle avait quand même vaguement entretenu l'espoir de trouver un honnête compagnon qui accepterait de la partager avec un fantôme. Ce deuxième survenant avait pris, au détour de la trentaine, le visage de la maladie. Elle s'était levée un matin avec la vue embrouillée. Un autre jour, elle avait senti des engourdissements dans sa main droite, celle qui cousait. Quelques mois plus tard, elle n'avait plus été en mesure de gagner sa vie. C'est alors qu'elle avait dû accepter, sans deviner à quoi elle s'engageait, l'offre de Maurice Leblanc.

À bien y penser, elle n'avait pas perdu au change. Ils s'étaient tenus en respect, l'un et l'autre, pendant plus de trente ans. Elle avait eu le bonheur d'apprendre son décès au printemps. Voilà que son héritier, le maître usurpateur, était mort lui aussi. Louis-Marie avait du chagrin, c'était sûr. Elle-même ne verserait pas une larme. À quelques semaines de sa mort, elle recevait de l'existence, enfin, un semblant de cadeau : la justice.

32

There will never be another you

Surprenant quitta la Caverne par la porte arrière, de façon à éviter les questions de son ami Platon. Une petite bruine froide lui flagella le visage. Sur la terrasse gorgée d'eau, les chaises étaient empilées, les parasols, ficelés par terre, les tables, rangées contre le treillis pour éviter qu'elles ne s'envolent. L'été 2002 avait sombré corps et biens dans la tempête de vent d'est.

Plongé dans ses pensées, Surprenant se laissa porter vent arrière vers l'auberge Madeli. Le café brésilien et deux verres d'eau minérale lui avaient rendu une partie de ses esprits. Le témoignage de François Nadeau l'avait secoué. L'art n'était-il qu'artifice ? Surprenant découvrait avec surprise qu'il avait toujours associé la beauté à une forme de morale. Certains créateurs avaient certes l'esprit tordu, mais le fond de leur âme était bon. Sinon, ils n'auraient pu avoir accès à la grandeur. Quand il avait entendu Romain Leblanc au Lasso l'été précédent, il avait eu l'impression de voir s'exprimer un authentique créateur. Le petit François lui avait brossé un tableau plus nuancé. Selon ses dires, Romain, le Paganini rustique, le dompteur de violon, n'était rien de plus qu'un exécutant doué soutenu par une ambition dévorante. Le vrai musicien, l'éminence grise derrière Romain, c'était Louis-Marie, le timide guitariste dont seuls les initiés appréciaient le talent.

Trois faits l'avaient troublé. D'abord, Louis-Marie avait joué à François Nadeau l'essentiel du *Bord de la côte* cinq ans avant que Romain ne grave la chanson sur un CD. Ensuite, Romain avait connu Marjolaine par l'intermédiaire de Louis-Marie, au début de la vingtaine, quand celle-ci était revenue aux Îles après avoir passé quelques années à Montréal. Enfin, Louis-Marie avait appris le violon jusqu'au moment où il avait rencontré Romain pour ensuite choisir la guitare. Jouait-il toujours du violon ? Nadeau lui-même ne pouvait le dire.

Pourquoi Louis-Marie était-il resté ainsi dans l'ombre ? À cette question, Nadeau avait répondu que, en musique comme dans la vie, il existait deux catégories d'individus : les solistes et les accompagnateurs. Romain Leblanc, tout effacé qu'il ait été à l'adolescence, était de la race des *front*. L'évocation d'un Romain Leblanc *effacé* avait étonné Surprenant.

— C'était avant qu'il rencontre Marjolaine, avait expliqué Nadeau. C'est une fille qui a du goût. Elle l'a guidé, l'a encouragé, lui a donné confiance. Romain, c'était juste une pâte. Il a été modelé. Par son père d'abord, puis par Louis-Marie, puis par Marjolaine. Quand les gens ont commencé à s'intéresser à son jeu, il s'est laissé manger par son personnage. Au lieu de remercier Marjolaine, il l'a trompée avec tout ce qui bougeait.

— Et Louis-Marie ?

— C'était ce qu'il y avait de bizarre. Romain a toujours été correct avec Louis-Marie : il savait trop ce qu'il lui devait.

Surprenant récupéra sa jeep et prit le chemin du Gros-Cap. Il passa devant le poste de la Sûreté, puis, rebroussant chemin, s'y arrêta. À l'intérieur, il trouva, devant un ordinateur et une pizza, Marie-Ève Labbé et Alexis Tremblay.

— Qu'est-ce que vous faites ici à cette heure ? s'informa Surprenant du ton d'un parent qui découvre ses enfants en train de veiller dans le sous-sol.

— On cherche, on cherche, marmonna Tremblay, les yeux fixés sur son écran.

— La scène de crime ?

— Les techniciens sont toujours là.

Surprenant, qui doutait fortement qu'on trouve quoi que ce soit de pertinent sur Romain Leblanc à partir d'un ordinateur, s'assit en face des deux agents. Pleins d'ardeur juvénile, ils se replongèrent aussitôt dans leur tâche. Labbé, toujours méthodique, avait noirci une page de notes.

— Et puis ? demanda Surprenant.

Dans la base de données de la police, Tremblay avait découvert qu'Eudore Leblanc avait été condamné deux fois à Montréal, une fois pour trafic de drogue et une fois pour chantage et extorsion.

— Chantage et extorsion... reprit rêveusement Surprenant. Possible que ça cadre avec ce que j'ai vu d'Eudore aujourd'hui... As-tu les dates précises ?

— Trafic de mari le 15 juin 1995. Chantage et extorsion le 7 avril 1997.

— D'après Eudore, son père l'aurait déshérité il y a cinq ans, donc en 1997. On dirait que la deuxième condamnation n'a pas passé.

— Parlant de testament, dit Tremblay en manipulant sa souris, Marie-Ève a découvert que Romain Leblanc avait rencontré un avocat et un notaire.

— C'est une piste à vérifier demain, concéda Surprenant.

— En attendant, je peux vous montrer ce que possédait le père. C'est assez impressionnant.

Alexis Tremblay cliqua sur une icône. Cinq secondes plus tard, l'imprimante centrale se mit à ronronner. Du cadastre de l'île de Cap-aux-Meules, Tremblay avait extrait toutes les propriétés enregistrées au nom de Maurice Leblanc. Sans être expert en impôt foncier, Surprenant put apprécier que l'usurier, malgré la maigreur de son compte en banque, avait possédé, dans les anciennes municipalités de L'Étang-du-Nord, de Fatima et de Cap-aux-Meules, plus de trois cents hectares de terre.

— À moins que je me trompe, ajouta Tremblay, tout ça se retrouve aujourd'hui dans les mains des héritiers de Romain Leblanc.

— Selon toute probabilité son épouse légitime, conclut Labbé avec un sourire coquin.

Surprenant examinait la liste des propriétés. À partir des numéros de cadastre, il était difficile de se faire une idée de leur emplacement.

— Tremblay, j'aimerais que tu me sortes une carte de tout ça.

— C'est un travail de moine !

— Je suis sûr que tu es capable de me produire ça pour demain midi. Tu as appris quelque chose de l'équipe technique ?

— Ils ont trouvé des traces prouvant que les meubles ont été déplacés récemment dans le sous-sol. Il y a des empreintes nettes sur la carabine, seulement de deux types. Ralph croit qu'il s'agit de celles de Leblanc et de celles d'une femme.

— D'après ce que nous savons, il s'agit de celles d'Esther, dit Surprenant.

Les deux policiers se regardèrent, habités par une même pensée : si Esther McKenzie ne possédait pas d'alibi, elle aurait fort à faire pour convaincre un jury qu'elle n'avait pas tué son amoureux.

— Vous êtes dans les patates ! intervint Marie-Ève Labbé. Personne n'est assez idiot pour laisser ses empreintes sur une arme qui a servi à tuer.

— Sauf si la personne veut faire passer le tout pour un suicide, argumenta Tremblay.

Marie-Ève Labbé secoua la tête. De son crayon, elle tapota ses notes.

— C'est une histoire de famille. La personne qui a commis le crime connaissait la maison.

— C'est le cas d'Esther McKenzie, dit Tremblay.

— Comme l'a observé le sergent cet après-midi, la situation de Romain est devenue instable quand son père est mort. C'est là qu'il faut chercher.

Médusé, Surprenant admirait la métamorphose de sa jeune recrue. Marie-Ève Labbé, qui avait toutes les difficultés à gérer un ivrogne turbulent, semblait à l'aise dans le meurtre au premier degré.

— Chercher quoi, à ton avis ?

— Je ne sais pas... Si on exclut l'amour, il reste l'argent. Et l'argent, ce n'est pas ce qui manque dans cette histoire.

— Tu oublies la gloire, glissa Surprenant en se dirigeant vers la sortie. Ne vous couchez pas trop tard, les jeunes. J'ai comme l'impression que la journée de demain sera longue.

Il reprit le chemin du Gros-Cap. À sa gauche, au-delà des falaises qui menaient à l'Échouerie, une lune pâle dansait sur la mer agitée. Sa maison, quant à elle, était plongée dans le noir, ce qui lui rappela douloureusement son ex-épouse. Aussi volcanique qu'elle ait pu parfois se montrer dans l'intimité, Maria possédait le don des petites attentions. Elle avait ainsi l'habitude de laisser la lumière du porche allumée quand il n'était pas rentré. Même si elle dormait comme une bûche à l'étage, elle lui faisait sentir, à sa façon, qu'elle l'attendait. La trame de la vie de couple étant semée de subtils antagonismes, ils avaient adopté, à ce sujet, des comportements opposés: quand chacun était au bercail, elle éteignait, tandis que lui laissait le luminaire allumé. Un soir, était-ce l'automne dernier ou celui d'avant, elle l'avait taquiné en se serrant contre lui: «C'est ça ton problème, *amore*: tu attends toujours quelqu'un.»

«Elle avait raison, comme toujours», pensa-t-il en entrant chez lui. Il tomba dans un galimatias de dissonances: en ce dimanche soir, la chaîne culturelle se vautrait dans la musique sérielle. Il fit de la lumière. Campé près de son bol, Chat miaulait sur un ton réprobateur. Après avoir songé que le matou devenait impoli, Surprenant se souvint qu'il l'avait abandonné quinze heures plus tôt en ne lui laissant qu'une chiche portion de nourriture sèche.

Se pouvait-il qu'il ne se soit écoulé que quinze heures depuis que Marchessault lui avait annoncé la découverte du cadavre de Romain Leblanc? Ces cartons entrouverts, ces tableaux emballés, ce chat solitaire qui errait dans la maison comme un fantôme... Surprenant se massa la nuque, en proie à un nouvel accès de fatigue. Il avait trop bu, il devait noter ses idées pour y voir clair. Il alla pourtant se chercher une bière dans le frigo vide et s'assit au piano. Le couvercle était fermé, recouvert d'une fine couche de poussière. Surprenant le délivra des objets qui l'encombraient, l'ouvrit, essuya les touches et prit place devant le clavier. Il fit quelques gammes, un arpège : son vieux Kawai, acheté dix-huit ans plus tôt quand il s'était séparé du Steinway qui ornait le salon de l'élégante maison outremontaise de son oncle Roger, était à peine désaccordé.

Il ébaucha un prélude de Bach, s'enfargea, joua des mélodies sans suite à la recherche de l'inspiration. Ces touches blanches, ces touches noires... *Sol, mi* mineur, *si* mineur... Les accords joués le matin sur l'harmonium de la maison du chemin des Arsène jaillirent sous ses doigts. *La maison de l'anse*. Blanc, noir, majeur, mineur... Dans cette enquête, comme dans toute autre, il devait séparer la lumière de l'ombre, la réalité du mystère. Chose certaine, l'assassin avait voulu jouer au plus fin. Il avait fatalement laissé des traces ou fait un faux pas. Sinon, il faudrait l'attirer dans un piège. Mais comment ? Si Surprenant possédait les accords de la chanson, il en ignorait la mélodie.

Il joua plus fort. Résonnant dans la maison vide, le piano exacerbait son sentiment de solitude. Au lieu de réfléchir, il s'apitoyait sur lui-même. Il plaqua pompeusement un dernier accord, referma le piano et alla s'écraser sur le sofa. La chaîne culturelle jouait toujours en sourdine. D'un pouce rageur, il passa du contemporain au jazz. *There will never be another you*. *Mi* bémol. Le souvenir de Maria, ses traits altiers révélés par une chandelle au Village Vanguard à New York, vint le tarauder. Il prit une gorgée de bière, s'aperçut qu'il avait toujours sa veste sur le dos, en tira son portable.

Où se trouvait la lumière dans sa vie ? À défaut d'une solution, il lui restait une alliée. Il composa le numéro de Geneviève.

33

Havre-aux-Basques

— Tu as l'air de te sauver, dit Mélanie Hébert, les yeux fixés sur la route. Tu fais une gaffe.

— Je ne quitte pas les Îles, soupira Esther. Je vais passer quelques jours chez toi.

— Avec tout ton gréement !

— J'ai besoin de changer d'île, de voir la mer. Je ne peux plus rester chez Isabelle, dans le bois, à un kilomètre de chez Romain.

À leur gauche, elles devinaient, derrière la pluie, les dunes qui séparaient la baie de Plaisance de la lagune. En ce dimanche soir, la route était fréquentée malgré le mauvais temps. Silhouettes fantomatiques, des automobiles, des motorisés, des pick-up, des fourgonnettes surgissaient de la nuit, essuie-glaces battants, et éclaboussaient la Hyundai d'un mélange d'eau et de sable.

Mélanie Hébert ne lâchait pas prise.

— À ta place, j'aurais avisé les policiers. Comprends-tu que tu es dans le pétrin ?

— Tu sais bien que je n'ai pas tué Romain. Tout à l'heure, j'ai accepté de fournir mes empreintes. Je n'ai rien à cacher.

— Tu fais une maudite bonne suspecte. Tu t'étais querellée avec Romain. Tu étais seule la nuit passée. Tu t'es servie de sa carabine la semaine dernière. L'arme porte peut-être encore tes empreintes. Et maintenant, tu ne trouves rien de mieux que de partir sans avertir.

— J'ai laissé un mot sur la table. Et puis, fiche-moi la paix !

Esther McKenzie avait moins réagi par colère que par besoin de mettre un terme à la discussion. Romain était en elle, comme une plaie vive. Curieusement, elle pensait à son violon. C'était un bel instrument allemand, que Romain avait acheté aux États-Unis au cours d'une tournée. Interrogé sur son prix, il avait dit « trop cher », sur un ton qui lui avait laissé imaginer que c'était son père qui avait financé l'acquisition. Qui en hériterait ? Jonathan ne jouait pas. L'instrument tomberait aux mains de Marjolaine, comme le reste. Qu'en ferait-elle ? Le garderait-elle pour le donner à un jeune musicien madelinot ? C'était lui prêter de la grandeur d'âme.

Mélanie se taisait, heureusement. Les dunes défilaient. Les deux jeunes femmes traversèrent la jetée qui marquait l'emplacement du goulet qui donnait autrefois accès à la lagune du Havre-aux-Basques. Difficile d'imaginer que, trois siècles plus tôt, des bateaux de fort tonnage aient pu franchir cette plage pour s'ancrer dans la baie. Difficile d'imaginer que, deux jours plus tôt, elle était encore chemin des Arsène avec Romain, buvant et mangeant avec lui dans la maison de leurs amours. C'était avant que Marilou ne vienne casser le party avec sa bouteille de porto à cinquante piastres. C'était avant qu'elle, la douce Esther, ne se couvre de ridicule devant Romain et ses amis.

C'était avant que les choses échappent vraiment à son contrôle. La vie est un reel. Quand le rythme devient trop rapide, quand un événement fortuit vient briser l'équilibre délicat entre la maîtrise et l'abandon, il se produit des fausses notes.

34

La reine de la nuit

Une lumière brillait près de la porte de la petite maison canadienne du chemin Gaudet. Geneviève la laissait allumée toute la nuit, soi-disant pour décourager d'improbables vandales. Surprenant pensait, quant à lui, qu'elle obéissait à un curieux besoin psychologique. Bien que régulièrement confrontée à la violence et rompue aux arts martiaux, la jeune femme n'avait pas peur, chez elle, d'afficher une certaine vulnérabilité. Elle prenait ainsi congé de son travail.

— Entre, lui dit-elle simplement en lui ouvrant.

— Merci.

— Ton appel m'a vraiment surprise.

Tout en observant que Geneviève, manifestement tirée du lit, avait enfilé un jean et un coton ouaté, Surprenant s'interrogea sur le sens de sa dernière phrase. S'étonnait-elle de le voir débarquer chez elle à vingt-trois heures parce qu'ils n'étaient plus amants depuis un mois, parce qu'ils travaillaient sur une affaire de meurtre, ou les deux ?

— J'ai besoin de te parler.

Il retrouva l'odeur de la maison, un mélange délicat dans lequel dominaient la lavande et le jasmin. Le salon, avec ses photographies, son ordre impeccable et sa bicyclette stationnaire, présentait un changement: Geneviève s'était procuré un nouveau téléviseur à écran plat, ainsi qu'un cinéma maison.

— Tu investis dans le visuel, à ce que je vois.

— Je me suis découvert une passion pour le cinéma.

Elle lui montra une toute nouvelle collection de DVD, parmi lesquels les classiques américains, *Casablanca*, *Key Largo* et *The African Queen*, occupaient une place révélatrice. Geneviève appartenait à la génération X. Ces films témoignaient d'un univers étranger, ancien, issu de la Deuxième Guerre mondiale, dans lequel des hommes s'engageaient pour la vie en quelques monosyllabes, sans cligner des yeux dans la fumée de leur cigarette. Surprenant était un homme fragile et n'avait rien d'un Bogart. Il prit place sur le divan et s'étira vers l'arrière, mains croisées derrière la nuque, dans l'attitude d'un marin se détendant après avoir barré six heures sous un vent de force huit.

— Tu veux quelque chose à boire ?

— C'est déjà fait.

— Je me disais, aussi.

Geneviève le regardait, toujours debout, sur ses gardes. Surprenant, les yeux fermés, prenait conscience du fait qu'il ne savait pas exactement pourquoi il s'était imposé à cette heure chez sa subordonnée.

— Je suis venu m'excuser, Geneviève.

— Parce que tu m'as abandonnée derrière l'hôpital cet après-midi ?

— Non, pour tout.

Après un imperceptible mouvement de recul, Geneviève, qui buvait peu, déclara qu'elle avait envie d'un verre. Elle s'absenta quelques instants à la cuisine. Quand elle en revint avec un cognac et un verre d'eau, Surprenant avait eu le temps de penser qu'il venait d'ouvrir une boîte de Pandore, puis de se persuader qu'il n'avait rien à perdre à laisser parler ses sentiments.

Cette fois, Geneviève s'assit sur le sofa, une jambe repliée sous une fesse, à plus d'un mètre de son visiteur.

— Alors ? dit-elle.

Son sourire se voulait engageant, mais demeurait crispé.

— Je suis entré dans ta vie comme un sauvage. J'aurais dû prendre le temps de réfléchir avant.

— Nous avons déjà parlé de tout ça, André. Nous en avons même parlé *avant* que je te *permette* d'entrer dans ma vie comme un sauvage.

— J'aurais voulu entrer une fois et ne pas en ressortir.

— C'est toujours plus élégant. Ce que tu me dis, au fond, c'est que tu aurais dû réfléchir avant de sortir, pas avant d'entrer.

Ce fut au tour de Surprenant d'esquisser un sourire. Geneviève lui demanda pourquoi il éprouvait le besoin de lui parler de leur relation, ce soir-là précisément. Il sut ce qui l'avait amené chez son ancienne amante : comme toujours, elle l'aidait à préciser ses intuitions, à élaborer sa pensée.

— C'est à cause de Romain.

— C'est drôle. Maintenant, tu l'appelles par son seul prénom, comme les Madelinots.

— J'ai passé pas mal de temps avec lui, aujourd'hui...

Geneviève prit une gorgée de cognac, sans grimacer.

— Et puis ?

— Dans cette histoire, il y a la musique et beaucoup de sentiments. Romain était lié à au moins trois femmes : Marjolaine, Esther et Marilou.

— Trois femmes : il était condamné.

— Romain était en froid avec son frère, Eudore, qui avait été déshérité par leur père, un usurier détesté de tout le canton. Romain lui-même ne faisait pas l'unanimité. Certains le considéraient comme un opportuniste qui avait profité du talent de son ami Louis-Marie Gaudet. Louis-Marie n'aimait pas l'influence d'Esther McKenzie sur Romain. Le fils Jonathan avait une sorte de conflit œdipien avec son père, mais semble avoir un alibi. Esther était jalouse de Marilou. Pour finir, Euclide Déraspe, le patron du bar d'où le fameux appel de 3 h 09 a été passé, a perdu dix mille dollars à cause de Romain. Et le ministre du Patrimoine n'a probablement pas apprécié de se faire ridiculiser par un violoneux.

— En un mot, résuma Geneviève, Romain était au centre d'une véritable toile d'amour et de haine. Il n'y avait pas qu'un seul triangle. Il y en avait plusieurs.

— Dans cette histoire, il y a l'amour et l'argent. On ne tue pas un violoneux pour de l'argent.

— Le mobile serait donc l'amour ?

— Quelque chose a basculé avant le meurtre. Je dirais que ça se passait dans la tête de Romain.

— Ou dans la tête de son assassin. Tu l'oublies, celui-là.

— Un meurtre, c'est toujours l'histoire d'un couple. La victime, l'assassin. Il faut partir de la victime pour arriver à l'assassin.

Geneviève, pensive, prit une gorgée de cognac.

— Puisqu'on est dans les sentiments, je n'ai pas l'impression que Romain a été tué par une femme. J'ai vu Marjolaine ce matin. Jamais elle n'aurait assassiné son Romain. Marilou Cholette n'aurait pas abattu Romain parce qu'il mettait fin à une relation qui n'avait aucun avenir. Je ne connais pas la petite joueuse d'accordéon, mais son lien avec Romain était trop récent pour être profond. En plus, elle est trop jeune pour tuer.

— Trop jeune ?

— Le meurtre prémédité est une solution d'exclusion. On tue quand il n'y a plus moyen de faire autrement. Il faut du temps pour en arriver là.

— Ou encore, il faut que le temps se mette tout à coup à presser.

Ils étaient toujours assis à un mètre l'un de l'autre, mais leurs mains, appuyées sur le dossier, se touchaient presque. L'amour était-il aussi une solution d'exclusion ?

— Si tu tiens absolument à pousser l'enquête ce soir, tu devrais retourner chez toi, te faire un café et t'installer devant une feuille de papier.

Araignée de chair, la main de Surprenant saisit, comme une proie choisie, l'annulaire de Geneviève.

— Ma journée de travail est terminée, Geneviève.

Elle ne retirait pas sa main, mais ne répondait pas non plus. Le désir passait néanmoins, comme un courant, entre leurs deux corps.

— Tu quittes les Îles dans six jours, André.

— Tu sais que la vraie question n'est pas là.

Il eut le sentiment qu'une digue s'ouvrait en lui. Soudain libéré d'un poids, il prit le verre de Geneviève, le déposa sur la table basse, à côté du boîtier de la version remastérisée de *A Farewell to Arms*, se pencha vers elle et, glissant sa main sous ses cheveux défaits, lui caressa le cou.

— Tu me manques. Affreusement.

Sans bouger, figée par le doigt qui lui effleurait le trapèze, elle le regardait d'un air à la fois tendre et prudent.

— J'ai peur, André.

Il marche au milieu de la rue, dans les feuilles mortes. À sa gauche, à sa droite, les maisons, curieusement, sont plus hautes que d'habitude. Les mannequins devant les téléviseurs ont des jambes interminables, ils crèvent le toit des maisons, comme des plantes tropicales.

Le camion O'Keefe est là, de travers, devant une taverne où scintillent, rouges dans la nuit, les lettres « CHEZ EUCLIDE ». André a vraiment peur, cette fois, peur de ces maisons géantes, des éclats de voix qui s'échappent de la taverne, des silhouettes inquiétantes qui tentent maintenant de s'extraire des maisons pour le poursuivre. Il court jusqu'au camion, y jette un œil.

Miracle ! Son père est là, son vrai père tel qu'il apparaît sur la photo qu'il garde dans le tiroir de sa table de chevet : un grand homme, très brun, le sourire goguenard et le sourcil broussailleux. Comme toujours, il a une cigarette fichée au coin des lèvres.

— Salut, mon petit homme ! On y va ?

— On y va ! On y va ! approuve André, qui veut quitter cette rue maudite à tout prix.

Mais le visage de son père, en quelques secondes, se modifie grossièrement, morceau par morceau, comme si un technicien traçait le portrait-robot d'un suspect à l'aide d'un ordinateur. Au volant du camion de la

O'Keefe, ce n'est plus Maurice Surprenant, mais Romain Leblanc mort, une balle dans la poitrine, qui murmure pourtant « Mon maudit père, mon maudit père... » avant de se volatiliser comme un spectre, n'abandonnant dans le camion, incliné contre la pédale d'embrayage, qu'un beau soulier de cuir noir, trop élégant pour appartenir à un livreur de bière.

Surprenant s'éveilla en sursaut, la poitrine oppressée par un menhir. La tête de Geneviève reposait sur son thorax. Les images de leurs ébats lui revinrent à l'esprit, les vêtements épars dans la chambre, l'amour dans la douche, la rage dans le lit, dans toutes les positions, qui s'était achevée quand Geneviève, le chevauchant, s'était affaissée dans un ultime orgasme.

Ensuite ? Plus rien. Le sommeil s'était refermé sur lui comme l'eau sur une pierre. Maintenant, Geneviève, un genou relevé contre ses jambes, un bras en travers de son ventre, maintenait comme d'habitude un maximum de contact, même dans son sommeil.

Lui se sentait parfaitement éveillé. Se rendormirait-il ? Il avait oublié ses médicaments chez lui. Pour l'instant, il était préoccupé par le rêve du camion. Le cauchemar avait évolué. Il avait retrouvé son père. Il l'avait entrevu brièvement, sur la banquette de son camion. Mais l'image qui lui restait, et qui l'intriguait, était ce soulier de cuir verni oublié par Romain.

Soulier...

Le poinçon.

Lundi, 26 août 2002

Les choses deviennent parfois plus claires quand
on expérimente directement leur contraire.

MARTIN HAYES

35

Comme chez le loup

Les phares de la Subaru balayèrent les kayaks, puis la remise. Isabelle Chiasson coupa le moteur, vaguement irritée. Esther avait encore oublié d'allumer l'ampoule qui éclairait la cour. Les Madelinots avaient beau être honnêtes, il ne fallait pas tenter le diable. Le chemin Patton n'était pas passant. Les voisins étaient à plus de cinquante mètres. Sous une lune intermittente, rien de plus facile que de charger un kayak sur le toit d'une auto.

Mais les embarcations étaient bien fixées, ventre en l'air, sur leurs supports. Isabelle se dirigea vers la maison pour découvrir que celle-ci était noire comme chez le loup. Aucune lumière ne brillait, pas même la veilleuse du poêle de la cuisine. Isabelle n'était pas peureuse. Elle songea pourtant à renoncer à entrer chez elle pour retourner chez son copain.

«Fais une femme de toi, se raisonna-t-elle. Deux meurtres en deux soirs aux Îles, on n'est pas près de voir ça.»

Par contre, se munir d'une arme n'était pas une mauvaise idée. Elle retraita vers la remise pour découvrir que le loquet qui la fermait était tourné à la verticale. Après avoir absurdement demandé s'il y avait quelqu'un, elle ouvrit. Premier constat, son vélo brillait par son absence.

Elle examina la remise. Vestes de sauvetage, outils, tondeuse, pneus d'hiver, tout semblait à sa place. Depuis quand volait-on des bicyclettes aux Îles ? Elle saisit un marteau sur une étagère et se dirigea d'un pas décidé vers sa maison. La porte était simplement fermée, comme d'habitude. Isabelle fit de la lumière. Le tambour et la cuisine ne révélaient rien d'anormal, si ce n'était un mot d'Esther sur la table : « Chez Mélanie au Havre. »

Sa coloc n'était quand même pas partie pour Havre-Aubert à bicyclette par ce temps ! Isabelle pénétra dans la chambre d'Esther et alluma. Le lit était fait de façon impeccable. Pas d'accordéon, pas de sac à dos. Esther avait changé de mouillage.

« Une fille sportive comme vous, ça doit se promener à bicyclette ? »

Isabelle revit les yeux inquisiteurs du sergent Surprenant. Il se passait quelque chose avec cette bicyclette. Connaissait-elle vraiment Esther McKenzie ? Elle alla dans la cuisine et, d'une main tremblante, composa le 911.

36

Aube grise

Surprenant s'éveilla vers six heures et demie. Geneviève dormait toujours à ses côtés, le bas de son visage caché par le tchador de ses cheveux châtains. Il lui enviait sa capacité à se réfugier dans le sommeil, même aux moments où elle était sous tension. Les priorités dans sa vie étaient claires : ses enfants, sa santé mentale et physique, les petits bonheurs dont elle émaillait ses journées. Lui poursuivait ses chimères, ce mirage de bien-être parfait qui transformait sa vie en un ersatz imbuvable.

Il se leva et entreprit de rapailler ses vêtements dans la chambre et la salle de bains.

— Tu te sauves ?

Geneviève l'observait, à la fois alanguie et sérieuse. Dans l'aube grise, devant les épinettes dont les cimes se balançaient sous le vent d'est, ils déjeunèrent sur le comptoir de la cuisine. Surprenant était avare de paroles. En se retirant, la nuit le laissait à marée basse :

le bois de grève de leur passé, promesses non tenues, rêves avortés, retraits stratégiques, encombrait ses pensées.

Une autre chose le tracassait.

— Ne te surprends pas si Ferlatte te demande de travailler avec lui aujourd'hui.

— Je comprends maintenant pourquoi tu es venu me retrouver hier soir.

Surprenant eut beau tenter de la rassurer, Geneviève demeura sur ses gardes, si bien qu'il la quitta avec le sentiment qu'elle lui avait ouvert sa porte et son cœur pour la dernière fois. Le café lui avait brouillé l'estomac. Les vagues se bousculaient sous un ciel de plomb. Au poste, il trouva Talbot et Barsalou. La barbe longue et l'œil vague, les deux agents préparaient le rapport de la patrouille de nuit : un accident avec blessé sur le pont du Détroit, une querelle entre voisins, un cas d'ivresse au volant et un vol de bicyclette.

— On vous a appelé en pleine nuit pour un vol de bicyclette ? s'étonna Surprenant.

— À minuit vingt-deux exactement, précisa Barsalou. Mme Isabelle Chiasson, 84, chemin Patton.

— C'est la coloc d'Esther McKenzie ! rugit Surprenant. Pourquoi ne m'avez-vous pas averti ? Ça pouvait être important !

Tandis que Talbot, contrit, rougissait, Barsalou souriait avec satisfaction.

— J'ai appelé chez vous. Ça ne répondait pas. J'ai pensé que vous aviez mieux à faire que de solutionner un vol de bicyclette, même si cela pouvait avoir rapport avec la mort de Leblanc.

« Le petit salaud, songea Surprenant. Il a vu ma jeep chez Geneviève. »

— Quand Isabelle Chiasson s'est-elle aperçue de la disparition de sa bicyclette ?

— Vers minuit. Elle est rentrée chez elle et a trouvé la maison sans lumière. Sa bicyclette avait disparu de son cabanon. Esther McKenzie lui avait laissé un mot disant qu'elle allait passer quelques jours chez une amie à Havre-Aubert. Mme Chiasson a trouvé ça bizarre et nous a appelés.

— Autre chose de bizarre sur les lieux ?

— Rien. Selon Mme Chiasson, Esther McKenzie avait peur du noir et laissait toujours un peu de lumière dans la maison.

Sonné, Surprenant se taisait. La veille, ni lui ni Ferlatte n'avaient eu le réflexe de visiter la remise d'Isabelle Chiasson. La bicyclette n'y était peut-être déjà plus.

— On a gaffé, sergent ? s'informa Talbot.

Ignorant la question de la recrue, Surprenant se dirigea vers le percolateur de Majella. Talbot et Barsalou n'avaient pas gaffé sur toute la ligne : l'un des deux avait préparé la première cafetière de la journée. Seul dans le cubicule, face à la baie de Plaisance, Surprenant composa le numéro d'Isabelle Chiasson. La coloc d'Esther lui confirma d'une voix irritée que l'accordéoniste était partie chez une amie de Havre-Aubert.

— Pour quelle raison ?

— Aucune idée. Elle a peut-être besoin de s'éloigner de l'endroit où Romain a été assassiné.

— Parlons de votre vélo. Est-ce qu'Esther l'utilisait pour aller chez Romain ?

— Elle l'a fait à quelques reprises. La dernière fois que j'en ai eu connaissance, c'était dimanche dernier.

— Savez-vous quel chemin elle empruntait ?

— Elle piquait à travers bois jusqu'au chemin Huet, puis à travers champs jusque chez Romain. Quand il fait beau, c'est la meilleure route.

Surprenant obtint les nouvelles coordonnées d'Esther McKenzie et raccrocha. Barsalou et Talbot, silencieux, l'observaient. Surprenant s'approcha et posa ses deux mains sur la table de travail.

— Vous deux, vous terminez vos rapports et vous allez dormir ! C'est ce que vous avez de mieux à faire.

— Désolé, sergent, susurra Barsalou. Le sergent Ferlatte a convoqué tout le monde à huit heures. Vous n'étiez pas au courant ?

Surprenant, furieux, se réfugia dans son bureau. À jeun, et après une nuit de recul, il prenait pleinement conscience des implications de son conflit avec Ferlatte. L'épisode viendrait confirmer à ses supérieurs sa difficulté à respecter l'autorité et à travailler en équipe. Pour sauver sa carrière, il se retrouvait dans la position qu'il avait, consciemment ou non, recherchée : il devait résoudre seul le meurtre de Romain Leblanc. Dès lors, il devait se concentrer sur l'essentiel et agir avec le maximum d'efficacité. Il se balança un instant sur sa chaise pivotante puis haussa les épaules. « Tant pis !... » songea-t-il en ouvrant son flacon d'analgésiques.

Sa montre marquait sept heures trente-cinq. Il prit une feuille de papier vierge et mit de l'ordre dans ses idées.

1) Poinçon et soulier. Quel est le lien ?
2) Les Neon bleues
3) Le scénario ? Comment l'intégrer ?
4) Qui aurait eu intérêt à voler le vélo d'Isabelle Chiasson ?

5) Romain chez le notaire ? Pourquoi ?
6) Où était Guérette à trois heures et demie du matin ?
7) L'avocat Lebreux.
8) Le trajet à bicyclette. Les traces derrière la maison.
9) Si tout s'écroule, qu'est-ce que je fais de ma vie ?

Surprenant croisa ses mains derrière sa nuque et se renversa dans sa chaise. La perspective d'un échec et de la possible annulation de son transfert à Québec ne lui paraissait plus tragique. Il avait fait suffisamment de compromis dans sa vie. Il avait cumulé assez d'ancienneté pour jouir d'une retraite qui lui permettrait de se réorienter vers des activités qui correspondraient davantage à ses goûts. Peut-être pourrait-il même se rapprocher durablement de Geneviève et entreprendre avec elle une nouvelle vie à deux.

Son portable sonna. D'un ton rude, Mad Dog Dépelteau lui ordonna d'assister à la réunion prévue pour huit heures.

— Le sergent Ferlatte ne semble plus intéressé à travailler avec moi, rusa Surprenant.

— Il m'a tout raconté ce matin. Tu avais bu, tu étais fatigué, nous savons tous que tu traverses une mauvaise passe. Tu demeures néanmoins sous mes ordres. Tu pars des Îles dans quelques jours. Pour ta carrière et pour la mienne, tu rentres dans le rang et tu fais comme s'il ne s'était rien passé. Compris ?

Surprenant réfléchit. D'après ce qu'il savait de Dépelteau, ce dernier n'agissait jamais que par calcul ou intérêt. S'il lui tendait une planche de salut, c'est qu'il craignait de quitter la Sûreté sur une fausse note. Il s'était amené aux Îles avec le mandat de gérer Surprenant. Si ce dernier ruait de nouveau dans les brancards, Dépelteau pouvait écoper.

— Je sais à quoi tu penses, reprit Dépelteau. Si je demande ta collaboration, c'est que je crois fermement que, sans ton aide, Ferlatte va se planter.

— Il a pourtant la réputation d'être un petit génie.

Mad Dog grommela au bout du fil.

— Il est jeune, il ne connaît pas le milieu et, surtout, je le soupçonne de manquer de sensibilité. Je peux compter sur toi, André ?

Mad Dog qui parlait de sensibilité... Surprenant comprit qu'il jouissait d'un pouvoir de négociation.

— Je vais collaborer avec Ferlatte, mais je ne veux pas l'accompagner partout comme un chien de poche.

— C'est aussi son souhait. Faites ce que vous voulez à condition de vous communiquer chaque jour vos trouvailles. J'y verrai personnellement. À huit heures, donc.

Surprenant, bien que perplexe quant aux raisons de la mansuétude de son supérieur, se remit au travail. Reprenant sa liste, il se pencha sur la question du poinçon. Son rêve de la nuit et une vague intuition lui faisaient penser que l'élément pouvait avoir de l'importance. Il avait remis la pièce aux techniciens, mais il se souvenait très bien de sa forme : un petit cylindre d'acier d'une dizaine de centimètres, la tête aplatie, la pointe fine. Romain Leblanc faisait de l'ébénisterie à ses heures. L'instrument semblait cependant trop délicat pour le travail du bois. Si l'on se fiait à la note « Soulier ? » qui lui était attachée, la première hypothèse à envisager était qu'il s'agissait d'un outil de cordonnier. Que faisait cet objet dans la cuisine de Romain Leblanc ? Le mot « Soulier » éveillait en lui un écho vague, qu'il ne pouvait préciser.

Reportant la question à plus tard, il passa au problème de la bicyclette volée. Sa disparition, si elle avait un rapport avec le meurtre, devait servir à dissimuler des preuves ou à détourner les soupçons. Au vu et au su de sa coloc et des voisins, Esther McKenzie s'était fréquemment rendue chez son amoureux à bicyclette. Ses traces de pneus devaient normalement se retrouver dans le sentier : il ne lui servait à rien de faire disparaître le vélo. Si elle avait craint qu'il ne garde des indices chimiques ou biologiques pouvant la relier à la scène de crime, elle aurait eu le temps de le nettoyer sans que personne l'inquiète.

La présence de Bonenfant et de Ralph à l'embouchure du sentier la veille avait-elle alarmé le meurtrier ? Cela demeurait possible, dans l'hypothèse où celui-ci avait effectivement utilisé une bicyclette pour se rendre du Lasso jusque chez Romain Leblanc. Surprenant sortit une carte des Îles. Il évalua que les deux endroits n'étaient distants que de trois ou quatre cents mètres. Pourquoi s'embarrasser d'une bicyclette quand un homme en forme pouvait rallier à pied les deux points en moins de trois minutes ?

Sur sa feuille, il écrivit :

10) Traces de pas derrière la maison : comparer avec les souliers des principaux suspects.

Mais qui étaient ces suspects ? S'il se fiait à l'hypothèse que le meurtrier connaissait la maison, les coupables potentiels n'étaient pas si nombreux. Pour s'éclaircir les idées et donner une forme à ses soupçons, il se força à écrire des noms. Marjolaine Vigneau. Eudore Leblanc. Esther McKenzie. Marilou Cholette.

Jonathan Leblanc. Denis Guérette. Louis-Marie Gaudet.

Le portable du mort avait disparu lui aussi. Le mystère de l'appel de 3h09 demeurait entier. Bien qu'il n'y crût guère, Surprenant ajouta le nom d'Euclide Déraspe et composa le numéro de Majella Bourgeois.

Au ton réservé qu'elle prit quand elle répondit à son appel, Surprenant comprit que la secrétaire-standardiste n'était pas seule, pire, qu'elle était en compagnie de sa mère, avec qui elle partageait une maison à L'Anse-à-la-Cabane. Le diabète de la vieille Ursule Jomphe, s'il lui avait coûté une jambe et attaqué les yeux, avait épargné son audition, ce qui en faisait une commère d'autant plus redoutable que, la solitude et l'âge aidant, elle fabulait sans vergogne. Après avoir dû démentir plusieurs rumeurs en provenance du canton suspect, Surprenant avait rencontré Majella à deux reprises pour lui rappeler les vertus de la discrétion.

— Avez-vous du nouveau, Majella ?

La vieille fille prit congé de sa mère avant de répondre. De l'échange qui suivit, Surprenant retint surtout que les soupçons des Madelinots, qui à leur façon menaient aussi enquête, convergeaient vers deux personnes. La première était Esther McKenzie, qui avait le double tort d'avoir fait éclater le mariage de Romain et de venir d'en dehors. La deuxième était Eudore Leblanc, le frère déshérité au passé louche qui avait toujours jalousé son aîné et qui avait pu être attiré par le magot caché du vieux Maurice, magot dont l'existence devenait de plus en plus probable à mesure que s'accumulaient les témoignages de gens qui avaient vu Romain tirer tout l'été de son portefeuille de vieux billets de vingt dollars.

Surprenant traça sur sa feuille le mot « MAGOT », le flanqua d'un point d'interrogation, le souligna deux fois, puis demanda à la vieille fille de lui reparler de Maurice Leblanc.

— Je vous ai dit hier tout ce que je savais. C'était un avare triste et malfaisant. Mais je ne viens pas de Sur-les-Caps. Pour en savoir davantage, il faudrait que vous parliez à un vieux du canton.

— Par exemple au vieil Aldège ?

— *Nan! Nan!* C'est l'oncle de Maurice. Pour avoir l'heure juste, ça vous prend quelqu'un d'un autre clan. Bonne sainte Anne ! J'ai votre homme ! Casimir Les Nouvelles, au Cap-Vert.

— Les Nouvelles ?

— Vous verrez par vous-même. Casimir Richard, il y en a rien qu'un dans le bottin.

37

Le choc des idées

Surprenant raccrocha et nota le nom de Casimir Richard. Il était sept heures cinquante. Dans la grande salle, il entendit les voix de Marchessault et de Marie-Ève Labbé. Il disposait encore de quelques minutes avant la réunion convoquée par Ferlatte. Était-ce le café ? Il se sentait vaguement irrité, comme si quelque chose d'important échappait à son attention.

Il verrouilla sa porte. Calant sa nuque sur sa veste repliée, il s'allongea sur le plancher. Il ferma les yeux et laissa vagabonder son esprit. Dans cette affaire, les éléments affluaient si rapidement qu'il n'avait pas le temps de les classer par ordre de priorité. Ferlatte avait raison : il devait se concentrer sur les faits, notamment sur ce possible bas de laine qui soulevait l'hypothèse du mobile le plus trivial, c'est-à-dire le vol. Et si quelqu'un, un parent, un cousin, avait simplement attiré Romain à la maison pour lui faire cracher les quelques milliers de dollars que son père avait cachés à la maison ?

— Sergent !

McCann frappait discrètement à la porte. Surprenant se leva en vitesse, conscient que sa réclusion dans son bureau le mettait dans une position vulnérable. Il aurait dû être au milieu de ses hommes, question d'asseoir son autorité avant la confrontation avec Dépelteau et Ferlatte.

Il ouvrit. McCann se glissa dans la pièce, son flegme entamé par un soupçon d'excitation.

— L'équipe de tournage… J'ai parlé hier après-midi à un collègue de Montréal qui me devait un service. J'imagine que l'affaire l'intéressait, il a fait de petits miracles. Un maquilleur nommé Pierre Bhérer a une histoire assez croustillante au sujet de Guérette. Je viens de lui parler. Pendant la fête, vers minuit, Bhérer est monté à l'étage, moitié pour fouiner, moitié pour soulager un besoin naturel. Il a entendu une engueulade entre Leblanc et le ministre. Il était question de Marilou. Leblanc aurait menacé de couler les mœurs de l'honorable auprès des médias.

— Ce ne serait pas le premier politicien à être à voile et à vapeur, quand même !

— N'empêche que le ministre n'était pas enchanté. Bhérer l'a vu quitter la maison par la porte arrière après le départ de Leblanc.

— À quelle heure ?

— Selon ses mots : « Vers quatre heures moins vingt. » De plus, il me jure avoir vu le ministre traverser le champ pour se rendre chez Romain.

— Tu as conté ça à Ferlatte ?

— Je voulais vous en parler d'abord.

— Ne cache rien à Ferlatte ni à Dépelteau, s'il te plaît. Ils vont croire que je complote. J'espère que ce

Bhérer ne maquille que les visages. As-tu ses coordonnées ?

Alain McCann lui fournit un numéro de téléphone dans le 514.

— Je dirais que l'honorable Guérette est dans le pétrin, ajouta-t-il avec un sourire satisfait.

— Je ne suis pas certain. Ce sera la parole de Bhérer contre la sienne. On n'a aucune preuve matérielle de la présence de Guérette chez Romain. Et puis je ne crois pas cet homme capable de monter une mise en scène.

— Une mise en scène ?

— Le faux suicide, la maison fermée, l'allusion au scénario du film de Larrivée... C'est évident, non ?

Les deux hommes regagnèrent la grande salle pour découvrir que les agents s'étaient de nouveau entassés dans le cubicule. Toute l'escouade était sur place, sauf Marchessault et Labbé, partis sur les lieux d'un accident. Dans un silence de mort, Surprenant s'assit entre Tremblay et Geneviève. Face à lui, Ferlatte, l'air imperturbable, interrogeait son ordinateur. Vic et Ralph arboraient des mines ennuyées, comme s'il leur paraissait inutile de partager le fruit de leur travail avec des apprentis.

Dépelteau ouvrit la réunion en demandant à Ferlatte de faire un bilan de la situation.

— La scène de crime nous a appris plusieurs faits intéressants. L'autopsie et l'expertise balistique devraient nous confirmer ce que nous soupçonnons déjà : Romain Leblanc n'a pu s'infliger lui-même la blessure qui a entraîné sa mort. Il s'agit donc d'un homicide déguisé. La fuite par le sous-sol semble désigner un habitué de la maison. L'arme du crime est une carabine de calibre 22 ayant appartenu au père de la victime, non enregistrée d'ailleurs. Les techniciens ont travaillé jusque tard hier soir pour recueillir des empreintes et les comparer avec celles des proches du défunt. Ralph ?

Le Manitobain s'éclaircit la voix puis déclara, dans son français métissé :

— Le carabine a les *fingerprints* de deux personnes seulement : le mort et Esther McKenzie. Ceux de Mme McKenzie sont autour de la *trigger*, du canon et de la crosse du carabine.

— Est-ce que certaines parties de l'arme ont été essuyées ? demanda McCann.

— Certaines parties de la carabine semblent avoir été essuyées, concéda Ferlatte.

— Esther McKenzie n'est pas une imbécile, intervint Surprenant. Pourquoi aurait-elle laissé l'arme avec ses empreintes à côté du corps ? Imaginons que le meurtrier *savait* qu'Esther s'était servie de l'arme et qu'il ait fait exprès pour l'incriminer ?

— C'est une hypothèse, dit froidement Dépelteau qui paraissait craindre par-dessus tout un éclat entre ses deux enquêteurs. Il reste que nous avons un meurtre, l'arme qui a servi au meurtre et des empreintes.

— Mme McKenzie n'a pas d'alibi pour la nuit de samedi à dimanche, renchérit Ferlatte. Elle avait un mobile et elle connaissait la maison. De plus, j'apprends ce matin que la bicyclette de sa coloc a disparu mystérieusement et que madame est en cavale du côté de Havre-Aubert. Si ses empreintes concordent, disons qu'elle est un *prime suspect*.

L'affirmation fut accueillie avec un silence poli, que Surprenant se garda de troubler. Malgré la somme des indices qui pointaient dans sa direction, il imaginait fort mal Esther McKenzie en train d'assassiner son amant. Geneviève avait raison: le meurtre était une solution d'exclusion. Esther était belle, jeune, probablement saine d'esprit. La musique lui fournissait un exutoire à ses frustrations. De plus, en cette fin d'été, elle avait sous la main la plus facile des solutions: faire son sac et reprendre le bateau. Arrivée en juin, repartie en août, elle n'aurait été, comme l'avait si joliment métaphorisé Platon, «que de l'écume dans la vie des insulaires».

Maxime Bonenfant, toujours aux prises avec son rhume, toussa avant de demander à Ferlatte comment il expliquait l'appel passé du Lasso à 3h09 et la disparition du portable de Leblanc.

— Je n'ai pas d'explication pour ces faits, admit Ferlatte. Il ne faut pas exclure qu'il puisse y avoir des coïncidences. Je voudrais d'abord terminer avec les trouvailles de l'équipe technique.

Ralph et Vic continuèrent leur rapport. La pièce dans laquelle avait été découvert Leblanc n'offrait aucune trace de lutte. Le corps n'avait pas été transporté. Les ustensiles retrouvés près du pâté à la viande portaient les empreintes de Jonathan Leblanc et de son ami Samuel, ce qui corroborait leur témoignage. Le chien avait suivi l'odeur des vêtements d'Esther McKenzie jusque dans le sentier à l'arrière de la maison. Le sous-sol semblait avoir été balayé récemment. Une petite pièce d'un tissu synthétique gris, de moins d'un centimètre carré, avait été trouvée accrochée sur un clou près du crochet qui avait permis de refermer de l'extérieur l'entrée de l'escalier du sous-sol. L'escalier lui-même révélait des traces de pas compatibles avec celles qui avaient été retrouvées dans la cour.

— Quelle pointure? demanda Tremblay.

Les deux techniciens se regardèrent. Vic dit qu'il semblait s'agir d'une pointure 9.

— D'homme ou de femme ? s'enquit Surprenant.

— D'homme. C'est la mesure qu'on utilise.

— À première vue, c'est grand pour la petite McKenzie, observa Barsalou.

— Rien ne prouve que ces empreintes appartiennent au meurtrier, soutint Ferlatte. Ralph tentera d'identifier la marque de souliers. Ça pourrait nous permettre de faire des recoupements.

— Avez-vous fouillé le bureau ? demanda Tremblay.

— *Not much*, dit Ralph. Là-dedans, tout était *dusty*. Peut-être la victime n'utilisait pas cette pièce ?

— Et le classeur ? insista Tremblay. J'y ai trouvé des dossiers qui avaient été consultés dans les derniers jours.

— La situation financière de Romain Leblanc demeure à explorer, reconnut Ferlatte.

À l'invitation de Surprenant, McCann rendit compte du témoignage de Pierre Bhérer, qui fut accueilli avec un mélange de malaise et de stupéfaction.

— Ce... maquilleur affirme que le ministre Guérette a traversé le champ pour se rendre chez Romain Leblanc ? demanda un Dépelteau très blême.

— Je lui ai parlé ce matin. Il est prêt à le jurer devant un juge.

Geneviève intervint.

— Tu as bien dit que le maquilleur soutient que Guérette est sorti à *quatre heures moins vingt* ? Hier, Guérette m'a dit qu'il était rentré chez lui à moins quart. Ça me semble serré.

Si elle causait une commotion parmi les agents, cette apparente contradiction n'avait pas l'air d'emballer Ferlatte.

— Il faudra confronter Guérette, mais ces politiciens sont pour la plupart des avocats. Je doute fortement qu'il revienne sur son témoignage.

À l'aide d'une liste préparée à l'avance, l'enquêteur de Rimouski énuméra une dizaine de pistes à suivre : enquête de voisinage sur le vol de la bicyclette d'Isabelle Chiasson ; vérification des emplois du temps d'Esther McKenzie, de Marjolaine Vigneau, de Jonathan Leblanc, d'Euclide Déraspe et d'Eudore Leblanc ; fouille extensive de la maison du chemin des Arsène ; interrogatoires du ministre Guérette, de Marilou Cholette et de Martin Larrivée ; élucidation du mystère du portable ; recherche et interrogatoire des participants à la fête du samedi soir, etc.

Surprenant, toujours aussi silencieux, avait des difficultés à se concentrer sur le plan de match de Ferlatte. Il avait la curieuse impression d'être prisonnier du champ d'ondes que lui envoyait, à moins d'un mètre, le corps de Geneviève. Était-elle toujours en colère contre lui ? Leur relation, malgré son élasticité, avait-elle atteint le point de rupture ? De l'exposé de Ferlatte, il retenait surtout que le lieutenant, jeune et cartésien, cherchait à résoudre le meurtre par l'exploration d'un nombre toujours grandissant de témoignages et de pistes matérielles. Le mobile lui semblant toujours la clef du mystère, son intuition le poussait, pour sa part, à chercher du côté des sentiments des protagonistes.

Ferlatte, justement, s'était tu et le regardait d'un air qui pouvait être aussi bien amical qu'insolent.

— Qu'en pensez-vous, sergent ?

Sentant les regards converger sur lui, Surprenant réfléchit quelques secondes avant d'arriver à cette conclusion : puisque Ferlatte éprouvait envers lui une méfiance profonde, il ne pourrait mieux le fourvoyer qu'en lui révélant le fond de sa pensée.

— J'ai deux impressions. La première est que nous avons affaire à un meurtrier qui a cherché à maquiller les faits, une sorte d'artiste. La deuxième est que, pour comprendre le meurtre, il faut fouiller les derniers jours de la vie de Romain Leblanc. On sait qu'il a consulté un avocat et un notaire. Pourquoi ? Il faut apprendre ce qui se passait dans sa tête.

Il faillit ajouter « … et dans son cœur », mais il se tut. Cette dernière précision lui parut soudain si vraie qu'il préféra la garder pour lui.

Ferlatte, après tout, n'était pas un deux de pique.

38

Beau-frère, belle-sœur

Les hurlements de Bardeau tirèrent Eudore Leblanc d'un cauchemar où une main, la main raide de son père, curieusement blanche, tentait de lui montrer l'accord de *si* septième sur un manche de guitare gros comme une grange.

— Maudit chien !

Après deux coups légers, la porte s'ouvrit. Les jappements redoublèrent, vite apaisés par la voix rauque, presque enjouée, de Marjolaine. « Doux, doux. » Sa belle-sœur avait toujours eu un don avec les animaux.

— Qu'est-ce que tu fais ici ? demanda Eudore en enfilant son jean.

— Il faut que je te parle.

— À neuf heures du matin !

— J'étais réveillée avant le jour. Tu n'es pas avec quelqu'un, au moins ?

Sans répondre, Eudore Leblanc alla jeter un œil par la fenêtre. Le vent était toujours à l'est, le soleil cherchait à percer de lourds nuages. Il passa un coup de brosse dans ses cheveux et retrouva sa belle-sœur dans ce qui était à la fois son salon, sa cuisine et sa salle à manger.

— Tu sais bien que j'ai un cœur de vieux garçon.

Marjolaine avait relevé ses cheveux châtains en une toque sévère, ce qui dégageait un cou fin sur lequel saillaient les jugulaires.

— Les Margots ont des cœurs de vieux garçon, même ceux qui font l'erreur de se marier, dit-elle en examinant les CD classés au-dessus de la chaîne stéréo.

Sans relever l'allusion, Eudore se dirigea vers la cuisine.

— Café ?

— Ce n'est pas de refus. Je ne sais pas si tu t'es vu dans le miroir, mais tu n'as pas l'air en forme.

— Noir avec sucre, si je me souviens bien.

— C'est un miracle. Ton cerveau fonctionne toujours. Tu permets que je mette de la musique ?

Well I'm running down the road
Trying to loosen my load
I've got seven women on my mind

Les Eagles… Eudore hocha la tête. Marjolaine avait toujours aimé les groupes américains. L'esprit encombré de ses rigodons et de ses chansonnettes à l'eau salée, Romain n'appréciait pas tellement. Tandis qu'il vidait le marc de café dans la poubelle, Eudore put mettre des mots sur l'impression de nouveauté qu'il ressentait : pour la première fois de sa vie, il était en présence d'une Marjolaine libérée de Romain.

— Tu ne me demandes pas pourquoi je suis ici ?

— Pas besoin. Tu vas me le dire.

— Je veux te parler des funérailles. Tu es le plus proche parent de Romain, après tout.

Silencieux, Eudore mit la bouilloire sur le feu et vint s'asseoir devant sa belle-sœur. Il méditait ce fait troublant : il n'avait aucunement réfléchi à la façon de souligner la mort de son frère.

— Je crois que je n'ai même pas d'habit à me mettre sur le dos.

— C'est lundi, les magasins sont ouverts. Tu t'es quand même présenté aux funérailles de Maurice...

Take it easy
Don't let the sound of your own wheels
Drive you crazy

Il s'était effectivement présenté aux funérailles de son père. Il avait fait le trajet dans sa vieille camionnette, de nuit. Mille deux cent cinquante kilomètres de Montréal jusqu'à Souris. L'excitation le tenait éveillé : Maurice Leblanc mort, il allait enfin retrouver sa place, se payer un peu de bon temps. Son père avait eu beau le maudire, il n'aurait pas osé tout léguer à Romain. Eudore n'avait même pas eu besoin de se présenter chez le notaire : dès son arrivée au salon, il avait senti que Romain avait touché le gros lot. À sa gravité nouvelle, à la rectitude de sa mise, à la feinte chaleur qu'il lui avait témoignée, Eudore avait compris que son aîné *savait*. Le vieux avait dû lui confirmer qu'il était l'unique héritier. Encore heureux que son père soit mort du cœur, sinon il aurait fallu se demander si Romain ne lui avait pas donné une petite poussée pour le faire basculer dans l'éternité.

Lui, Eudore, ne s'était pas agenouillé devant la tombe de son père. Il n'avait pas hypocritement récité les prières de circonstance. Il s'était réfugié au fond du salon, avait jasé avec tout un chacun, mine de rien, rongeant son frein et réfléchissant. Maurice Leblanc n'était pas aimé, mais son décès avait attiré une nuée de vautours. L'homme avait de l'argent, sans doute, mais il avait aussi été au centre d'une vieille histoire d'amour. Certaines personnes étaient venues. D'autres s'étaient abstenues. Parmi la visite rare, il y avait John Turbide. Jaunâtre et émacié, il semblait faire du repérage en vue de ses propres obsèques. Longtemps qu'il n'était pas descendu de Verdun, John à Alpide... Il avait bien connu le défunt. N'avait-il pas témoigné en sa faveur, quarante-cinq ans plus tôt ?

— C'était bien normal que j'aille aux funérailles de mon père, tu ne trouves pas ?

— Bien normal. Si tu as besoin de linge, ce n'est pas ce qui manque chez nous. J'en ai des garde-robes pleines. Des chemises, des bas, des bobettes, jusqu'à des chemises de cow-boy que je ne suis plus capable de voir !

Le ton avait monté. Eudore comprit que la sérénité de sa belle-sœur avait ses limites.

— Tu voulais parler des funérailles de Romain ?

— J'ai pensé monter un spectacle.

— Un spectacle ! Je ne crois pas que ce soit... approprié.

— Je veux sa musique, juste sa musique à lui, avant et pendant le service.

— Ça risque d'être court...

Les yeux brillants, les poings serrés, Marjolaine était aussi insensible à ses objections qu'à ses sarcasmes.

— Je veux monter quelque chose au Lasso.

— Au Lasso ! Tu es folle ! Un service, ça se fait à l'église.

— Romain ne croyait ni en Dieu ni en l'Église. Pour lui, il n'y avait que deux choses : l'argent et la gloire. Le Lasso est l'endroit parfait pour lui faire un dernier party.

La bouilloire sifflait. Eudore retraita vers la cuisinière, blanc comme neige. Marjolaine ne le quittait pas des yeux.

— Sais-tu qui l'a appelé du Lasso dans la nuit de samedi à dimanche, Eudore ?

— Je ne sais pas de quoi tu parles.

Il se retourna. Dans la lumière du matin, les coudes appuyés sur la table, Marjolaine tentait de maîtriser ses tremblements.

— Sais-tu ce qui s'est passé, Eudore ?

Noir avec sucre. *We may lose and we may win*. La musique, apaisante, énergique, contrastait avec le ton de leur conversation. De retour à la table, Eudore Leblanc servit sa belle-sœur avant de s'asseoir et de demander à son tour :

— Et toi, Marjolaine ?

39

Une vie dans le papier

Abandonnant Geneviève Savoie et son escouade à Ferlatte, Surprenant profita du brouhaha qui marquait la fin de la réunion pour s'esquiver en douce. Ses ongles cliquetant sur son clavier, la tête penchée, Majella prenait un appel. D'un geste, Surprenant lui fit comprendre qu'il allait lui téléphoner.

Il sauta dans sa Cherokee et prit à droite vers Cap-aux-Meules. Aucune mort d'homme n'avait le pouvoir d'arrêter le cours de la vie. En ce lundi matin, vingt-quatre heures après l'électrochoc causé par le meurtre, le village offrait son visage habituel : une succession de voitures et de pick-up se pressant vers le port ou les édifices gouvernementaux, des Madeliniennes robustes marchant à grands pas sur les trottoirs humides, des touristes désœuvrés cherchant un endroit où s'abriter du vent et, accessoirement, déjeuner.

Surprenant passa devant la Caverne, déserte à cette heure et, tournant à gauche après le port, prit la direction de Fatima. Joignant Majella, il lui demanda de prendre rendez-vous, le plus tôt possible, avec le notaire Bourgeois et l'avocat Lebreux.

– C'est comme si c'était fait.

– Soulier, ça vous dit quelque chose ?

– À part ce que j'ai dans les pieds, non. Mais je vais fouiller.

– À propos, Casimir Les Nouvelles, ça vient d'où ?

– Comme je vous l'ai dit tantôt : quand vous irez chez lui, vous allez comprendre.

Surprenant raccrocha et composa le numéro de Casimir Richard. D'une voix fluette, un homme se montra disposé à le recevoir, tout en précisant qu'il devait être à l'église à dix heures.

« Un rongeur de balustres », songea Surprenant. À sa droite, au pied d'une pente douce bordée de joncs, la lagune de Havre-aux-Maisons scintillait sous une timide percée de soleil. Le canton de Cap-Vert devait son nom à un monticule herbeux qui s'avançait sur deux ou trois cents mètres dans la lagune. Casimir Richard y possédait une maisonnette carrée à toit plat, flanquée d'un appentis qui en atténuait la symétrie.

Surprenant fut accueilli par un vieillard malingre et quelque peu bossu, flottant dans des salopettes de travail immaculées mais d'un autre âge.

– Le sergent André Surprenant ! constata Richard en l'invitant dans la cuisine. Vous avez fait parler de vous, l'automne dernier, avec l'histoire de la petite Rosalie.

Surprenant acquiesça, tout en essayant d'identifier l'odeur douceâtre qui lui chatouillait les narines.

– Trois ans que vous êtes aux Îles et je n'ai pas eu l'occasion de vous rencontrer, dit Richard sur un ton où perçait un reproche.

— Vous savez beaucoup de choses à mon sujet.

— Nous portons tous une croix, monsieur. Moi, c'est la curiosité. Du thé ?

— Volontiers.

La cuisine, petite, était située à l'arrière. À la fois rangée et d'une propreté relative, la maison trahissait une solitude de vieux garçon. Une théière chaude et deux tasses étaient disposées sur une table recouverte d'une nappe de plastique. Par la fenêtre, Surprenant aperçut un pick-up Dodge tout droit sorti d'un film de James Dean.

— Quand le vent vire à l'est, je le stationne derrière la maison, à cause du salange*. Vous venez pour Romain, j'imagine ?

— Pour son père, à vrai dire.

— Maurice à Usaric... soupira Richard en réprimant un mouvement de malaise. Moi qui dois être à l'église à dix heures pour ouvrir au charpentier !

— Vous êtes le bedeau ou quelque chose comme ça ?

— Plutôt quelque chose comme ça. La fabrique n'a plus les moyens d'avoir un bedeau. Vu que j'ai un ciel à gagner et du temps à perdre...

Coupant court aux civilités, Surprenant confia au vieillard son impression quant à l'affaire : le destin de Romain Leblanc semblait avoir basculé quand son père était mort.

— Rien de plus normal, s'amusa Richard. Romain héritait, *seul*, d'un petit Klondike !

— Je suis au courant pour l'héritage. Est-ce qu'il y avait autre chose ?

---

* Mélange d'écume et de sel de mer porté par les grands vents.

— Je ne vois pas. Prendriez-vous des biscuits ?

Surprenant s'abstint de répondre. Casimir Richard aspira une gorgée de thé, puis l'avala dans un mouvement qui fit monter et descendre, le long de son cou chétif, une impressionnante pomme d'Adam.

— C'est sûr que Maurice était proche de son avoine… reprit-il.

— Je sais que c'était un usurier. Il était aussi en chicane avec ses deux fils. Parlez-moi de sa femme.

— La pauvre Lucienne ! À cette heure qu'elle est morte, j'ai pas peur de dire qu'il l'a mariée pour son argent. Ou plutôt pour la terre de son père. Il a vendu ça à la pièce aux jeunes ménages qui voulaient se bâtir le long du chemin Huet. Mais Lucienne, comme disait l'autre, c'était pas son premier choix…

Casimir Richard s'intéressa de nouveau à sa tasse de thé. À la façon dont il laissait traîner ses phrases, Surprenant comprit qu'un des plaisirs du célibataire consistait à se faire tirer les vers du nez. Refusant de jouer le jeu, il tambourina des doigts sur la table.

— Aussi étrange que ça puisse paraître, poursuivit Richard, Maurice Leblanc a déjà été amoureux. Faut avoir mon âge pour s'en souvenir. L'histoire a mal tourné. À partir du jour où Berthe à Johnny lui a préféré Benoît Gaudet, le cœur de Maurice a juste servi de pompe. Côté sentiments, il restait *nothing*. Ça a laissé toute la place à l'argent.

— Berthe à Johnny ? Parlez-vous de la mère de Louis-Marie Gaudet ?

— La pauvre Berthe ! Elle ne s'est jamais remise de la mort de son Benoît. Ça a commencé par la sclérose en plaques. À cette heure, elle a tcheuque mauvais mal qui lui ronge les entrailles.

Surprenant consulta sa montre : il était neuf heures trente.

— Monsieur Richard, si vous avez quelque chose à me dire, je pense qu'il serait temps.

— Je ne vois pas en quoi le passé de Maurice à Usaric pourrait vous aider à trouver qui a tué son garçon. De toute façon, c'est rien que des racontars.

— Laissez-moi en juger.

Casimir Richard leva vers Surprenant des yeux où se mêlaient plaisir et regret. Autant il appréciait d'être le dépositaire de certains secrets du passé des Madelinots, autant il lui coûtait de les révéler à un étranger. Il se leva et se dirigea vers l'appentis.

— C'est une histoire banale. Dans sa jeunesse, Berthe était un maudit beau brin de fille. Brillante pardessus le marché. Les cavaliers ne manquaient pas, d'autant plus que son père lui laissait une terre à la Belle-Anse. Parmi les prétendants, il y avait Benoît Gaudet et Maurice à Usaric.

— Elle a choisi le Gaudet.

— Un grand sans-souci qui s'entendait dans tout ce qui touchait le bois.

— Maurice n'a pas aimé.

— Ça a été jusqu'à la *fight*. Benoît était pas mal plus raide que Maurice. Pour faire une histoire courte, il lui a cassé un poignet. Suivez-moi.

L'odeur se précisa. L'appentis, à en juger par la rectitude de ses angles et sa fenestration, était de construction plus récente que le carré de maison. Deux des murs étaient occupés par des étagères encombrées de cartables. Dans un coin, trois piles de journaux de plus d'un mètre de haut menaçaient de s'écrouler. Au centre, jonchée de coupures et de photographies, se dressait une grande table inclinée, moitié écritoire, moitié table à dessin, flanquée d'un tabouret à haut dossier et d'un bac de récupération. La pièce, bien que propre, répandait dans toute la maison un parfum composite de papier journal et de colle.

— Mon royaume! soupira le Madelinot. Quand j'étais jeune, les nouvelles étaient rares. Il n'y avait pas de télévision. La radio? On était branchés sur Charlottetown et New Carlisle... Je me suis abonné aux journaux du continent, aux magazines, aux catalogues. J'ai passé ma vie dans le papier. Certains collectionnent des timbres ou des roches. Moi, j'ai fait des *scrapbooks*. Je ne me suis pas marié, je n'ai pas eu d'enfants. Je suis devenu un collectionneur d'histoires. Ça me tient en vie.

Surprenant le pressa de revenir à la jeunesse de Maurice Leblanc.

— C'est ça qui s'est passé: Berthe a choisi Benoît, qui a cassé le poignet à Maurice. Ça a mal repris. Il est resté avec le poignet raide comme un aviron. Le problème, c'est qu'il jouait du violon. Après ça, Maurice n'a jamais touché un instrument, à part son harmonium quand il était chaudasse.

— Et il a poussé son fils à apprendre.

— Comme de raison. En tous les cas, Maurice a perdu sa blonde et sa musique en même temps. Berthe et Benoît se sont mariés. Benoît a monté de ses mains une maison à la Belle-Anse. Berthe est partie pour la famille. Si je me souviens bien, on était à l'automne 1957... C'est là que tout a chaviré.

Levant la tête, Casimir Richard tira un cahier d'une étagère et le déposa sur la table. Surprenant découvrit, jauni, un article tiré du *Fanal* et daté du 30 octobre 1957:

Disparition mystérieuse d'un Madelinot à Halifax

On est sans nouvelles de Benoît Gaudet (à Élie), de Fatima, depuis le 25 octobre dernier. Sa voiture a été retrouvée dans le stationnement de la pension Donovan à Halifax. Depuis deux ans, Benoît Gaudet allait chaque automne acheter du bois en Nouvelle-Écosse. D'après la police, le charpentier a été vu pour la dernière fois dans un débit de boisson situé quelques rues plus loin, le Crazy Sailor. Le jeune Madelinot ayant toujours affiché une conduite irréprochable, les autorités traitent l'affaire avec le plus grand sérieux.

Suivait une série d'articles du *Fanal*, de *La Presse*, du *Halifax Chronicle Herald* qui, au fil des semaines, avaient confirmé l'incroyable : Benoît Gaudet, un jeune menuisier d'humeur stable, nouvellement marié, s'était volatilisé. Le dernier homme qui l'avait vu vivant était le barman du Crazy Sailor. Gaudet, semblait-il, n'était pas ivre. Il avait mis sa veste et avait quitté l'établissement peu après minuit.

— Et on ne l'a plus jamais revu, conclut Surprenant d'une voix altérée.

— Pas de corps, pas de piste, pas de témoin. Aux Îles, on a toujours pensé que Benoît avait été tué à la place d'un autre. Vous allez bien, sergent ?

Penché sur les extraits de journaux, Surprenant éprouvait la désagréable impression qu'une main s'était introduite dans son thorax et lui étranglait le cœur : Benoît Gaudet avait disparu de la même manière que son père.

— Ça va, oui. Si vous me racontez cette histoire, c'est que quelqu'un a dû associer Maurice Leblanc à la disparition de son ancien rival.

Richard hocha la tête.

— D'autant plus que Maurice n'était pas aux Îles au moment où ça s'est passé. Il travaillait dans une usine à Pointe-Saint-Charles. Berthe a prétendu qu'il était descendu en Nouvelle-Écosse pour tuer son Benoît. Deux hommes ont juré que Maurice était à Verdun le soir où Benoît a disparu. Berthe n'a jamais cru l'histoire. Depuis proche cinquante ans, elle garde l'impression que Maurice Leblanc a tué ou fait tuer son mari. Pas étonnant qu'elle soit tombée malade !

— Qu'en pensez-vous ?

— J'en pense qu'il faut que je parte pour l'église. Une chose est sûre : Maurice Leblanc, c'était ni le diable ni le bon Dieu. Il ne pouvait pas être à Verdun et à Halifax en même temps. De toute façon, l'amour, c'est bien beau, mais de là à tuer…

Surprenant était songeur.

— Monsieur Richard, vous me dites que Berthe a toujours eu une dent contre Maurice Leblanc. D'un autre côté, leurs deux fils ont fait de la musique ensemble. Ils sont même devenus de grands amis. Pouvez-vous m'expliquer ça ?

— La musique adoucit les mœurs. Romain et Louis-Marie étaient dus pour se rencontrer. C'étaient les deux plus beaux talents de Fatima. Louis-Marie avait pas douze ans qu'il jouait du violon à l'église.

— Du violon ?

— Il s'est mis à la guitare par après. Louis-Marie ! Guitare, violon, mandoline, piano, musique à bouche : ça sait jouer de n'importe quoi.

Casimir Richard fit mine de refermer son album.

— Vous permettez que j'y jette un œil ? demanda Surprenant en posant la main sur la page ouverte.

À contrecœur, le Madelinot permit à Surprenant de consulter ses archives. Après lui avoir expliqué son système de classement et recommandé de rentrer sa chatte s'il l'entendait miauler, Casimir Richard posa une antique casquette de tweed sur son crâne et se dirigea vers la porte arrière.

Sur le seuil, il se retourna :

— C'est déjà assez que tout le monde ait vu votre char devant ma maison, j'aimerais que vous gardiez pour vous ce que je vous ai raconté.

— J'enquête à propos d'un meurtre, monsieur Richard.

— Les jeunes, vous pensez que, plus on est vieux, moins on tient à la vie. Apprenez que c'est le contraire.

— Soupçonnez-vous quelqu'un en particulier ? insista Surprenant.

— Personne, monsieur. Par contre, je sais une chose : Romain Leblanc n'a pas été tué par un personnage tiré d'un *scrapbook*, mais par quelqu'un de bien vivant. On ne sait jamais ce qui peut se passer dans la tête d'un meurtrier.

— J'ai une dernière question. Comment est mort Maurice Leblanc ?

— Une crise de cœur, pouf ! en faisant son gazon. Certains ont trouvé ça injuste : il est mort sans souffrir une minute.

Le moteur du pick-up démarra au quart de tour. De l'autre côté de la lagune, des nuées de goélands tournoyaient autour de l'île Rouge. Surprenant alla se verser une deuxième tasse de thé et, sortant son carnet de sa poche, retourna dans l'appentis où Casimir Richard conservait son trésor.

Après avoir consacré cinq minutes à la lecture des articles traitant de la disparition de Benoît Gaudet, il se mit à fouiller dans les archives des années 1970. Au milieu d'articles de 1976 commentant l'élection du gouvernement du Parti québécois, il trouva une première mention de Romain Leblanc. Sur une photo tirée du *Fanal*, on l'apercevait, jeune, mince, la chevelure encore plus abondante, jouant dans un spectacle à la Légion canadienne. La légende, saisissante, se lisait ainsi: «Le jeune Romain Leblanc (Maurice), seize ans, électrocute l'assistance avec son jeu de violon.» Derrière lui, entre deux autres musiciens, Louis-Marie gardait les yeux sur son manche de guitare.

Surprenant éplucha quelques années antérieures. Romain et Louis-Marie, adolescents, y étaient dans l'ombre. Tout au plus trouva-t-il, en 1974, l'avis de décès de Lucienne Aucoin, quarante-six ans, épouse de Maurice Leblanc (Usaric) de Sur-les-Caps. Une photographie floue montrait une femme sans grâce, le regard empreint d'une tristesse résignée. Ainsi Maurice Leblanc était demeuré veuf pendant près de trente ans, à moins d'un kilomètre de la Berthe qu'il avait convoitée dans sa jeunesse. Connaissant le caractère du père de Romain, il était peu probable qu'il n'ait fait aucune manœuvre pour reconquérir son cœur.

Surprenant hocha la tête. À cette époque, Berthe Lapierre, déjà malade, n'était sans doute plus si attrayante. Depuis vingt-quatre heures, les témoignages au sujet de Maurice Leblanc concordaient: l'homme n'était pas enclin à la charité.

40

Chemin des Fumoirs

— As-tu l'adresse exacte de cette Mélanie Hébert ?

— 26, chemin des Fumoirs. On tourne à droite ici.

Geneviève n'avait pas dit un mot de tout le trajet entre Cap-aux-Meules et Havre-Aubert. Elle attendait que Ferlatte fasse les premiers pas. Le jeune sergent-détective ne semblait pas pressé. Muré derrière ses verres fumés, il conduisait, plutôt vite, apparemment indifférent au paysage.

— Que penses-tu de cette histoire de bicyclette ? demanda-t-il à Geneviève en se penchant pour déchiffrer le numéro qui ornait une façade.

— Esther McKenzie n'avait pas intérêt à faire disparaître des preuves de son passage dans le sentier qui menait chez Romain. Il est établi qu'elle a emprunté ce chemin plusieurs fois. C'est comme les empreintes sur la carabine : il s'agit d'une diversion.

— Vous me faites rire, Surprenant et toi.

Geneviève ne mordit pas. Depuis qu'il lui avait demandé de l'accompagner, elle savait que Ferlatte la sonderait à propos de Surprenant. Elle avait choisi la ligne de conduite la plus simple et la plus sûre : l'ignorance polie.

— C'est ici, dit-elle en désignant une maisonnette à deux étages.

— Voyons voir ce que Mme McKenzie a à nous dire… murmura Ferlatte en descendant.

Le 26, chemin des Fumoirs était une petite maison rectangulaire de style traditionnel, nichée sur une butte qui dominait le havre naturel qui avait fait de Havre-Aubert le premier point de peuplement des Îles. Les bardeaux, la toiture, les corniches portaient la marque de travaux récents.

— *Nice spot!* admira Ferlatte en cognant.

— Le site historique est juste en face. C'est triste à dire, mais ces gens rénovent peut-être avec l'idée de revendre à des touristes.

Ils trouvèrent Esther McKenzie, pâle, attablée devant des œufs aussi brouillés que ses traits. En face d'elle, une jeune femme grassette, sans doute Mélanie Hébert, jouait l'amie fidèle. Un ouvrier chevelu, crayon sur l'oreille et déjà saupoudré de bran de scie, travaillait à un escalier.

— Désolé de vous déranger, assura Ferlatte en souriant de toutes ses dents. Nous devons vous interroger, madame McKenzie.

« Il pourrait au moins retirer ses lunettes à l'intérieur, pensa Geneviève. En plus, il emploie le mot "interroger". »

— Je vous ai déjà tout raconté hier, protesta Esther. Je suis venue ici pour avoir la paix.

— Tout le monde veut avoir la paix, dit Ferlatte en promenant son regard sur la cuisine. Malheureusement, votre amant, Romain Leblanc, a eu la paix éternelle. Où pouvons-nous vous parler en privé ?

L'ouvrier intervint, plutôt rudement, en roulant ses R avec un gros accent du Havre.

— Tout ce qui reste de privé, ici, c'est le dehors.

Geneviève ne s'y trompa pas : l'agressivité n'était pas tant dirigée contre eux que contre cette accordéoniste du continent qui était venue chambouler la vie du violoneux national. Gonflée par les rumeurs, l'enquête parallèle des insulaires se poursuivait. Les soupçons convergeaient vers la musicienne. Ne s'était-elle pas disputée avec Romain le vendredi précédent ? Ne l'avait-on pas entendue tirer à la carabine dans le bois ? N'avait-elle pas quitté la Caverne vers une heure, la nuit du meurtre ? Ne s'était-elle pas enfuie au Havre au lieu de rester chez elle ? Le matin même, n'avait-on pas vu les policiers fouiller la remise derrière la maison d'Isabelle Chiasson, sur le chemin Patton ?

Ferlatte posa un regard hostile sur le menuisier, qui ne broncha pas d'un poil.

— Veuillez nous suivre, madame.

Le deuxième interrogatoire d'Esther McKenzie, qui eut lieu à l'arrière de l'auto-patrouille, fut moins délicat que le premier. D'entrée de jeu, Ferlatte tenta de la désarçonner à propos de la bicyclette. Esther McKenzie, les yeux dilatés par la peur, jura qu'elle n'avait pas touché au vélo ni mis le pied dans la remise depuis le samedi matin.

— Qu'avez-vous fait, hier ?

— Vous et le sergent Surprenant êtes sortis de chez Isabelle vers quinze heures. Je suis restée chez elle, sans bouger. À dix-neuf heures, votre technicien est venu prendre mes empreintes. Isabelle est partie vers vingt heures pour aller passer la soirée chez son copain. Elle m'a invitée mais je n'avais envie de voir personne. Finalement, vers vingt et une heures, je n'en pouvais plus. J'ai appelé Mélanie et je lui ai demandé de venir me chercher.

— Vous n'avez donc aucune explication quant à la disparition de ce vélo ?

— Désolée. Je ne comprends pas pourquoi vous vous acharnez sur moi. J'aimais Romain. Jamais je ne l'aurais tué à cause d'une dispute. Ou même parce qu'il m'aurait quittée pour de bon. Je ne sais pas de quelle planète vous débarquez, mais vous avez autant de psychologie qu'une brique !

Geneviève applaudit intérieurement. Retranché derrière ses lunettes, Ferlatte semblait exulter à sa façon. Il avait déstabilisé Esther McKenzie et pouvait maintenant l'amener où il voulait.

— Vos empreintes sont sur la gâchette de la carabine qui a tué Romain, madame. Ça, ce n'est pas de la psychologie, c'est un fait.

La musicienne fut frappée de stupeur.

— Il doit y avoir d'autres empreintes, c'est impossible.

— Il y a celles de Romain et il y a les vôtres. C'est tout.

Esther réfléchit pendant quelques secondes.

— Je n'ai pas tué Romain. Romain ne s'est pas suicidé. Un assassin *normal* aurait essuyé ses empreintes après avoir tiré. Donc, quelqu'un essaie de me faire porter le chapeau.

— Ça ne change rien aux faits, madame.

Les pupilles d'Esther s'étrécirent jusqu'à n'être plus que deux îlots noirs au milieu d'un océan de bleu.

— Louis-Marie ! Il m'a vue avec la carabine dans les mains !

— Parlez-nous un peu de cette journée, dit Geneviève. C'était tout de même une drôle d'idée, d'aller tirer à la carabine près d'une zone habitée.

— Il n'y avait aucun danger ! protesta Esther. Je sais manier les armes. Mon père m'emmène à la chasse depuis que j'ai seize ans. C'était un vendredi, je crois. Louis-Marie est débarqué à la maison, je ne sais pas trop pourquoi. Nous ne l'avions pas vu de l'été. Romain faisait du ménage dans les garde-robes. Il avait trouvé cette carabine. J'ai eu envie de l'essayer.

— Est-ce qu'il s'est passé quelque chose de particulier ce vendredi ? insista Geneviève.

— Romain était distant et songeur. Ça remontait au dimanche précédent. Il avait eu une dispute avec sa femme. Louis-Marie était proche de Marjolaine. Peut-être voulait-il servir d'intermédiaire entre Romain et elle ?

— « Proche de Marjolaine », dit Ferlatte. Pouvez-vous préciser ?

Esther haussa les épaules.

— Je n'ai jamais compris le fond de cette histoire. Marjolaine et Louis-Marie se parlaient plusieurs fois par semaine. D'une certaine façon, ils « géraient » Romain. Lui sur le plan musical, elle sur le plan familial. Parfois, les deux plans se mêlaient. Quand Louis-Marie s'est pointé chez nous ce vendredi-là, j'ai senti qu'il voulait parler avec Romain. J'étais de trop, j'ai eu l'idée d'aller tirer à la carabine dans le bois. Romain a insisté pour venir avec moi. Peut-être ne voulait-il pas rester seul avec Louis-Marie ? Finalement, ils ne se sont pas parlé.

— Hier, reprit Ferlatte, vous nous avez dit que ce dimanche 11 août, il y a deux semaines, Romain a reçu un coup de téléphone. Nous savons qu'il s'est alors précipité chez sa femme et qu'ils se sont disputés. Savez-vous qui a appelé Romain, ce jour-là ?

— Si je l'avais su, je vous l'aurais dit.

— Quelle heure était-il ?

— Il devait être une ou deux heures de l'après-midi.

— A-t-il reçu cet appel sur son portable ?

— Non, sur le téléphone de la maison.

Après un court silence, Geneviève demanda à Esther quelles étaient ses relations avec Louis-Marie Gaudet.

— Il me jalousait parce que Romain et moi montions un spectacle ensemble. Il ne m'a jamais appelée. Il n'a jamais mis les pieds chez moi. Il n'a même jamais voulu *jouer* avec moi.

— C'est tout de même lui qui est venu vous apprendre la nouvelle hier matin, dit Geneviève.

Esther poussa un soupir de dérision.

— Il est venu m'apprendre la mort de Romain pour me voir souffrir. Il voulait avoir encore, aux yeux de tous, le beau rôle.

Ferlatte reprit le contrôle de l'interrogatoire. Il redemanda à l'accordéoniste son emploi du temps, la nuit du meurtre. D'un ton excédé, Esther McKenzie répéta son témoignage : elle avait quitté la Caverne entre minuit et une heure, s'était rendue chez elle avec la Subaru d'Isabelle Chiasson, avait lu, avait éteint sa lampe à une heure vingt-cinq pour être réveillée à huit heures par Louis-Marie Gaudet.

— Personne ne vous a donc vue entre une heure et huit heures du matin, observa Ferlatte.

— Je viens de vous le dire ! Pour la deuxième fois en moins de vingt-quatre heures !

— Vous êtes dans une position délicate, dit Ferlatte. Vos empreintes sont sur l'arme du crime et vous n'avez pas d'alibi.

— Si j'avais tué Romain, croyez-vous que j'aurais été assez stupide pour laisser mes empreintes sur l'arme ? Et puis, expliquez-moi comment j'aurais pu me débarrasser de la bicyclette hier !

— Vous auriez pu la cacher quelque part en revenant de chez Romain.

Esther McKenzie, à bout de nerfs, secoua la tête. Geneviève changea de nouveau le cours de l'interrogatoire.

— À votre connaissance, Romain a-t-il eu en sa possession le scénario de *Suspicion* ?

— Au début du tournage, il n'avait que ses scènes. Lundi ou mardi dernier, j'ai trouvé le scénario complet qui traînait à côté du lit.

— Vous parlait-il de ce qui se passait sur le plateau de tournage ?

— Je sais qu'il s'est engueulé avec le réalisateur. J'ai aussi déduit qu'il avait couché avec la Marilou.

— Avez-vous lu ce scénario ? intervint Ferlatte.

— Évidemment. Je suis folle de cinéma. J'étais curieuse de savoir ce que faisait Romain dans cette galère. À mon avis, ça ne fera pas un grand film. Pourquoi me parlez-vous de ce scénario ? Parce que Romain est mort de la même façon que le personnage du film ?

Les deux policiers gardèrent le silence. D'une voix douce, Geneviève demanda à Esther de leur montrer ses pieds.

— Mes pieds ?

— Ne posez pas de questions, dit Ferlatte.

En ce jour gris, Esther McKenzie portait un chandail de coton ouaté, un jean et des souliers de course. Interloquée, elle posa son pied droit sur la banquette arrière de l'auto-patrouille. La musicienne avait de grandes mains et de grands pieds. Après vérification, il s'avéra qu'elle chaussait l'équivalent d'une pointure 8 d'homme.

Ferlatte, sur un ton plus poli, l'avisa qu'il réquisitionnait les chaussures pour les fins de l'enquête. Dès qu'Esther McKenzie eut refermé la portière de l'auto-patrouille, il demanda à Geneviève de téléphoner à Alain McCann.

— Qu'est-ce que je lui dis ?

— J'ai besoin de savoir qui a appelé chez Romain le 11 août. Ensuite, vérifie auprès de Vic si un document ressemblant à un scénario de film a été trouvé sur les lieux du crime.

— Il me semble qu'on l'aurait su.

L'agente saisissait son portable quand celui de Ferlatte sonna. La communication fut de courte durée. Ferlatte hurla un « Quoi ? » indigné, qu'il fit suivre, cinq secondes plus tard, d'un « J'arrive ! » furieux. Il ferma son portable, poussa un grognement de rage, alluma le gyrophare et partit en trombe.

41

L'argent a une odeur

Il était dix heures cinq quand un appel de Dépelteau tira Surprenant de la lecture des archives de Casimir Richard. D'une voix grinçante, le lieutenant lui apprit que quelqu'un avait pénétré dans la maison de Romain Leblanc pendant la nuit. Un frisson parcourut Surprenant de l'occiput aux orteils : dans la confusion qui avait marqué la soirée précédente, il avait négligé d'affecter un homme à la scène de crime. À vingt-deux heures, Tremblay lui avait bien dit au poste que les techniciens étaient sur les lieux. Mais après ? Il s'était fié à Ferlatte, qui s'était fié à lui. Il émit une série de jurons, qui ne l'apaisèrent qu'à moitié.

— As-tu une explication, André ? tonna Dépelteau.

— On fera ça plus tard si vous voulez bien. Qui est là-bas ?

— Le technicien et le maître-chien. Tu...

Surprenant coupa court à la communication en annonçant qu'il se rendait tout droit chez Leblanc. Il avait à peine rangé les *scrapbooks* de Casimir qu'il recevait un nouvel appel, cette fois de Majella.

— Décidément, il s'en passe des belles, la nuit, sur les Caps !

— Majella, ce n'est pas le moment...

— Je n'ai pas pu joindre maître Lebreux, mais le notaire Bourgeois vous attend à son étude à onze heures et demie. Par-dessus le marché, Mme Dicaire se demande si vous avez oublié votre rendez-vous...

La psychologue ! Surprenant raccrocha, ouvrit la porte à la chatte de Casimir Les Nouvelles et, sacrant de nouveau comme un rocker, composa le numéro de sa thérapeute. Quand il entendit la voix d'Isabelle Dicaire, il découvrit avec stupeur qu'il était moins contrarié d'être dérangé dans le cours d'une enquête que repentant d'avoir fait faux bond à la femme qui avait eu la patience de l'écouter depuis deux mois.

Après avoir songé qu'il était plus fou qu'il ne le croyait, il s'excusa auprès de sa psy et lui demanda si elle pouvait le voir plus tard dans la journée. D'une voix curieusement enjouée, Isabelle Dicaire lui proposa de le recevoir à midi trente.

— C'est notre dernier rendez-vous. Nous aurons sans doute beaucoup de choses à boucler.

Surprenant traversa Fatima en réfléchissant à l'expression de la psychologue. Pouvait-on vraiment « boucler » des choses comme son mal de vivre ou son enfance ? Ne s'agissait-il pas plutôt de les déboucler, de les ouvrir, de les décrypter telles des boîtes noires après un crash ?

Le ciel était toujours couvert. Passant près de la Belle-Anse, Surprenant regarda la jolie maison jaune de Berthe Gaudet. Si la dame croyait vraiment que Maurice Leblanc avait tué Benoît, pourquoi aurait-elle accepté que son fils unique se lie d'amitié avec Romain, pire, qu'il devienne l'éminence grise derrière son succès ? Il y avait là une incohérence, soit dans l'histoire de Casimir Richard, soit dans les relations entre les Gaudet et les Leblanc.

Pour le moment, l'important était d'arriver chez Romain avant Ferlatte. Il trouva Ralph sur le perron. Les scellés étaient déchirés. La porte, dont le carreau brisé avait été calfeutré par du ruban adhésif, semblait avoir été forcée à l'aide d'une barre à clous.

— De la visite, constata Surprenant.

— *A funny guy!* s'amusa Ralph. La lumière était *on*. Même s'il faisait noir, *anybody* pouvait le voir. Il est peut-être assez *careless* pour avoir laissé des *fingerprints*.

— Vous semblez trouver la situation comique, Ralph. Quelqu'un aurait dû garder la scène de crime.

— *Not my problem!* plaida le technicien en levant les mains. *I fucking don't know how you work around here*.

Surprenant soupira et observa la porte. Le ruban adhésif avait été déchiré. Le loquet avait été ouvert, mais le verrou inférieur, manifestement poussé à l'aide de la clef retrouvée sur le corps de Leblanc, était à demi disloqué. Après avoir conclu qu'il ne servait à rien, pour l'instant, de chercher un coupable, Surprenant entra. Vic et le chien Elvis étaient dans le salon. L'un des coussins du sofa avait été retiré pour fins d'analyse. Le chien reniflait le plancher, agitait la queue, ses yeux jaunes animés par la passion de la traque.

— Il a flairé quelque chose ? demanda Surprenant.

— On va le savoir bientôt, dit Vic de sa voix placide.

Le chien l'entraîna vers l'escalier puis à l'étage. Sans hésitation, il se dirigea vers le bureau où il s'immobilisa, hésitant. Surprenant se tourna vers Vic.

— Il a perçu une nouvelle odeur, expliqua celui-ci. Ce doit être quelque chose d'assez fort.

— Ou d'assez illicite. Un truc qu'il est entraîné à détecter ?

— Vous pensez à de la drogue ?

Sans répondre, Surprenant examinait la pièce. Le secrétaire de chêne, avec ses petits tiroirs et son abattant cyclindrique, semblait sortir d'un film d'époque. Il s'approcha des classeurs.

— Nous avons fouillé là-dedans, dit Vic. Rien que de la paperasse, des factures, des comptes, des rapports d'impôt. Par année, par ordre alphabétique, tout est rangé avec un soin méticuleux.

— Si quelqu'un est entré ici hier soir, c'est pour chercher quelque chose, raisonna Surprenant à voix haute.

Vic sourit d'un air encourageant.

— Le meurtrier pourrait être revenu pour retirer quelque chose de compromettant, continua Surprenant.

— Ce serait étonnant. Nous avons fait le tour hier.

— Mais pourquoi défoncer la porte alors que, la veille, il est sorti par l'entrée de la cave ? En plus, que cherchait-il dans ce bureau ?

Vic frotta son pouce contre son index. Le chien reniflait dans la garde-robe. Le plancher comportait trois planches amovibles. La planque n'était pas géniale, mais il était possible que Maurice Leblanc y ait caché son magot.

Vic, à l'instar de son chien, se pencha pour flairer.

— On est chanceux, dit-il. Vous sentez ?

— Un nez, des fois, c'est juste esthétique.

— Le vieux Leblanc devait avoir peur des insectes. Il cachait son argent dans des boîtes qui contenaient du clou de girofle.

— L'argent a une odeur.

«*Go! Go! Go!*» ordonna Vic à Elvis après lui avoir fait sentir la planque.

Tout fringant, le berger allemand se mit en branle et guida les deux hommes, par l'escalier, jusqu'à la cuisinière.

— Le pâté, constata Surprenant en éclatant d'un rire si franc qu'il en fut lui-même surpris.

— Ça parle au diable, dit Vic. *Go! Go! Go!*

Elvis sortit par la porte avant.

— *Where are you going*? s'inquiéta Ralph qui recueillait des échantillons, à quatre pattes, dans le salon.

— *We go where the money is*, répondit Vic.

À l'extérieur de la maison, le chien, museau à terre, piqua à travers champs vers le chemin principal.

— C'est bien ce que je pensais, murmura Surprenant.

Elvis traversa la route et alla renifler le pick-up d'Eudore Leblanc.

— Le frère? demanda Vic.

— Romain mort, Eudore s'est dit qu'il avait droit à sa part du butin.

— Ça voudrait dire que ce n'est pas lui qui a tué.

— Trop tôt pour l'affirmer. Ce qui est certain, c'est qu'il a dû cacher l'argent ailleurs.

Les jappements aigus du schnauzer de Leblanc se firent entendre. Bien entraîné, Elvis demeura tranquille, goûtant les caresses de récompense de son maître. La porte de la maisonnette s'ouvrit. Eudore Leblanc, attifé d'un chandail à col roulé et de lunettes à monture d'écaille qui lui donnaient des allures de felquiste, vint à leur rencontre.

— Les bœufs! Des problèmes avec mon camion?

— La maison de votre frère a été défoncée, annonça Surprenant en l'observant.

Les paupières lourdes, le Madelinot avait l'air d'avoir passé la nuit sur la corde à linge.

— Vous avez laissé votre scène de crime sans surveillance ? Pas brillant ! Tout le monde savait que mon père avait un bas de laine.

— Le chien a suivi la piste de l'argent jusqu'ici.

— Ça ne prouve rien, vous le savez bien. J'étais tranquille dans mon palais, comme d'habitude.

Encore une fois, Surprenant fut frappé par le sang-froid de son interlocuteur. Malgré ses airs de hippie, cet homme était habitué à négocier avec des clients peu commodes.

— Pourquoi êtes-vous revenu aux Îles au printemps, Leblanc ?

— Je suis venu aux funérailles de mon père.

Sans répondre, Surprenant ouvrit la porte du pick-up. Elvis, excité, sauta dans la cabine et alla sentir le siège du côté du passager.

— Clou de girofle, confirma Vic après avoir humé l'atmosphère de l'habitacle.

— Nous allons passer ce camion au peigne fin, Leblanc.

— Amusez-vous bien.

Des gouttelettes de pluie se mirent à piqueter l'épiderme de Surprenant, exacerbant la colère qui le tenaillait.

— Qu'est-ce que tu voulais à ton frère, Eudore ?

Yeux à demi fermés dans la bruine, le Madelinot souriait.

— Moi ? Rien. Je vous l'ai dit hier : j'étais le petit frère, le petit joueur de guitare qui arrivait pas à le galoper.

— Je connais ton passé. Avec quoi le faisais-tu chanter ?

— Vous perdez votre temps, sergent. Excusez-moi, mais c'est pas parce que je suis madelinot que je suis imperméable.

Il partit en direction de sa maison. D'un geste vif, Surprenant saisit son poignet, lui appliqua une clef de bras et lui écrasa la joue droite contre le capot de son pick-up.

— J'ai pas fini avec toi, mon Eudore. Ton cash, on va le retrouver. Quant au meurtre, tu n'es pas sorti du bois.

— Vous n'avez pas le droit... parvint à articuler Leblanc.

Surprenant émergea de sa rage quand il sentit la main de Vic sur son épaule.

— Sergent Surprenant, ça me fait pas un pli si vous lui passez la tête à travers du *hood*, mais ça peut nous attirer des problèmes.

Sous-entendu : *« On est au bord d'une route principale, tout le monde peut nous voir. »*

Surprenant relâcha son étreinte. Son sang bouillait sous l'effet de l'adrénaline. Qu'est-ce qui lui était arrivé ? Il savait habituellement se contrôler. Eudore Leblanc se redressa en se massant le maxillaire.

— Tu vas entendre parler de moi, Rambo.

Des pneus firent rouler le gravier derrière eux. La voix de Ferlatte, furieuse, retentit.

— Pas capable de protéger une scène de crime, Surprenant ?

— TU es en charge de l'enquête, Bozo !

Sans prêter davantage attention à Ferlatte, Surprenant traversa la route et entreprit de remonter le chemin des Arsène jusqu'à sa jeep.

42

Rumeurs au carré

Toujours furieux, Surprenant reprit la direction de Fatima, croisant de nouveau Ferlatte, Vic et Geneviève qui conféraient dans la cour d'Eudore Leblanc. Ferlatte paraissait détendu. Avait-il recueilli de nouveaux éléments chez Esther McKenzie ? Geneviève, quant à elle, semblait s'appliquer à éviter son regard. Surprenant prit conscience des désavantages du travail en solo : il n'avait pas un accès instantané aux données recueillies par le reste de l'escouade. Il éprouvait l'inconfortable sensation de ne plus être qu'un réseau de nerfs recouvert par un millimètre de peau. Il avait la couenne plus épaisse habituellement. Mû par une impulsion, il tourna à toute allure dans le stationnement du Lasso.

Il trouva Euclide Déraspe couché dans sa chaise longue sur la galerie jouxtant son bureau. Enveloppé dans un plaid à carreaux, le cou supporté par deux oreillers, l'homme tenait un roman de Michael Connelly.

— Vous aimez les polars ? dit Surprenant.

— On y apprend toutes sortes de choses.

— Vous travaillez fort.

— Avoir un bar, c'est naviguer d'un imprévu à l'autre. Aujourd'hui, c'est la soirée-hommage pour Romain.

— Ce n'est pas un peu tôt ? À l'heure qu'il est, il doit être sur une table d'autopsie à Montréal.

— Romain m'a fait perdre de l'argent de son vivant, je ne me gênerai pas pour faire une piastre sur le dos de son cadavre. Les annonces sont en marche à la radio. C'est lundi, les autres bars font relâche. Tout le monde aux Îles a besoin de parler de la mort de Romain. Aussi bien qu'ils le fassent dans mon bar.

Le cynisme d'Euclide Déraspe manquait de naturel et semblait masquer un grief plus ancien que la récente annulation des spectacles de Romain.

— Vous avez parlé de cet... événement à Mme Leblanc ?

— Je l'ai fait, par politesse. Elle n'est pas contre, elle avait même le projet d'organiser quelque chose ici après le service. Elle n'est pas certaine de venir ce soir, mais elle ne peut pas m'empêcher d'inviter des musiciens pour jouer la musique de son mari. La musique de Romain n'appartient pas à Marjolaine. Surtout pas ! Elle appartient aux Madelinots.

— Vous ne semblez pas porter Marjolaine dans votre cœur.

Déraspe réfléchit puis se tordit le cou pour regarder Surprenant.

— Voulez-vous me dire ce qu'elle faisait, le dimanche à sept heures du matin, dans le chemin des Arsène ?

— Je ne sais pas. Ce qui est sûr, c'est que quelqu'un a passé un appel de votre bar à 3 h 09.

— Je vous ai déjà dit tout ce que je savais là-dessus hier ! En quoi puis-je vous être utile ce matin, sergent ?

— Avez-vous connu Benoît Gaudet ?

Déraspe parut surpris.

— J'avais seize ou dix-sept ans quand il est mort. Je connais son histoire, comme tout le monde.

— J'ai entendu de drôles de rumeurs, aujourd'hui, au sujet de Maurice Leblanc.

— Racontez-moi ça. Ça m'intéresse.

Déraspe accueillit le récit de la disparition de Benoît Gaudet avec un sourire matois, si bien que le policier, à la fin, lui demanda ce qui lui semblait si réjouissant.

— Qui vous a conté ça, sergent ?

Ignorant la demande que lui avait faite Casimir Richard, Surprenant livra son nom.

— Casimir ! s'esclaffa Déraspe. Ce mange-papier de punaise de sacristie ! Les rumeurs de Casimir, c'est des rumeurs à propos des rumeurs. Des rumeurs au carré, tiens ! Ça ressemble autant à la vérité qu'un maquereau à un poisson rouge.

— Qu'est-ce que vous en savez ? Vous aviez seize ans.

— Ça paraît que vous venez d'en dehors ! Berthe, voyez-vous, se trouve à être la cousine germaine de ma Léontine. Plus que sa cousine, c'est son amie. C'est vrai que Maurice Leblanc a courtisé Berthe. Vrai aussi que Maurice et Benoît n'étaient pas les meilleurs amis du monde. Mais Berthe n'a jamais prétendu que Benoît avait été tué par Maurice ! Ce sont les commères comme Casimir qui ont inventé ça !

Le plaidoyer, qui avait débuté sur un ton calme, devenait véhément.

— Pourquoi êtes-vous en colère, monsieur Déraspe ?

— Berthe a été détruite par la disparition de son mari ! Elle s'est retrouvée pauvre. Elle a eu la sclérose en plaques. À cette heure, elle se meurt du cancer. J'aimerais bien qu'elle s'éteigne tranquille, sans qu'on la tracasse avec les folies d'un trafiqueur de palabres !

— Autrement dit, la rumeur est sans fondement ?

— Oh ! Vous trouverez des langues sales pour la colporter. Mais je vous avertis ! Si vous embêtez Berthe avec ça, je vous fais avaler vos menottes !

L'index pointé, les yeux exorbités, les jugulaires gonflées, Euclide Déraspe était furibond. Surprenant prit calmement congé. Platon Longuépée avait raison : le patron du Lasso, une fois provoqué, pouvait mordre.

43

Longs couteaux

Il tombait toujours une pluie fine sur l'île du Cap-aux-Meules. Devant la maison d'Eudore Leblanc, Geneviève Savoie, le cœur serré, regarda s'éloigner la jeep de Surprenant vers Fatima. Le comportement de son amant depuis le début de l'affaire l'inquiétait. Il était fébrile, nerveux, et n'affichait en rien le sang-froid et la rigueur que l'enquête exigeait. La contamination de la scène de crime constituerait une faille juridique importante lors d'une éventuelle mise en accusation. Ferlatte tenterait par tous les moyens d'en rejeter la faute sur Surprenant. Dépelteau, s'il sentait la soupe chaude, ne s'avancerait pas pour protéger son subordonné.

Surprenant restait un conjoint improbable. Il barbotait dans le sillage de son divorce. Il était impénétrable, angoissé, indécis, nébuleux. Malgré tout, Geneviève Savoie l'aimait. Le sentiment montait de son ventre : elle était solidaire de cet homme tourmenté.

À ses côtés, Ferlatte et Vic faisaient le point sur la situation. Il fallait passer le pick-up et la maison d'Eudore Leblanc au peigne fin.

— Nous n'avons pas de mandat, objecta Vic.

— Je vais vous en obtenir un d'ici une heure. En attendant, remonte chez Romain et essaie de découvrir si quelque chose a bougé.

— À part l'argent, évidemment.

— On n'est même pas certains qu'il y a eu vol. Vous avez trouvé une cachette qui sentait le clou de girofle. Le chien vous a conduits jusqu'ici. C'est tout ce qu'on a. À propos, avez-vous trouvé un scénario de film chez Romain Leblanc ?

— Non, répondit Vic. Des bouts de chansons, des factures, la paperasse de son père, mais rien qui ressemble à un scénario.

— Pas de téléphone portable, pas de scénario... résuma Ferlatte. J'ai l'impression que l'assassin a quitté la maison avec un petit sac sur le dos. C'est intéressant.

Vic s'éloigna en compagnie d'Elvis, non sans que le berger allemand ne décoche un regard dédaigneux à ce ridicule schnauzer qui aboyait derrière la fenêtre.

— Ça va, Geneviève ? demanda malicieusement Ferlatte.

Geneviève le poignarda des yeux.

— Que faisons-nous maintenant, sergent ?

— *Jesus!* Tu as vraiment une gueule d'enterrement ! Ne t'inquiète pas, je ne mettrai pas ton Surprenant dans l'embarras.

— Laissez le sergent Surprenant en dehors de ça.

— Je suis au courant de votre histoire. Conseil d'ami, *don't fuck with the payroll.* Ce Surprenant, en particulier, ne t'apportera que des ennuis.

— Que faisons-nous maintenant, sergent Ferlatte ?

Olivier Ferlatte, peut-être alerté par le ton sur lequel avait été prononcé son patronyme, se décida à donner ses instructions.

— Tout d'abord, nous allons obtenir un mandat pour perquisitionner chez Eudore Leblanc. Ensuite, nous irons dire bonjour au ministre et à Marilou. Je suis sûr qu'on trouvera du bon café.

Ils remontèrent à bord de l'auto-patrouille. Geneviève calma sa colère en appelant Majella au sujet du mandat. La secrétaire, d'un ton neutre, lui dit qu'elle s'occuperait de faxer les documents nécessaires à un juge de Chandler. Geneviève raccrocha. Ferlatte immobilisa le véhicule devant le cottage du ministre Guérette. Il coupa le moteur et se tourna vers l'agente :

— J'ai pris le temps de lire le scénario, hier soir. Esther McKenzie a raison : ça ne fera pas un grand film. En ce qui concerne notre affaire, tout ce qu'on peut affirmer, c'est que le meurtrier était au fait de certains éléments du scénario. Il faut présumer qu'il s'en est servi pour détourner les soupçons. Donc, il ne faisait pas partie de l'entourage de l'équipe de tournage.

Laissant Geneviève réfléchir à ses déductions, Ferlatte alla sonner chez Guérette. Une surprise les attendait : Me Dennis Stripe, débarqué de Montréal, avait été mandaté pour représenter les intérêts du ministre du Patrimoine. Ferlatte jaugea son adversaire : chemise impeccable, carrure de footballeur, regard dédaigneux et féroce, l'avocat ne semblait pas un habitué des petites ligues.

— Qui représentez-vous précisément, maître Stripe ?

— M. Guérette, qui est, dois-je vous le rappeler, membre du conseil des ministres du gouvernement du Canada.

Le français de Stripe n'était pas parfait mais demeurait très convenable.

— Me Stripe me représente également, ajouta Marilou Cholette.

Dennis Stripe tiqua imperceptiblement. La défense des intérêts de Marilou Cholette, animatrice de talk-show, ne devait pas faire partie de son mandat original. Geneviève observa que l'attitude des célébrités était encore plus défensive que la veille. Ils recevaient les policiers au salon, près du piano sur lequel avait été retrouvé le violon du mort. Aucune boisson ne fut offerte. Guérette et Cholette étaient habillés de façon décontractée mais recherchée. Ils attendaient, flanqués de leur spécialiste en *damage control*, de jouer la partie dans laquelle ils risquaient leur réputation et leur liberté.

— M. Larrivée est-il ici ? s'informa Ferlatte.

— Il travaille à l'étage, dit Marilou. Vos coéquipiers l'ont déjà interrogé à deux reprises, si j'ai bon souvenir.

Stripe avait sorti une tablette et un stylo et s'apprêtait à prendre des notes. Assis profondément sur un élégant divan de cuir crème, jambes croisées dans une attitude irrévérencieuse, Ferlatte entama :

— Nous avons des difficultés à cerner vos allées et venues de samedi à dimanche, *monsieur* Guérette. Plus précisément votre excursion hors de la maison peu de temps après le coup de téléphone qui a entraîné le départ de Romain Leblanc.

— Je n'ai pas fait une *excursion*, comme vous dites, répliqua Guérette d'un ton calme. Je suis allé fumer une cigarette derrière la remise. Quinze minutes plus tard, j'étais rentré.

— À quelle heure précise êtes-vous sorti ?

— Trois heures trente.

— Et vous êtes rentré à...

— Trois heures quarante-cinq.

— Vous semblez certain de ces heures, monsieur Guérette. D'après ce que j'ai appris, vos témoignages antérieurs étaient beaucoup plus flous. Hier matin, vous avez affirmé au sergent Surprenant que vous n'étiez pas sorti. Vous avez changé votre version des faits...

— Pas de commentaires, intervint laconiquement Stripe.

— Je suis sorti fumer une cigarette derrière la remise et je suis rentré quinze minutes plus tard, répéta le ministre.

Ferlatte sourit.

— Un de vos convives est prêt à jurer qu'il vous a vu traverser le champ pour vous rendre chez M. Leblanc.

— Impossible, dit calmement Guérette. Si ce convive a vu quelqu'un dans ce champ, en pleine nuit, ce n'était pas moi.

— Que portiez-vous avant-hier soir ? demanda Ferlatte.

Guérette se tourna vers Marilou Cholette, en quête d'une réponse.

— Il faisait beau. Tu avais ta chemise rouge et ton pantalon beige.

— Absolument, approuva Guérette.

— Les souliers ? s'enquit Geneviève.

Le ministre regarda ses pieds, comme s'ils pouvaient lui souffler la réponse.

— Tu portais tes beaux Gucci, dit Marilou Cholette. Ils te vont si bien !

— Vous êtes allé fumer derrière la remise avec vos Gucci ! s'étonna Ferlatte. Je propose que nous allions examiner les lieux.

— Mes clients n'iront pas examiner les lieux avec vous, objecta posément l'avocat. Il n'est pas question que vous enquêtiez sur la propriété sans mandat.

— Vous ne péchez pas par excès de collaboration, constata Ferlatte.

Ignorant la remarque du policier, l'avocat continuait à prendre des notes.

— Nous avons un témoin, avertit Ferlatte.

— D'autres questions ? s'informa Stripe.

Geneviève prit la parole.

— Avez-vous engagé M. François Nadeau pour jouer du piano, samedi ?

— Engagé ? fit Guérette en affichant une fausse gaieté. Le mot est fort. J'avais plutôt suggéré à Romain d'inviter des musiciens si le cœur lui en disait.

— Vous avez tout de même remis un chèque à François Nadeau à la fin du party.

— Il méritait bien un petit encouragement. Il avait joué toute la soirée.

Geneviève se tourna vers Marilou.

— Madame Cholette, dans la nuit de samedi à dimanche, avez-vous remarqué que votre... conjoint s'était absenté de la maison ?

— Il y avait beaucoup de monde. J'étais dans la cuisine. Je n'ai pas remarqué que Denis était sorti.

— M. Nadeau assure au contraire que vous vous êtes mise à sa recherche. Selon lui, M. Guérette est rentré quelques minutes avant de lui remettre un chèque, vers quatre heures et vingt.

— M. Nadeau peut prétendre ce qu'il veut, dit Guérette.

— Pas de commentaires, l'interrompit l'avocat. Mon client a fait une déclaration et il la maintient.

Un silence plana sur le salon. À l'ouest, au-delà des champs luisants de pluie, le phare de L'Étang-du-Nord perçait périodiquement la grisaille.

— Changeons de sujet, proposa Ferlatte d'un ton presque enjoué. J'aimerais en savoir davantage sur ce qui s'est passé pendant le tournage du film de M. Larrivée.

Le célèbre couple accueillit la proposition avec un minimum d'enthousiasme. Au bout de quelques secondes, Guérette demanda d'une voix où, son accent français aidant, frémissait un mélange d'inquiétude et d'indignation :

— Que voulez-vous savoir exactement, sergent ?

— Quelles étaient les relations entre Romain et les autres membres de l'équipe ?

— Mauvaises. Après avoir été gracieusement engagé par Martin pour tourner quelques scènes, Romain s'est conduit comme un... malotru !

— C'est ce que nous avons cru comprendre, l'encouragea Ferlatte. Pouvez-vous nous fournir des exemples ?

— Cet entretien dévie, avertit l'avocat.

Guérette, qui s'apprêtait à répondre, se tint coi. Marilou Cholette, de son côté, tentait de disparaître dans son fauteuil.

— J'aimerais que vous nous parliez du scénario de *Suspicion*, glissa Geneviève.

Nonobstant le coup de soleil qui lui déparait le pif, le ministre du Patrimoine pâlit ostensiblement.

— Une rumeur circule selon laquelle Romain Leblanc avait volé le scénario du film et menaçait d'en révéler la fin, continua Geneviève.

— Foutaise ! explosa Guérette. Un scénario volé n'a aucune valeur ! De plus, Romain ne disposait pas des relations nécessaires pour faire du tort à Martin !

— *Let's keep it cool,* tenta l'avocat.

— Vous semblez dans les meilleurs termes avec M. Larrivée, insinua Ferlatte.

— *Let's keep it cool!* répéta fermement Stripe en levant les bras.

Furibond, Guérette se taisait.

— Nous savons que Romain a répandu de vilaines rumeurs sur votre compte, renchérit Ferlatte qui avait quitté sa position nonchalante pour s'asseoir au bord du divan.

— Romain Leblanc était une ordure ! siffla Marilou Cholette.

— Vous avez couché avec cette ordure, madame.

L'accusation fut accueillie par un silence qui avait l'épaisseur d'un aveu.

— C'est assez ! trancha Guérette avec une autorité qui, cette fois, était à la hauteur de ses fonctions. Sortez de ma maison !

— Nous aimerions parler à M. Larrivée, dit Ferlatte.

— Sortez ! répéta Guérette.

Se tournant vers Dennis Stripe, Ferlatte lui demanda s'il représentait *aussi* M. Larrivée.

— Non.

— Vous savez certainement ce qu'est une entrave à la justice.

— *Be careful, Ferlatte. We know who you are.*

La mise en garde de l'avocat fit son effet. Après quelques secondes, Ferlatte se leva, à la fois décontenancé et irrité.

— Vous voulez jouer de cette façon ? lança-t-il à Stripe.

— Sur notre patinoire, nous sommes les arbitres, sergent.

Sans un mot, très pâle, Ferlatte entraîna Geneviève vers la sortie.

44

Hommes de loi

L'étude du notaire Bourgeois était située dans un joli cottage carré, aux fenêtres neuves, avantageusement situé sur les hauteurs de Lavernière. Après avoir été accueilli par une gracieuse jeune femme à laquelle s'agrippait un bébé de six mois, Surprenant fut introduit dans une salle d'attente qui, à en juger par les jouets qui y traînaient, devait être accessible à un enfant plus âgé. Le policier ne fut pas surpris par l'aspect de l'homme de loi : la trentaine, un diamant dans l'oreille, des cheveux mi-longs frisottant sur une chemise de bonne coupe, Philippe Bourgeois donnait l'impression de pratiquer le droit en dilettante. D'après l'abondante iconographie qui ornait les murs de la salle d'attente, ses passions dominantes semblaient être la planche à voile et une gamme de sports extrêmes allant du parachute au bungee.

Son étude présentait un aspect plus sévère : bibliothèques ornées de chiffres romains, sombre bureau de merisier patiné par les ans, horloge grand-père, armoire en coin ouvragée, tout le mobilier était de style victorien.

— Vous avez hérité cette étude de votre père ? demanda Surprenant en s'assoyant, plutôt inconfortablement, dans un fauteuil rembourré.

— Vous êtes perspicace. Vous venez me voir à propos de Romain ?

— Je vous retourne votre compliment.

Le notaire observait Surprenant, dans l'attente d'une question précise. Comme le policier se taisait, Bourgeois ouvrit un dossier.

— Je l'ai rencontré à trois reprises. Une première fois le 23 mai dernier, pour la lecture du testament de son père.

— Puis-je en connaître les termes exacts ?

Le notaire se gratta la tête.

— C'est un acte bête et méchant. D'après l'original, passé auprès de mon père en 1992, les deux frères devaient hériter en parts égales. Par la suite, Eudore a été *zappé* au moyen d'un simple codicille.

— De quand datait cette… modification ?

— Du 14 avril 1997.

— Avez-vous une idée des raisons qui ont amené Maurice Leblanc à déshériter Eudore ?

— Ce n'est pas de mes affaires, sergent. L'héritage était difficile à chiffrer, parce qu'il consistait principalement en biens immobiliers. Je peux quand même vous dire qu'il était considérable. Eudore a dû faire quelque chose de grave pour être ainsi renié par son père.

Surprenant repensa aux recherches de Tremblay. Eudore avait été condamné pour chantage et extorsion à Montréal en avril 1997.

— Eudore a-t-il assisté à la lecture du testament ?

— Il ne s'est pas présenté. Apparemment, il était au courant de ce qui l'attendait, ou plutôt de ce qui ne l'attendait plus. J'ai revu Romain le 14 août, il y a moins de deux semaines. C'était son tour de vouloir modifier son testament. J'imagine que c'est de famille...

— Il voulait déshériter sa femme, évidemment.

Philippe Bourgeois hésita un instant, comme s'il réfléchissait aux conséquences de ses révélations.

— En termes simples, ça ressemblait à ça.

— Quel était l'état d'esprit de Romain lors de cette visite ?

Le notaire se renversa sur son siège et soupira. Manifestement, parler des sentiments de ses clients l'ennuyait. Surprenant se revit à son âge : il avait trente-cinq ans, une femme séduisante, de beaux enfants, une excellente santé, une situation prometteuse. Les divorces de quadragénaires, avec leur cortège de querelles sordides, devaient le brancher autant qu'un tournoi de fléchettes. Lui-même ne s'était-il pas juré qu'il n'infligerait jamais à ses enfants le traumatisme d'une séparation ?

— Romain se trouvait dans l'état d'esprit de beaucoup de gens qui posent leurs fesses sur le fauteuil que vous occupez. Il essayait de paraître calme, mais il était furieux. Il voulait modifier son testament sur-le-champ.

Comme le notaire de nouveau se taisait, Surprenant le pressa de préciser en quoi consistaient les modifications souhaitées.

— Il laissait tous ses avoirs, en parts égales, à ses deux enfants mineurs. Quand je lui ai demandé pourquoi il désavantageait sa femme, à qui il était toujours légalement marié, il m'a dit que c'était une salope de la pire espèce. Je lui ai... exposé tout le tort qu'il pouvait causer à sa famille. Il m'a dit qu'il voulait entamer des procédures de divorce et que personne, que ce soit le diable, le pape ou le président des États-Unis, ne le ferait virer de bord. Je lui ai dit que je préparerais des documents, tout en lui suggérant de prendre quelques jours pour réfléchir. Je lui ai aussi parlé de la nécessité de nommer un tuteur pour administrer les biens de ses enfants s'ils héritaient.

— Il a dû réfléchir, puisqu'il est venu vous consulter la semaine dernière.

— Vous êtes bien informé. Romain est passé en catastrophe mercredi.

— Soit trois jours avant sa mort.

— Ce n'était plus le même homme. Comment vous dire ? Il était radieux.

— Radieux ?

— Radieux et déterminé. Il semblait soulagé d'avoir pris une décision. Il m'a demandé de faire de nouvelles modifications. Assez surprenantes, je dois le dire. Pour commencer, il renonçait à déshériter Marjolaine, mais elle ne gardait pas pour autant son statut de légataire universelle.

— Vous voulez dire ?

— L'héritage de Romain Leblanc, incluant évidemment celui de son père, serait désormais divisé en parts égales entre quatre légataires.

Philippe Bourgeois, s'il ne possédait pas encore l'expérience de son père, savait néanmoins ménager ses effets. Il attendit que Surprenant s'agite dans son fauteuil pour continuer.

— En plus de sa femme et de ses deux enfants, Romain partageait sa fortune avec son frère Eudore.

— Ce nouveau testament est-il valide ?

— Je n'ai pas eu le temps de préparer le testament. Romain n'a donc pas pu le signer. De toute façon, il ne paraissait pas pressé. Je ne sais pas de quoi il est mort, mais je peux vous affirmer qu'il ne semblait pas suicidaire.

— En date d'aujourd'hui, qui hérite ?

— L'épouse en titre, sergent. Quand on y pense, après ce qu'elle a enduré, il y a là une certaine forme de justice.

— À part vous, quelqu'un était-il au courant des intentions de Romain ?

Philippe Bourgeois réprima un mouvement d'irritation.

— Un notaire doit faire preuve d'une discrétion absolue. D'un autre côté, je ne peux empêcher mes clients de parler. Je ne peux pas non plus empêcher mes voisins de voir qui se présente ici.

— Croyez-vous que Romain ait pu parler ?

— Ça m'étonnerait. Ces Leblanc-là, quand il est question d'argent, sont de vraies tombes.

— Une dernière question : Maurice Leblanc avait-il une façon particulière de régler ses transactions ?

Bourgeois ne put s'empêcher de sourire.

— Vous me demandez s'il se promenait avec de grosses sommes en liquide ? Oui, une manie de l'en premier, j'imagine. Je crois que ça lui donnait une impression de… pouvoir.

Surprenant remercia le notaire et prit congé. Il était midi moins cinq. De sa jeep, il appela au palais de justice de Havre-Aubert et obtint Emmanuel Lebreux. En dix phrases, il eut la confirmation de ce qu'il pressentait : deux jours avant sa mort, Romain Leblanc avait annulé ses procédures de divorce. La chose n'avait pas plu à l'avocat.

— Après m'avoir bousculé pour que ça bouge au plus sacrant, ce maudit violoneux m'a congédié d'un coup de téléphone. En plus, il se fait descendre deux jours après ! À cette heure, qui va me payer ?

45

Un fil à la patte

Arrivé à la croisée du chemin des Arsène et de la route principale, Olivier Ferlatte immobilisa l'autopatrouille et demanda à Geneviève où se trouvait le poste. Se gardant de sourire, la policière indiqua de son pouce l'arrière du véhicule.

— J'ai très bien compris que le poste est de l'autre côté de l'île, grinça Ferlatte. Je prends à gauche ou à droite ?

— C'est plus court à gauche.

— Merci.

We know who you are… Geneviève songeait à l'allusion de Dennis Stripe et à la façon dont Ferlatte avait battu en retraite. Plus qu'une allusion, il s'agissait d'une menace voilée. L'avocat détenait-il des informations compromettantes au sujet de Ferlatte ? Ce levier était-il suffisamment puissant pour le dissuader de fouiller davantage du côté de son client ? Ferlatte, toujours aussi pâle, fixait la route. « Le gars a un fil à la patte», conclut Geneviève en reportant son regard sur l'horizon. Des zones de mer argentée signalaient des trous dans les nuages. Bravant la mer agitée, une flottille de kayakistes se dirigeait vers les grottes de la Belle-Anse. *We know who you are*… Si Ferlatte était aussi nerveux, c'était qu'il savait que Geneviève avait perçu son désarroi.

Elle enfonça le clou.

— Vous avez conclu l'entretien bien rapidement. Guérette était dans les câbles.

— Nous avons besoin d'un mandat.

— Je peux téléphoner à Majella. Le juge le signera en même temps que celui d'Eudore Leblanc.

— Réfléchissons d'abord. On ne débarque pas aussi facilement chez un ministre que chez un hippie.

«Tu parles!» pensa Geneviève.

Ferlatte prit à gauche vers Lavernière et Gros-Cap.

— N'empêche que le ministre n'était pas chez lui quand Romain Leblanc a été tué, reprit Geneviève.

— Il dit être rentré à quatre heures moins quart.

— À peu près à l'heure où Bhérer dit l'avoir vu sortir.

— C'est parole contre parole. On n'ira pas loin avec ça.

— D'où la nécessité d'avoir un mandat et de perquisitionner. En ce moment même, Marilou doit être en train de frotter les Gucci de son Denis. Bon sang! On leur donne toutes les chances de s'en tirer!

Les verres fumés de Ferlatte délaissèrent le chemin de L'Étang-du-Nord pour se tourner, tels deux canons, vers Geneviève Savoie.

— Tu ne lâches jamais, toi! Un vrai pitbull! Quand je voudrai avoir ton avis, je te le demanderai!

La policière cacha sa jubilation sous un masque de soumission impassible. Elle tenait Ferlatte. Par contre, il serait désormais sur ses gardes. Il pourrait être tenté de l'éloigner pour qu'elle ne fournisse pas d'armes à Surprenant.

Ils passèrent devant l'église de Lavernière. Ferlatte tourna à droite sur le chemin du Gros-Cap.

— Aussi bien mettre les choses au clair, dit-il, le visage toujours crispé par la colère. Il y a huit ans, j'ai gaffé. J'étais agent à Montréal. Un contrôle de routine dans le nord de la ville qui a mal tourné. J'ai paniqué, j'ai tiré. Un jeune de quinze ans a reçu une balle dans la cuisse. Il a gardé des séquelles, j'ai été blâmé.

— Ça peut arriver à tout le monde, dit Geneviève d'un ton neutre.

— Il y a un dossier. Ces ordures ont le bras long. Ils ont mis la main dessus.

— Ça ne vous a pas empêché de monter en grade, en tout cas, constata Geneviève d'un ton perfide.

— *Jesus!* C'est ce qu'il y a de plus grave. Pour te parler franc, Geneviève, mon père a lui aussi le bras long. Il a réussi à étouffer l'affaire. J'ai été muté à Rouyn. Après deux ans de purgatoire, j'ai pu devenir officier et aller me former aux *States*. D'une façon ou d'une autre, Stripe a eu accès à mon dossier. Tu l'as entendu comme moi. Il veut s'en servir pour protéger Guérette.

— S'il agit ainsi, c'est que Guérette a vraiment quelque chose à cacher.

— C'est ce qu'on verra. J'ai pris ma décision : je ne corrigerai pas une erreur par une autre erreur. Ils vont avoir Olivier Ferlatte au cul et pas à peu près.

— Je suis contente de vous l'entendre dire.

Ils arrivaient au poste. Ferlatte, soulagé de son secret, semblait plus détendu.

— Au sujet de ce que je viens de te raconter, reprit-il, fais-en ce que tu veux. Je te fais confiance.

— Merci, dit simplement Geneviève en ouvrant la portière.

46

L'homme qui s'était sauvé

Au sortir de l'étude du notaire Bourgeois, Surprenant disposait d'une trentaine de minutes avant son rendez-vous chez sa psychologue. Il mit la cassette de Romain Leblanc et prit la direction de Gros-Cap. Ainsi le musicien, quelques jours avant sa mort, avait opéré un changement de cap. Il avait confié à sa cousine qu'il comptait se départir de la maison de son père. Même s'il ne s'agissait que de dispositions post-mortem, il s'était réconcilié, mentalement du moins, avec Marjolaine et son frère Eudore.

Il immobilisa sa jeep devant la pointe de l'Échouerie. Une fois de plus, il fut saisi par la mélancolie insidieuse de la *Valse Brunette*. Il examina l'arrière du boîtier de la cassette. *Paroles et musique : Romain Leblanc*. Le nom de Louis-Marie Gaudet n'apparaissait que dans les crédits accordés aux musiciens. *Guitares et mandoline : Louis-Marie Gaudet*. Le petit François avait-il exagéré quand il lui avait dit que Romain devait son succès musical à Louis-Marie ? Lui-même se laissait-il aveugler par cette piste basée sur des racontars ? Il repensa au témoignage de Louis-Marie. Que s'était-il passé ce dernier vendredi soir quand les deux complices s'étaient trouvés seuls après la dispute entre Romain et Esther ? Romain avait-il confié au guitariste son nouvel état d'esprit ?

Au large, sous le ciel incertain, un voilier montait au près vers l'île d'Entrée. Surprenant évalua sa course. S'il voulait entrer dans la passe qui séparait l'île de la pointe du Sandy Hook, le barreur devrait virer au grand largue, une allure plus agréable. À moins qu'il tente de contourner l'île par le nord ? La manœuvre pourrait s'avérer délicate. Surprenant interrogea le foin de dune qui se courbait toujours sous un bon vent d'est. Le capitaine, sauf s'il était amateur de sensations fortes, choisirait plutôt de virer face au vent et de rentrer peinard, vent arrière, vers le port de Cap-aux-Meules.

Romain Leblanc, quant à lui, avait raté sa dernière manœuvre. À moins d'indications contraires, la personne qui lui avait envoyé une balle de 22 en plein cœur avait désapprouvé ou redouté son changement de cap. *Reel du pendu, traditionnel*. Comme poussées par le halètement dément de la musique, les vagues assaillaient les rochers de grès rouge. Eudore ? Marjolaine ? Louis-Marie ? Guérette ? Esther ? Qui avait appuyé sur la gâchette ?

Un appel de Tremblay le tira de sa rêverie.

— J'ai terminé, sergent.

— Terminé quoi ?

— Le relevé des terrains qui appartenaient à Maurice Leblanc. C'est assez impressionnant.

— Je passerai au poste vers une heure trente.

Surprenant raccrocha. Midi vingt-cinq. Il avait à peine le temps de se rendre à son rendez-vous. Il se sentait toujours en proie à une étrange tension.

Isabelle Dicaire habitait seule une maison située sur le chemin du Camping à Gros-Cap. L'endroit était peu passant, ce qui assurait à ses clients une discrétion qui, d'après l'expérience de Surprenant, demeurait relative. À son arrivée, le stationnement n'était occupé que par la Toyota de la psychologue. Il sonna et éteignit son portable. En ce jour et en ce lieu, meurtre ou pas meurtre, il était inatteignable.

Isabelle Dicaire apparut. Comme toujours, elle portait ce que, en son for intérieur, il appelait son uniforme de collégienne : des souliers confortables, une jupe sage, un chandail de laine laissant dépasser les pointes d'une chemise assortie.

— Je vous attendais.

Le visage était triangulaire, fin, d'une gaieté que ne parvenaient pas à assombrir des lunettes à monture noire. Quel âge avait-elle ? Trente-quatre ans ? Trente-huit ans ? Lors de leurs premières rencontres, il avait éprouvé une forte réticence à se confier à une femme plus jeune que lui. Il avait rapidement compris que cette peur n'était qu'un symptôme du mal qui le handicapait depuis qu'il était devenu policier : il était rigide. Isabelle Dicaire l'avait surpris par ses capacités de perception et d'analyse. Au printemps, il avait consenti à consulter une psychologue sous la double pression de Geneviève et de son médecin. Il avait découvert à l'usage que ces séances de dépoussiérage l'avaient aidé à faire le deuil de son mariage, si bien qu'il ressentait un pincement au cœur à l'idée que cette rencontre soit leur dernière.

Elle le guida jusqu'à ce qu'il appelait son « bas-côté ». Deux fauteuils, un divan, une petite table de frêne, de larges fenêtres donnant sur le rideau d'épinettes qui protégeait la maison des vents d'est : le bureau d'Isabelle Dicaire était à son image, feutré et lumineux.

Ils prirent place l'un en face de l'autre. Au lieu de lui demander, comme à l'habitude, de lui résumer sa semaine, la psychologue se contentait de lui présenter son visage engageant. Il présuma que c'était pour marquer le fait qu'il s'agissait de leur dernier rendez-vous.

— Le camion, commença-t-il. Deux fois.

Pendant qu'il lui confiait les récents avatars de son rêve récurrent, il comprit qu'une partie de son esprit, ce matin-là, ne pourrait se détacher de son enquête.

Isabelle Dicaire lui souriait.

— J'entrevois une différence majeure : cette fois, vous avez *vu* votre père.

— Ce n'était pas mon père, c'était Romain Leblanc.

— Qui murmurait : « Mon maudit père ! Mon maudit père ! »

Il soupira. Il voyait où elle voulait en venir : l'électrochoc causé par la disparition de son père. Entre eux, ils l'appelaient familièrement « la bombe ». Ils avaient exploré plusieurs fois les répercussions de la disparition, la culpabilité inconsciente, la rage refoulée, l'hyperresponsabilisation d'un enfant qui, son œdipe se réalisant par magie, se voyait transformé en chef de famille... Cet aspect de la thérapie provoquait invariablement chez lui une sensation de malaise, qu'il attribuait à un sain scepticisme devant les théories freudiennes. Cette fois, il décida d'ouvrir son jeu.

— Je vois où vous voulez en venir.

— Je le sens très bien.

— Je ne crois pas à ces salades. D'accord, mon père s'est sauvé quand j'avais neuf ans. Je ne suis pas le seul orphelin sur la terre !

— Comment vous sentez-vous, maintenant ?

La tension qu'il ressentait depuis le matin avait monté d'un cran. Il regarda ses mains : elles tremblaient. Une douleur intense lui tordait l'estomac.

Il se leva et, tournant le dos à la psychologue, alla regarder par la fenêtre.

— Je n'aurais pas dû venir ici aujourd'hui. Je n'ai pas la tête à la... psychologie.

Isabelle Dicaire se taisait. Derrière les épinettes, les vagues se ruaient sur la plage de Gros-Cap. Dans sa poitrine, la douleur se calmait, mais il se sentait sur le point de pleurer. Il avait faim. Il était fatigué. Il avait mal dormi.

— Vous fuyez, observa la psychologue.

— Oui.

— Vous avez dit que votre père s'était *sauvé*. C'est la première fois que vous employez ce mot.

C'était vrai. Habituellement, il désamorçait la bombe en la qualifiant de « disparition ». D'authentiques larmes coulaient sur ses joues. La boîte de papiers-mouchoirs était située à l'autre bout de la pièce. Il ne se retournerait pas avant d'avoir maîtrisé ses émotions. S'il le fallait, il resterait debout devant cette fenêtre, dos tourné à sa thérapeute.

Les écailles lui tombaient des yeux : son père l'avait abandonné.

— Vous savez que votre père s'est enfui, c'est ça ?

La garce ne lâchait pas. Cette fois, le voile qui couvrait ses souvenirs se déchira. Les éclats de voix dans la cuisine. Lui qui tendait l'oreille dans son lit, pendant que, de l'autre côté de la chambre, son frère Jacques, qui avait toujours mal à la gorge, ronflait, bouche ouverte. Puis, plus tard, en pleine nuit, quand lui-même s'était endormi, la présence confuse de son père à ses côtés. Il reconnaissait l'odeur de cigarette et d'alcool, celle des parties de cartes du samedi soir, de la taverne de la Cinquième Avenue, de la cabine de son camion. Maurice Surprenant avait remonté ses couvertures, avait effleuré ses cheveux, avait soupiré puis était sorti de la chambre sur la pointe des pieds. Dans son souvenir, c'était la seule fois où son père s'était aventuré la nuit dans sa chambre. C'était l'automne, il se rappelait parfaitement le bruit des feuilles mortes que le vent charriait dans la rue, la pluie qui noircissait les branches nues de l'érable qu'il entrevoyait par la fenêtre.

Il raconta tout ça à Isabelle Dicaire, d'une voix monocorde, parce qu'il avait besoin de mettre des mots sur son souvenir pour lui donner quelque réalité.

— Ensuite ? l'encouragea-t-elle.

— C'est la dernière fois que je l'ai vu. Ensuite, il y a eu le *cover-up* : les histoires de mafia ou de FLQ. Pour une raison que j'ignore, ma mère ne pouvait accepter que mon père nous ait plantés là. Elle a inventé une histoire. Les policiers ne s'y sont pas trompés, eux. J'ai acheté l'histoire, moi aussi, parce qu'elle était moins intolérable. J'ai effacé le souvenir.

— Et vous êtes devenu policier.

Il s'essuya les yeux et se retourna.

— Oui, je suis devenu policier.

— Vous saviez qu'il y avait supercherie. Dans votre tête d'enfant, vous avez juré de trouver la solution.

Après un moment de silence, Surprenant dit qu'il

avait revu Geneviève la veille. Isabelle Dicaire se contentait de l'observer.

— Ça s'est à la fois bien et mal passé.

— Comme d'habitude. Vous partez toujours samedi prochain ?

— Oui.

— Savez-vous ce que vous ferez de cette relation ?

— C'est trop tôt. Je ne sais pas. Je n'ai jamais su.

Il y avait là un autre nœud, fréquemment abordé. Sa difficulté à faire confiance à une femme, à abaisser sa garde et à partager une réelle intimité.

Isabelle Dicaire souriait.

— Vous avez dit que votre père s'était *sauvé*. Le mot a deux sens.

— S'échapper ou encore se... préserver ? Se mettre à l'abri ?

— Il y a une conclusion que vous n'avez pas encore envisagée. Quel âge aurait votre père aujourd'hui ?

— Soixante-cinq ans.

— Il a toutes les chances d'être encore vivant. Un beau problème pour un enquêteur.

Son père vivant... Surprenant se hérissa. Pour lui, il s'agissait d'un fantasme, d'une réalité trop improbable pour qu'il accepte de l'envisager sérieusement.

— Vous avez peur de ce que vous pourriez découvrir ?

Ce fut son tour de sourire. Soudainement, son départ pour Québec prenait un autre sens. Son mariage liquidé, ses enfants élevés, il pourrait consacrer ses énergies à raccommoder son passé.

— Vous avez tout le temps, dit Isabelle Dicaire, qui semblait lire ses pensées.

Surprenant, toujours debout, sentit que la tension,

comme une marée, s'était retirée de son corps. Une énergie nouvelle l'habitait.

Isabelle Dicaire ouvrit les mains, assez comiquement, comme un prêtre congédiant ses ouailles à la fin d'une cérémonie.

— Ce n'est qu'un épisode. Si vous êtes gentil, et je sais que vous l'êtes un peu trop, vous me tiendrez au courant de la suite.

Surprenant eut envie de lui faire la bise. Ils se contentèrent de se serrer la main.

47

Is fecit cui prodest

Dans sa jeep, Surprenant fut accueilli par le *Reel du pendu*. Il enleva la cassette de Romain Leblanc et mit du Mozart. Les premières mesures de l'ouverture de *Don Giovanni*, malgré leurs teintes sombres, le confortèrent dans un indéniable sentiment de contentement. Sa vie avait désormais un but : retrouver ce père qui s'était évaporé en laissant son camion en marche. Cette histoire de camion était-elle réelle ou faisait-elle partie de la mystification inventée par sa mère ? Dans deux ou trois semaines, il retournerait à Iberville et tirerait la situation au clair. En attendant, il avait un meurtre sur les bras et il devait s'activer.

Par ailleurs, le ciel donnait des signes encourageants. Surprenant interrogea le frémissement du foin : le vent virait au sud.

Au poste, il fut accueilli par le regard inquiet de Majella.

— Dépelteau vous cherche partout. Je n'ai pas osé lui dire que vous étiez chez la psy.

— Vous auriez dû. Commandez-moi quelque chose à manger, n'importe quoi.

Du doigt, elle lui montra le confessionnal. Surprenant ralluma son téléphone et se dirigea vers le bureau de Mad Dog, décochant au passage un clin d'œil à Geneviève qui travaillait à l'ordinateur. Elle se contenta de lui faire une mimique qui reproduisait l'inquiétude de Majella. Il était béni des dieux : malgré ses tergiversations, Geneviève l'aimait toujours.

Il trouva Dépelteau en compagnie de Ferlatte et de Ralph.

— Sainte-bénite ! Où étais-tu, Surprenant ?

— Chez ma psy.

Se tournant vers Ferlatte :

— Le lieutenant Dépelteau vous a sans doute confié que je relève d'un *burnout* ?

— Je suis capable de tirer moi-même ce genre de conclusion.

— Où en es-tu ? intervint nerveusement Dépelteau.

— Je suis toujours en train de tracer le portrait de Romain Leblanc.

— Plus précisément ?

— Ces derniers jours, il semblait s'être rapproché de sa femme.

— Ça ne transpire pas dans la déposition de Mme Vigneau, objecta Ferlatte.

— Normal. Selon toute vraisemblance, elle n'était pas au courant. La rupture entre Leblanc et sa joueuse d'accordéon a eu lieu vendredi soir.

— Esther McKenzie n'est pas du même avis, dit Dépelteau. Elle reconnaît qu'il y a eu une dispute entre

Leblanc et elle vendredi soir, mais elle nie catégoriquement qu'il y ait eu une rupture. Il semble que ces deux-là avaient une vie amoureuse assez... rebondissante.

Dépelteau interrogea du regard Ferlatte et Surprenant, comme si la vie amoureuse des humains débordait de son champ de compétence.

Surprenant se sentit en position d'attaquer.

— Qu'avez-vous découvert chez Esther, sergent Ferlatte ?

Ce dernier sourit d'un air satisfait.

— Elle n'a pas d'alibi. Elle a utilisé sa bicyclette dans la journée de samedi, ce qui a été confirmé par des voisins. Son père est chasseur et l'a initiée au maniement des armes. Mais il y a le problème des *running shoes*...

— Les *running shoes*... reprit Surprenant sur un ton ironique qu'il regretta aussitôt.

— *We faxed Montreal*, commença Ralph. Les *prints* sont ceux d'un New Balance 42. Les *running shoes* de *Miss* McKenzie, que le sergent a rapportés ce matin de Havre-Aubert, sont des Nike 41.

— Ça ne concorde pas, mais ça ne prouve rien, résuma Dépelteau.

— Et l'autopsie ? demanda Surprenant.

— Rien que je ne savais déjà, dit Ferlatte. Leblanc est mort d'une seule balle, reçue en plein cœur. Ce qui risque d'être intéressant, ce sont les analyses toxicologiques. Le niveau d'alcool était relativement élevé, 0,14. Ce taux d'alcoolémie n'est pas suffisant pour entraîner l'inconscience. Il y avait aussi des traces de cannabis et de cocaïne. Le labo suspecte la présence d'une autre drogue, probablement le lorazépam retrouvé à proximité de la victime. Cela pourrait expliquer pourquoi Leblanc était inconscient quand il est mort, comme le suggère le rapport préliminaire de votre Dr Samoisette. Nous devrions avoir des nouvelles ce soir, ou demain matin au plus tard. La blessure, le point d'impact, le peu de poudre sur le t-shirt : tout ça confirme que Leblanc n'a pu techniquement se suicider.

— Parlant de technique, dit Surprenant, j'ai une question à propos de la carabine. Quelqu'un aurait-il pu tirer sans laisser ses empreintes mais en n'effaçant pas celles d'Esther McKenzie ?

Avec un haussement d'épaules, Ferlatte suggéra à Surprenant qu'il lisait trop de romans policiers.

— Si je me souviens bien, persista Surprenant, certaines parties de l'arme ne portaient plus d'empreintes. N'est-ce pas, Ralph ?

Ralph, qui semblait peiné de contredire son supérieur, avoua qu'il était en effet *strange* que les empreintes ne se retrouvent que sur certaines parties de la carabine.

— Nous avons cependant un autre problème sur les bras, soupira Dépelteau qui jouait à nouveau les pacificateurs.

— Cette fois, ça ne concerne pas Montréal, mais Ottawa, dit Ferlatte qui soudain marchait sur des œufs.

— Le ministre du Patrimoine ? demanda Surprenant.

La mine soucieuse de Dépelteau lui donna raison. Après un silence de quelques secondes, Ferlatte poursuivit.

— Le ministre a engagé une sorte de guru spécialiste en *damage control*.

— Merveilleux, fit Surprenant.

— Sans exagérer, leur façon de… réagir est suspecte. Le témoignage de Guérette est en contradiction avec celui de Pierre Bhérer, le maquilleur de plateau. Il est possible que Guérette n'ait pas été chez lui au moment où Leblanc a été tué.

Surprenant siffla.

— Autrement dit, il n'a peut-être pas d'alibi.

— La situation est délicate, confirma Dépelteau d'un air sombre.

— Si on veut avancer de ce côté, continua Ferlatte, ce sera avec des mandats et des pincettes. Les mandats devraient arriver d'une minute à l'autre. J'ai lu le scénario, hier soir. À mon avis, c'est un *red herring*.

— Pouvez-vous vous exprimer en français ? s'impatienta Dépelteau.

— C'est une diversion. Le meurtrier semble s'être amusé à reprendre quelques éléments du scénario.

— Ça nous confirme quand même quelque chose au sujet de sa personnalité, dit Surprenant. Encore cette tendance à vouloir jouer au plus fin...

Ferlatte eut un mouvement d'agacement.

— Ce que ça nous dit, c'est qu'il ne faisait probablement pas partie de l'équipe de tournage. En d'autres termes, il s'est servi de faits qu'il devait ignorer. Ce qui explique peut-être que le scénario ait disparu le soir du meurtre.

— Qui vous a dit qu'il y avait un scénario chez Leblanc ?

— Esther McKenzie.

Après avoir réfléchi quelques secondes, Surprenant enchaîna.

— Du nouveau au sujet d'Eudore ?

— Il nie avoir pénétré chez son frère et volé l'argent, dit Ferlatte. Ralph a cherché des preuves physiques pouvant le relier à la scène du crime. Il n'y en a pas.

Tout ce qu'on a trouvé, c'est des traces de barre à clous sur le cadre de porte. Eudore Leblanc n'a pas de barre à clous chez lui. Il a dû s'en débarrasser. De toute façon, si c'était lui qui avait tué, pourquoi n'aurait-il pas pris l'argent en même temps ?

— Ça l'aurait rendu suspect à coup sûr, dit Surprenant. En plus, il y avait eu un coup de feu. L'assassin a voulu filer en vitesse. Et nous n'avons pas encore parlé de l'appel passé du bureau du propriétaire du Lasso.

— Je l'avais oublié, celui-là, soupira Dépelteau.

Ferlatte, subitement, souriait.

— J'ai du nouveau au sujet de ce monsieur Déraspe. Nous savons que, deux semaines avant le meurtre, Romain et Marjolaine ont eu une violente dispute. C'était le dimanche 11 août, plus précisément. Selon Esther McKenzie, quelqu'un a appelé Romain, ce même jour, probablement pour lui conter que sa femme avait sauté la clôture avec un violoneux de Moncton. McCann a fait ses recherches. L'appel a été passé à treize heures douze. Il provenait lui aussi du Lasso.

La nouvelle provoqua un moment de stupeur.

— Du bureau de Déraspe ? s'informa Surprenant.

— Je lui ai téléphoné, ce midi. Il m'a confirmé qu'il a bel et bien appelé Romain Leblanc le 11 août pour lui révéler l'infidélité, entre guillemets, de sa femme. Selon Déraspe, il s'agissait d'une vengeance personnelle. Romain était d'un naturel jaloux. Déraspe voulait lui faire payer le fait qu'il avait rompu son contrat en juin.

— Ça jette un nouvel éclairage sur l'appel passé de son bureau la nuit du crime, dit Surprenant.

Ferlatte secoua la tête.

— Vous accordez trop d'importance à ce coup de téléphone.

— On ne peut nier que deux appels cruciaux ont été passés du même endroit, protesta Dépelteau.

— Il est possible que quelqu'un d'autre que Déraspe ait été mis au courant de cet appel entre le 11 et le 25 août, avança Ferlatte.

— Qui ? demanda Surprenant.

— Je ne sais pas, dit Ferlatte. Je ne crois pas que cet appel soit si important. Il est très possible que Déraspe ait simplement agi par vengeance personnelle, comme il le prétend.

— Pourquoi nous l'avoir caché hier ? objecta Surprenant.

Ferlatte haussa les épaules.

— Laissons Déraspe de côté et concentrons-nous sur les évidences, les empreintes, les emplois du temps, les témoins possibles, tout ce qui pourrait nous permettre de présenter une preuve à un procureur de la couronne. C'est notre job, non ?

Avec un secret contentement, Surprenant constata que la Merveille du continent commençait à perdre son calme, comme il l'avait fait la veille chez Marjolaine Vigneau. Une chose l'inquiétait toutefois : par sa précipitation à vouloir boucler l'affaire, manifestement en inculpant Esther McKenzie, il pourrait l'empêcher de mener à bien sa propre enquête.

— Oui, c'est notre job, comme vous dites.

— Qu'avez-vous appris chez le notaire ? demanda Dépelteau.

Pendant qu'il faisait un compte rendu fidèle de sa visite au notaire Bourgeois, Surprenant réfléchissait. Il allait jouer au con et laisser Ferlatte s'enferrer avec ses évidences.

— C'est tout ce que vous avez fait de votre avant-midi ? s'étonna Dépelteau.

— Je suis passé au Lasso. Euclide Déraspe n'a pas d'alibi et ça ne l'empêche pas de dormir. En passant, avez-vous vérifié les emplois du temps de Jonathan Leblanc et de son copain Samuel ?

— D'après McCann, ils étaient effectivement à un party à Fatima au moment où Leblanc a quitté la maison du ministre. Je crois que nous pouvons les exclure.

Mad Dog Dépelteau n'écoutait Ferlatte que d'une oreille.

— J'ai réfléchi ce matin, commença le lieutenant. Il se passe quelque chose d'extraordinaire. Vous semblez innocenter d'emblée la principale suspecte.

— *The widow!* s'exclama Ralph.

Fait rare, Surprenant se rangea à l'avis de son supérieur.

— Vous m'ôtez les mots de la bouche, lieutenant. *Is fecit cui prodest!* L'a fait celui qui en profite. C'est Marjolaine qui hérite ! Romain lui avait fait parvenir une lettre d'avocat. Il avait consulté le notaire. Il avait clamé à tout venant qu'il voulait divorcer. C'est elle qui s'est présentée la première sur le lieu du crime, en prétextant une ridicule histoire de rêve. C'est elle aussi qui a dit à Esther McKenzie, sur la plage, qu'elle n'aurait pas son mari vivant !

— Parle latin tant que tu voudras, c'est ridicule ! protesta Ferlatte. Nous avons rencontré cette femme ensemble, Surprenant. Tu sais comme moi qu'elle n'a pas tué son mari !

— Je serais intéressé à voir les résultats d'un polygraphe.

On cogna à la porte. Majella, toute rouge d'avoir écouté ce qui venait de se raconter, tenait une pizza.

Bénissant mentalement son oncle Roger d'avoir payé son cours classique, Surprenant se leva et déclara qu'il mourait de faim. Il sortit en remerciant Majella avec un peu trop d'emphase.

Il avait été sauvé par la cloche.

48

Pizza et cadastre

À sa sortie du confessionnal, Surprenant fut accueilli par le regard interrogateur de Geneviève. Malgré la scène du matin et le sans-gêne avec lequel il l'avait abandonnée à Ferlatte, ses yeux gris lui transmettaient un message sans équivoque: «Je suis avec toi.» Avec ses épaules carrées et sa natte sage, Geneviève Savoie avait quelque chose du labrador. Fidèle, obstinée, elle était prête à se lancer dans l'eau la plus froide pour le rescaper. Marchessault, Labbé, Bonenfant, Tremblay, eux aussi, le regardaient, en quête d'un signe, d'un ordre.

Ému, Surprenant, d'un mouvement de la tête, désigna le cubicule. Il y fut bientôt rejoint par ses troupes, sauf Geneviève et Tremblay. Le manchot de l'affiche était maintenant affublé d'une moustache poivre et sel.

— Alors? commença Surprenant, qui s'interrogeait sur l'absence de Geneviève.

Aînesse oblige, Marchessault prit le premier la parole.

— Pas beaucoup de nouveau. Ferlatte est sur la piste de la petite McKenzie.

— Ça, je le sais ! Qu'est-ce qui se passe avec la bicyclette ?

— D'après ce que j'ai compris, elle aurait aussi bien pu disparaître hier soir, intervint, assez excitée, Marie-Ève Labbé. À ce moment, Esther McKenzie était déjà à Havre-Aubert, à vingt kilomètres de là.

— Ce qui signifie ?

— Que le meurtrier pourrait avoir gaffé en volant cette bicyclette.

Une pointe de pizza dans la main gauche, Surprenant la regarda. À l'avenir, il tenterait de ne pas se fier à sa première impression avant de juger du potentiel d'une recrue.

Bonenfant objecta que la musicienne pouvait avoir organisé le vol avec un complice, de manière à détourner les soupçons. La bouche pleine, Surprenant fit non de la tête. À ce moment, Dépelteau se glissa dans la pièce. Rouge comme un homard, il ne semblait pas avoir apprécié la façon dont Surprenant avait quitté son bureau. Il s'installa en face de son sergent, considéra d'un air suspicieux l'amas de lipides qui les séparait et s'informa du sujet de la discussion.

— Nous parlions de la bicyclette, lieutenant, dit Marchessault.

— La bicyclette ? Très bien.

Ayant recouvré l'usage de la parole, Surprenant commença par répondre à Bonenfant :

— Esther McKenzie n'est aux Îles que depuis deux mois. Elle a des amies, une coloc, mais pas de véritable proche, enfin personne qui lui servirait de complice dans une histoire de meurtre. Par contre, l'observation de Marie-Ève est doublement intéressante. Un, si le meurtrier a pris la peine de dérober la bicyclette le lendemain du meurtre, c'est qu'il ne se sent pas complètement à l'abri de l'enquête. Deux, s'il a dérobé la bicyclette, c'est qu'il savait que nous avions relevé les traces dans le sentier.

— Donc il a des antennes sur les Caps, conclut Dépelteau. Ça ne nous avance pas beaucoup. Nos principaux suspects demeurent tous dans un rayon de deux kilomètres du chemin des Arsène.

— Sauf Esther McKenzie et Marjolaine Vigneau, corrigea Surprenant.

— Dans leur cas, d'autres indices pointent en leur direction, répliqua Dépelteau.

Surprenant mangeait en vitesse. Il avait hâte de quitter les lieux. Dépelteau ne le lâchait pas des yeux.

— Il y aura un autre point de presse à seize heures, André.

— Avec Ferlatte, vous faites un duo formidable.

— Je veux tout de même que tu sois sur place.

Surprenant prit une ou deux secondes pour marquer sa désapprobation avant de répondre qu'il ferait tout son possible pour être présent.

— C'est bon, approuva Dépelteau.

Dans un silence pesant, le lieutenant se leva, arracha l'affiche du manchot d'un geste sec et sortit. Surprenant reposa son morceau de pizza et s'essuya les lèvres. Il se sentait encore curieusement à cran. Il devrait se montrer plus prudent avec Mad Dog.

Alexis Tremblay fit son entrée, un document à la main.

— Qu'est-ce qui se passe ? Quelqu'un est mort ?

— On n'a pas de temps à perdre, dit Surprenant. Tu as terminé tes recherches ?

— Je me suis fait quelques ennemis au bureau de la MRC, mais j'ai retracé tous les terrains qui appartenaient à Maurice Leblanc.

Il étala sur la table une liste d'une cinquantaine de lots, numérotés de façon anarchique.

— Tu les as relevés sur le cadastre ?

— Qu'est-ce que vous croyez ?

Il déplia un cadastre de l'île de Cap-aux-Meules. Les propriétés de l'usurier y étaient entourées d'un trait de crayon de plomb. Penché au-dessus de l'épaule de Surprenant, Bonenfant émit un sifflement.

— Dites donc, le vieux snoreau possédait le quart de l'île !

Surprenant scrutait le cadastre. Ces rectangles numérotés révélaient la passion de toute une vie : acheter, posséder, contrôler. Les terrains de Maurice Leblanc étaient concentrés autour de la butte du Vent et du canton de Sur-les-Caps. La logique était évidente. Ces terrains éloignés de la côte, probablement achetés pour des montants dérisoires, étaient maintenant recherchés pour la construction domiciliaire. Autour de cet amas central, qui constituait presque un domaine, une multitude de lots étaient signalés, comme jetés au hasard du haut de la butte du Vent. Il y en avait partout, de Fatima à Gros-Cap en passant par Cap-aux-Meules et Grand-Ruisseau, Maurice Leblanc possédait aussi quelques terrains sur l'île du Havre-Aubert et à Havre-aux-Maisons.

Surprenant fixa son attention sur les environs immédiats de son fief du chemin des Arsène. La maisonnette que louait Eudore n'appartenait pas à son père. Les terrains de celui-ci, curieusement, étaient presque tous situés au sud du chemin principal. Une exception était notable, sur le chemin de la Belle-Anse. Surprenant se pencha : à moins d'erreur, il s'agissait du terrain sur lequel était bâtie la maison de la mère de Louis-Marie Gaudet.

Surprenant encercla le lot d'un trait de stylo et chargea Tremblay de retracer toutes les transactions qui s'y rapportaient.

— Appelle le notaire Bourgeois. Tu as toutes les chances de trouver les réponses chez lui.

Surprenant se réintéressa à sa pizza. Il se trouvait curieusement à court d'énergie et d'idées. Il ressentait un besoin aigu d'être seul et de refaire ses forces.

Marchessault, qui le connaissait mieux que les autres, lui demanda ce qu'il comptait faire.

— Je vais réfléchir à tout ça. Pour commencer, quelques-uns d'entre vous pourraient s'intéresser aux baskets du meurtrier. New Balance 42.

— Tu veux qu'on fasse les magasins de chaussures ? protesta Marchessault.

— Il ne faut négliger aucune piste.

Les agents se taisaient. Surprenant éprouvait la curieuse impression que son comportement n'était pas adéquat, mais il ne pouvait le contrôler.

— Excusez-moi. J'ai besoin de prendre l'air.

Il referma d'un geste sec le carton de la pizza et quitta le cubicule, sans bonjour ni salut.

Geneviève n'était plus dans la grande salle. Il la chercha du regard et la découvrit dans le bureau de Dépelteau. Très droite, très pâle, elle semblait en pleine confession. Ferlatte était assis à la gauche de Dépelteau. Résistant à la tentation de créer un incident diplomatique dans le confessionnal, Surprenant se dirigea vers la sortie.

Majella l'intercepta. À voix basse, et roulant de grands yeux, elle lui apprit que Barsalou avait retrouvé la bicyclette d'Isabelle Chiasson dans le chemin Patton.

— Grand bien lui fasse ! commenta Surprenant.

La standardiste, estomaquée, le regarda s'éloigner à grands pas. Il monta dans sa jeep, fit violemment claquer la portière et prit la direction de Gros-Cap.

49

Sous-bois

Ferlatte à ses côtés, Ralph sur la banquette arrière, Geneviève traversa Cap-aux-Meules sous les regards inquisiteurs des automobilistes et des passants. Sonnés par la disparition du violoneux national, passionnés par le mystère entourant les circonstances de son meurtre, les Madelinots vivaient toujours à l'heure du drame. Les touristes, qui s'accommodaient avec philosophie du revirement automnal, ne captaient que des échos lointains du séisme. Bribes de conversations dans les restaurants et les bars, bulletins de nouvelles à la radio locale, entrefilets dans la presse continentale : cet assassinat plutôt banal épicerait le compte rendu de leurs vacances, au même titre que la tempête de vent d'est, le pot-en-pot* aux fruits de mer et l'orchestre de bluegrass sur le traversier.

— Il semble que le temps va mieux, énonça laborieusement Ralph.

---

* Pâté en croûte, à base de pommes de terre, de fruits de mer et de poisson.

Était-ce une feinte ? Le vent faiblissait et virait vers le sud-ouest. Au loin, le ciel était clair au-dessus du renflement des Demoiselles. Geneviève prit à gauche sur le chemin du Grand-Ruisseau. Cinq minutes plus tard, après avoir passé devant le bungalow d'Isabelle Chiasson, la voiture s'engageait dans le mauvais chemin de terre qui rejoignait le chemin des Amoureux. La traverse, étroite, pierreuse, couturée de profondes ornières, était saturée d'eau de pluie. Deux cents mètres plus loin, ils aperçurent l'auto-patrouille de Talbot et Barsalou. Les deux jeunes agents avaient fait les choses en grand. Gyrophare déchaîné, banderoles tendues entre les épinettes luisantes de pluie, il était impossible de douter qu'il se passait quelque chose de louche, ce lundi, dans le chemin Patton. Leur présence n'avait pas échappé aux insulaires. Trente mètres plus loin, du côté de Fatima, un agrégat d'adolescents chevauchant divers types de véhicules tout-terrain observaient la scène.

Barsalou s'avança vers Ferlatte.

— Je crois que je l'ai, dit-il en arborant un air satisfait. J'ai vérifié avec la propriétaire. C'est au poil.

Sans aucune complaisance, Geneviève considérait Barsalou, qui l'avait poursuivie assez lourdement de ses assiduités l'année précédente. Une nouvelle fois, elle s'émerveilla de sa capacité à s'enorgueillir de la moindre réussite. Mathieu Barsalou, à n'en pas douter, était content de lui quand il avalait ses céréales. Tout le contraire de Surprenant, qui se chamaillait constamment avec son ombre. Pourquoi s'attachait-elle toujours à des hommes compliqués ?

— Comment l'avez-vous trouvée ? demanda Ferlatte en écrasant un maringouin sur son avant-bras.

— Marchessault m'a dit que ce chemin était un raccourci entre les maisons d'Esther McKenzie et de Romain Leblanc. Talbot et moi avons roulé lentement, en regardant attentivement le sous-bois. Je suis chasseur. Malgré la pluie de cette nuit, j'ai remarqué que ces arbustes écrasés signalaient le passage récent de quelqu'un.

— *Nice*, Barcelo.

— Barsalou, si ça ne vous dérange pas.

Ils trouvèrent la bicyclette dans le sous-bois, à une dizaine de mètres du chemin. Elle avait simplement été déposée dans les fougères. Il s'agissait d'un vélo de montagne robuste, de grande série.

— *Can you make something out of this, Ralph ?*

Le Manitobain fit la moue.

— Il a *plou*. Tout le monde a marché ici…

— Fais venir Vic quand même.

Geneviève se permit d'émettre des doutes :

— Aucun fait probant ne relie cette bicyclette à la maison de Romain Leblanc. Nous avons trouvé des traces de pneus dans le sentier. Nous *présumons* que le meurtrier s'est déplacé en bicyclette. C'est mince.

— Esther McKenzie a utilisé ce vélo samedi matin, dit Ferlatte.

— Quelqu'un a quand même pris la peine de venir le jeter dans ce sous-bois, renchérit Barsalou.

— Pourquoi, après avoir laissé ses empreintes sur la carabine, Esther aurait-elle caché cette bicyclette ici ?

— Tu poses d'excellentes questions, Geneviève. Sortons d'ici, nous nous faisons manger tout rond.

Poursuivis par un nuage de culicidés, ils rejoignirent la route en toute hâte. À l'abri du vent, subitement, il faisait presque chaud. Négligemment appuyé contre une portière, Kevin Talbot risqua une observation.

— Ça ne doit pas être évident de rouler sur cette route à bicyclette la nuit. Je dirais même que ça doit être du sport.

Réfugié derrière ses verres fumés, Ferlatte, perplexe, chassait le maringouin. « Cet homme ne sait pas où il s'en va », pensa Geneviève. Elle ressentit violemment le désir de parler avec Surprenant. Elle le revit quittant le poste en vitesse. Comment se sentait-il ? Où était-il passé ?

50

Bords de côtes

Surprenant longeait la côte de Gros-Cap lorsqu'il remarqua une pancarte du ministère des Transports signalant un nouvel éboulis. La tempête de la veille, avec ses grosses lames venues de l'est, avait fait chuter un pan de falaise. À certains endroits, pas plus de cinq mètres ne séparaient la chaussée du vide. La mer grugeait le grès rouge, patiemment, vague après vague. Dans quelques milliers d'années, les Îles-de-la-Madeleine auraient disparu de la surface de l'Atlantique. La précarité de leur habitat n'était sans doute pas étrangère à la joie de vivre des Madelinots. Comme son été si bref, l'archipel battu par les vents portait le parfum de l'éphémère. Il fallait être heureux avant que l'automne surgisse, avant que la mer recouvre définitivement cette curiosité géologique.

Lui, Surprenant, avait passé le cap de la quarantaine. Après un divorce, ses enfants sur la voie de l'autonomie, il abordait le deuxième versant de sa vie. Qu'allait-il faire de cette nouvelle et douloureuse liberté ? Pour le moment, il se sentait aussi tendu que les cordes du violon de Romain et ne savait pas pourquoi.

Chat l'accueillit, imperturbable. Que ferait-il de cet animal quand il quitterait les Îles ? Il achèterait une cage et l'embarquerait à l'arrière de la Cherokee. Le matou jaune, lui avait expliqué sans rire Isabelle Dicaire, était un objet de transition. Il lui permettait de faire le pont entre son ancienne et sa nouvelle vie. Quel était le nom de ce vieillard qui faisait passer le fleuve des Enfers dans la mythologie grecque ? Surprenant s'installa devant son ordinateur et tapa « passeur mythologie » dans la fenêtre d'un moteur de recherche. Charon… Pourquoi ne transformerait-il pas Chat en Charon ? Ses visiteurs lettrés goûteraient peut-être le clin d'œil ? Geneviève, dans son foncier optimisme, n'apprécierait probablement pas cette allusion aux Enfers. Problème : Charon se prononçait « Ka-ron ». Que faire d'un chat qui s'appelle Caron ?

Machinalement, il ouvrit son logiciel de Dame de pique. LuckyJoe13 n'était pas au poste. Lundi après-midi, 14 h 20, 13 h 20 en Virginie. Que faisait LuckyJoe13 en ce moment précis ? Surprenant l'imagina étirant son dîner dans un *coffee shop* trop moderne, en compagnie de ses vieux copains du village, échangeant bulletins de santé, commérages et souvenirs du Vietnam.

Charon miaula. Il avait faim, évidemment. Surprenant lui servit son mélange « boules de poils et vieux chat » en se disant qu'il perdait son temps alors qu'il aurait dû se mettre en mode turbo pour éclaircir le meurtre. Il mit la cafetière en marche et retourna devant son ordinateur. Que lui arrivait-il ? Il avait pourtant dormi quelques heures chez Geneviève. Il lui revint à l'esprit qu'il n'avait pas pris ses antidépresseurs la veille. Il fit une nouvelle recherche. Les effets du sevrage de son médicament s'apparentaient étrangement aux malaises qu'il ressentait. Un coup de fil à son ami Samoisette le lui confirma : il était possible que ses neurones réclament leur pitance.

— Veux-tu dire que je suis devenu dépendant de tes pilules ?

— Dépendant, c'est un grand mot. Et ce ne sont pas *mes* pilules, mais les tiennes. Il ne faut pas cesser brusquement, c'est tout. Les symptômes de retrait sont généralement plus tardifs. Si tu te sens stressé, à mon avis, regarde plutôt du côté de ton enquête. Prends ton comprimé maintenant, dors une heure ou deux, tu te sentiras d'attaque par la suite.

Surprenant remercia Samoisette et déposa brutalement le téléphone sur son chargeur. Furieux, il se rendit dans la salle de bains avec l'intention bien arrêtée de faire disparaître le contenu de son flacon dans la toilette. Il changea d'idée et le jeta à la poubelle. Comme geste symbolique, c'était suffisant.

Il se regarda dans le miroir. Ses cheveux grisonnaient discrètement. Ses traits étaient plus accusés. Son visage portait les stigmates du stress. Machinalement, il marcha jusqu'à son lecteur de CD et appela son copain Mozart à la rescousse. Après quelques minutes, il constata que le *Concerto n° 23* ne l'isolait aucunement de son angoisse et surtout ne l'aidait guère à réfléchir à la suite de l'enquête. Le soleil effectuant une sortie durable, il décida de prendre les grands moyens.

Cinq minutes plus tard, délesté de ses vêtements et de tout instrument de communication, il s'avançait dans les rouleaux écumeux qui s'abattaient sur la plage de

Gros-Cap. Le fond de l'air demeurait tiède, si bien que l'eau lui parut presque accueillante. Il marcha résolument et se jeta tête première dans une vague. Il effectua plusieurs brasses, droit vers le large, pour apprivoiser le choc thermique, puis se laissa glisser sur le dos. Vivre n'était pas plus difficile. Il suffisait de foncer sans redouter les conséquences. Il se remit à la verticale et regarda le rivage. Croissant de sable entre la pointe de l'Échouerie et le Gros-Cap, l'anse était déserte. Sa position de nageur solitaire lui parut symboliser sa situation : il avait laissé la côte mais n'avait pas gagné le large. Quelque chose le retenait aux Îles et à son passé.

Il était maintenant à l'aise dans l'eau. Il nagea une centaine de mètres au crawl. Il bascula sur le dos, savoura le goût du sel sur ses lèvres, le clapotis de l'eau froide dans ses oreilles. Au-dessus de lui, très haut, un avion à réaction traçait une marbrure dans le ciel clair.

La chanson de Romain Leblanc s'immisça dans sa tête.

Quand j'ai perdu le nord
Quand j'ai peur de la mort
Il me reste le bord de la côte
Le bord de ta côte

André Surprenant sourit. La tension avait disparu. Cette baignade était ce qu'il avait fait de mieux ce jour-là. Comme après l'amour, il jouissait d'une période de lucidité. Les faits s'organisaient dans son esprit. Toute l'affaire tenait peut-être dans le refrain, finalement.

51

Les billets

Laissant Geneviève se débattre avec les moustiques, Ferlatte avait établi son QG dans l'auto-patrouille. Portable sur l'oreille, cartable sur les genoux, il semblait engagé dans une discussion animée avec un interlocuteur inconnu. Geneviève, qui feignait de prendre des notes en prévision de son rapport, tendait l'oreille. Elle saisit distinctement les mots « bicycle » et « McKenzie », ce qui renforça son impression que l'émissaire du BEC devait rendre compte de la situation à Dépelteau.

Vic et Elvis débarquèrent en compagnie de Marchessault. Pendant qu'ils allaient jeter un œil à la bicyclette, Geneviève retraita dans l'auto-patrouille de Barsalou et appela Surprenant. Il n'était ni chez lui ni au bout de son portable. Que fabriquait-il ? L'amour était une calamité. Pour se calmer, elle téléphona à sa gardienne : ses deux fils finissaient de regarder un film et s'apprêtaient à partir à la plage avec des amis. Geneviève consulta sa montre. 14h45. À dix-sept heures, après la conférence de presse, elle rentrerait chez elle, enquête ou pas, et n'en bougerait pas jusqu'au lendemain.

Elle retourna auprès des autres. Ferlatte était toujours au téléphone. Le beau temps tenait, la tempête de la veille ne semblait plus qu'un mauvais souvenir. Dans une rumeur fine de chuintements de bottes et de branchages écrasés, Ralph, Vic, Marchessault, Talbot et Barsalou fouillaient méthodiquement le sous-bois.

— J'ai trouvé de quoi !

La voix, excitée, était celle de Vic. Geneviève tapa sur la vitre de la portière pour alerter Ferlatte. Empruntant un nouveau sentier pour ne pas brouiller davantage les pistes, ils rejoignirent les autres au pied d'un sapin de haute taille.

— C'est Noël ! claironna Vic.

À demi caché sous un amas de branches mortes, Elvis avait flairé un paquet enveloppé dans un sac-poubelle. Ralph photographia la scène, dégagea le paquet et le tendit à Ferlatte.

Le sac contenait une boîte à cigares en bois portant le nom d'une fabrique cubaine.

— Je dirais que ça ne vient pas du dépanneur, blagua Marchessault.

Sans lui prêter attention, Ferlatte fit basculer le couvercle. La boîte était pleine de billets de banque. À première vue, il y en avait pour des milliers de dollars.

— Fumant ! risqua Barsalou. Ça commence à éclaircir les choses.

— Vous trouvez ? répliqua Ferlatte en refermant la boîte.

Était-ce la lumière verte qui filtrait dans le sous-bois ? Le sergent-détective, le teint blafard, paraissait plutôt embêté de cette découverte.

— Comptez-moi ça et finissez de ratisser les lieux, ordonna-t-il d'un ton sec. Je dois parler à votre lieutenant.

Il se dirigea vers les voitures. Geneviève se retira de quelques mètres et appela Surprenant. Cette fois, il répondit.

— Qu'est-ce que tu fais ? demanda abruptement Geneviève. J'essaie de t'appeler depuis tantôt.

— Je sors de l'eau. Tu devrais te baigner, ça fait vraiment du bien.

Réprimant son impatience, elle le mit au courant des derniers développements. Surprenant réfléchit pendant quelques secondes avant de lui dire que le tout concordait avec ses hypothèses.

— Il faudra que tu m'expliques, soupira Geneviève. Honnêtement, je n'imagine pas Esther tuant Romain pour se sauver avec quelques milliers de dollars.

— La vie est pleine de surprises, philosopha Surprenant. Je t'appelle tantôt.

Il raccrocha.

52

Un voisin venu de loin

De retour chez lui, Surprenant prit une douche chaude et se rasa. Seulement vêtu de son caleçon, son dos réchauffé par le soleil d'après-midi, il s'installa au piano et se mit à la recherche de la mélodie du *Bord de la côte*. Les accords mineurs résonnèrent dans le salon encombré des reliefs de sa vie familiale. Lui-même, lui restait-il un bord de côte ? Était-il sage, quelques mois après son divorce, de s'abandonner à l'amour de Geneviève ? Ne faisait-il que sauter d'une dépendance à l'autre sans prendre le temps de se refaire une tête et un cœur ?

Que s'était-il passé dans la tête et dans le cœur de Romain dans les jours qui avaient précédé sa mort ?

Son portable sonna. C'était Majella.

— Le lieutenant se demande ce que vous fabriquez, sergent.

— Dites-lui que je joue du piano.

— Du piano ? C'est comme disait Phonse à Ned : « Y'a pas pire vieux garçon qu'un coureux de jupons. »

— Je ne vois pas le rapport.

— Finissez pas votre vie comme vous finissez vos enquêtes. Je suis sûre que la petite Geneviève entre dans un *container*. Assez de bavardage : j'ai peut-être une idée pour votre soulier. Si j'ai bien compris, ça ne rime à rien ?

— Un mot sur un papier sous une espèce de poinçon.

— Y'a un Français qui fabrique des bijoux dans le chemin des Capotes.

— Le chemin des Capotes ?

— Les jeunes des Îles n'ont pas attendu la pilule pour faire du parking ! Pierre Soulier, qu'il s'appelle. Vous allez voir : il ne rime à rien, lui non plus. Sa boutique s'appelle L'or du temps.

Surprenant raccrocha. *L'or du temps*... il s'agissait de la boutique que Bonenfant avait remarquée, la veille, près de l'endroit où il avait relevé les traces de bicyclette. Sans faire ni une ni deux, il s'habilla et, traversant l'île par Lavernière et le chemin des Amoureux, se rendit à la boutique de l'orfèvre.

La bâtisse, mis à part sa forme hexagonale, présentait quelque chose de bizarre. Surprenant n'eut guère de difficulté à découvrir l'anomalie : les gouttières du toit, au lieu de se jeter dans des drains, confluaient vers une canalisation d'un bleu pimpant, laquelle allait se déverser dans un réservoir situé en contrebas. Une seule voiture, une familiale Toyota datant de plus de dix ans, était stationnée dans l'entrée de gravier.

Il regarda par une fenêtre. Sous une lampe, un homme aux larges épaules était penché sur un établi. Il paraissait si absorbé que Surprenant eut le réflexe de frapper.

— Mais entrez ! C'est ouvert !

Descendu de son tabouret, Pierre Soulier se révéla être un petit quadragénaire trapu, rondouillet, qui clignait de la paupière droite. En t-shirt et en jean, la barbe longue, il semblait avoir renoncé à plaire depuis au moins deux lustres.

Surprenant jeta un œil rapide autour de lui. L'or du temps ressemblait davantage à un atelier qu'à une boutique. Les seuls bijoux en montre étaient regroupés sur un présentoir qui n'avait pas deux mètres de largeur.

— Qu'est-ce que je peux faire pour vous ? demanda Soulier sur un ton où perçait un mélange d'inquiétude et d'irritation.

« Il a tout de suite senti que j'étais un flic », songea Surprenant en sortant son insigne.

— Connaissiez-vous Romain Leblanc ?

— Le gars qui a été descendu hier ? Je le connaissais comme ça.

Surprenant s'approcha des bijoux. Bagues, colliers, broches en or ou en argent, leur beauté et leur délicatesse juraient absolument avec leur créateur.

— Vous aimez ? s'informa Soulier. C'est la fin de la saison, je peux vous faire un bon prix.

Surprenant lui jeta un regard appuyé. L'entretien s'annonçait amusant.

— Vous recueillez l'eau de pluie ? demanda-t-il comme si cela contrevenait à un règlement.

Le Français émit une théorie plutôt nébuleuse, à laquelle, curieusement, il ne semblait croire qu'à demi : l'eau de pluie, moins ferreuse que l'eau des Îles, était nécessaire à la fabrication de ses bijoux.

Surprenant se taisait.

— Qu'est-ce que vous voulez ? s'énerva Soulier. Vous n'êtes pas venu ici pour m'interroger sur l'eau de pluie !

— Quand êtes-vous allé chez Romain ?

Le clignement de l'œil de Soulier s'accéléra.

— Je n'ai jamais mis les pieds chez Romain Leblanc !

Surprenant s'approcha de l'établi de l'orfèvre. Lampe, loupes, meules, petits outils de toutes sortes, bijoux dans des états divers d'achèvement : malgré un désordre relatif, l'ensemble témoignait d'un esprit organisé.

— Vous n'auriez pas égaré un poinçon ?

— Non.

L'homme suait à grosses gouttes. Surprenant saisit sur l'établi un poinçon tout à fait semblable à celui qu'il avait découvert chez Romain, sauf qu'il était plus petit.

— J'ai trouvé le grand frère de cet outil dans la cuisine de Romain. Il était posé sur un papier sur lequel était écrit le nom de Soulier. C'est noté dans les minutes de l'enquête. L'objet fait partie des pièces à conviction. Comment ce poinçon est-il arrivé dans la cuisine de Romain ?

Soulier, quelque peu ébranlé, s'assit sur une chaise, procurant à Surprenant un avantage psychologique.

— C'est lui qui est venu ici, lâcha-t-il en promenant sa main dans ses cheveux.

— Quand ?

— Vendredi. Sur la fin de l'avant-midi. Il m'a commandé une bague.

Le joaillier parlait avec réticence, comme s'il contrevenait à un secret professionnel.

— Quel genre de bague ?

— Un anneau en or, très simple.

— Une bague de mariage, si je comprends bien.

— Je ne sais pas. La bague était destinée à une femme, mais il ne m'a pas dit à qui.

— Aucune allusion ? Aucune inscription ?

— Rien. Pour parler franc, Romain Leblanc m'a paru plutôt bizarre. Il semblait à la fois tendu et serein. Il ne me regardait pas en face, passait son temps à jouer avec mes instruments, ce qui explique qu'il ait pu mettre ce poinçon dans sa poche. Peut-être avait-il consommé quelque chose ? Je ne sais pas.

— Quelle était la grandeur de cette bague ?

— Comme gabarit, il m'a donné son petit doigt. C'était du 7.

— Marjolaine ? Esther ? Ça vous dit quelque chose ?

Le visage ingrat du Français s'éclaira d'un premier sourire.

— J'ai des amis parmi les artistes des Îles. J'étais au courant des développements de la vie de Romain. Quand j'ai appris sa mort, ce qui m'a frappé, c'est justement que je ne savais pas si cette bague était destinée à sa femme ou à sa maîtresse. Évidemment, j'imagine que sa femme possède déjà une bague...

— Ça ne vous a pas tenté de nous appeler ? Ce n'est quand même pas une information banale.

Soulier retrouva son air traqué.

— Vous consulterez mon dossier, sergent. Vous constaterez que j'ai eu ma part de problèmes avec la justice.

— Rien qui ait rapport avec notre affaire, évidemment ?

— J'ai vécu une séparation plutôt... houleuse. C'est allé trop loin et j'ai payé mon dû.

— Pouvez-vous être plus clair ?

— « Violence conjugale ». C'est tout et c'est assez.

Qui sait ? Peut-être Romain a-t-il lui aussi payé son dû ?

— Qu'est-ce que vous voulez dire ?

— Cette bague qu'il m'a commandée... Il comptait l'offrir à quelqu'un. Marjolaine ? Esther ? L'une des deux, forcément, n'était pas enchantée de la situation.

— Du 7, vous m'avez dit ?

Le joaillier hésita.

— Je ne voudrais pas que cette histoire de bague prenne trop d'importance.

— Ne vous inquiétez pas. Je ferai preuve de discrétion. Pouvez-vous me prêter un échantillon ou un gabarit ?

Soulier fouilla sur son établi et tendit à Surprenant une bague en acier sur laquelle le chiffre 7 était gravé. Le Français semblait de plus en plus soucieux.

— Vous savez, il peut arriver qu'une bague soit mal accueillie...

— D'après mon expérience, c'est plutôt rare. Vous avez quelque chose à me dire ?

— C'est une simple impression, commença Soulier. Tantôt, je vous ai dit que Romain Leblanc m'a paru bizarre quand il est venu ici, vendredi. Quand j'ai appris la nouvelle de sa mort, cette rencontre a pris un nouveau relief. Je ne sais pas si cette impression est juste. Ce que j'ai senti, c'est que Romain, en commandant cette bague, posait un geste futile.

— Futile ?

— Il avait perdu le cœur de sa belle, ou du moins il croyait l'avoir perdu.

Surprenant marcha jusqu'à la fenêtre. À sa droite, il distinguait parfaitement l'entrée du sentier qui reliait le chemin Huet et le chemin des Arsène.

— Vous semblez avoir le sens de l'observation, monsieur Soulier. Avez-vous remarqué quelque chose de particulier près de chez vous, ces derniers jours ?

— À part vos hommes dans le sentier, hier, rien.

— Dans la nuit de samedi à dimanche, plus précisément.

— Je me suis couché vers minuit, après avoir soupé chez des amis.

— Vous avez bien dormi ?

— Très bien.

Jugeant qu'il n'avait rien de plus à apprendre pour le moment, Surprenant prit congé.

53

Un propriétaire accommodant

Surprenant était sur le chemin du Grand-Ruisseau lorsqu'il reçut un appel de Tremblay. Le jeune agent, qui paraissait à peine plus excité que d'habitude, sortait de chez le notaire Bourgeois. Surprenant avait eu raison : la maison de Berthe Lapierre faisait bien partie de l'héritage de Maurice Leblanc, donc de celui de son fils Romain.

Surprenant sentit son pouls s'accélérer. La situation était ahurissante : Berthe Lapierre était la locataire de l'homme qu'elle avait tenu responsable, selon Casimir Les Nouvelles, du meurtre de son mari.

— Depuis quand Maurice Leblanc était-il propriétaire ?

— Juillet 1972. Mais attention ! Il avait acheté de Germain Lapierre, le frère de Berthe. Soixante mille dollars. Selon le notaire, c'était cher pour le marché à l'époque, surtout que la maison avait besoin de réparations. Ce Germain a fait un coup d'argent : il l'avait achetée à sa sœur pour douze mille piastres cinq ans avant ! Le notaire a fini par me dire que, d'après la rumeur, le frère avait fait de mauvaises affaires et s'était trouvé forcé de vendre. On ne l'a plus vu aux Îles par la suite.

Surprenant fit demi-tour vers Fatima. Soixante mille dollars aux Îles en 1972... Selon toute apparence, Germain Lapierre avait trahi sa sœur pour vendre à gros prix une propriété que Maurice Leblanc désirait âprement. Surprenant s'était rendu la veille chez Louis-Marie Gaudet et sa mère. Pourquoi ne lui avait-on pas dit que les Leblanc, ces maudits Margots, possédaient leur maison ?

L'après-midi s'épanouissait comme un miracle. Pendant que le soleil tournait vers le Corps-Mort, l'herbe humide frémissait avec ce qui ressemblait presque à de la langueur. Surprenant baissa sa vitre et huma l'air salin. L'été n'était peut-être pas mort, après tout. Il appuya sur une touche de son lecteur de CD. *Le reel des naufrageurs*. Par des nuits sans lune, ces hommes sans scrupules — ou sans espoir — allumaient des feux sur la côte pour attirer les navires. Une fois le bateau échoué sur les dunes ou les hauts-fonds, ils pillaient la cargaison. Cela ressemblait assez à Maurice Leblanc. À ses fils ? C'était à voir. Les doigts de Romain tiraient de son violon roux des sonorités sauvages. Derrière, Louis-Marie tissait sa toile de rythmes. Pourquoi ces deux fils de rivaux étaient-ils devenus, selon l'expression de Platon Longuépée, « les deux doigts de la main » ? Pourquoi Louis-Marie était-il toujours *derrière* ?

La maison bâtie par Benoît Gaudet brillait au soleil de la Belle-Anse. Des grappes de touristes erraient sur les caps, amoureux alanguis, familles débandées, vieillards affublés de casquettes de capitaine et de pantalons pastel. Une petite Honda proprette était stationnée devant chez Berthe Lapierre. Surprenant fut accueilli par une femme d'une soixantaine d'années, les cheveux d'un rose violent, qui se déplaçait avec la discrétion d'une religieuse. Elle en avait aussi l'autorité : quand Surprenant demanda à voir Berthe Lapierre, elle répondit que c'était hors de question, Madame étant dans les puyinques*.

Surprenant argumenta que cette dernière condition, dont il ne saisissait que vaguement la gravité, l'obligeait justement à insister. La pseudo-nonne ne céda qu'à moitié, lui intimant l'ordre d'attendre dans le tambour pendant qu'elle allait consulter sa « patiente ».

Surprenant pensa que la mère de Louis-Marie ne semblait pas aller si mal la veille. Il se tut néanmoins. Avant de disparaître, la dame aux cheveux roses, qui paraissait lire dans ses pensées, lui expliqua que Madame avait des douleurs depuis le matin, mangeait à peine et était entrée en phase préterminale, avant d'ajouter, dans un murmure, que la mort de Romain n'avait pas arrangé les choses.

Deux minutes plus tard, Surprenant était introduit dans la grande pièce qui servait à la fois de salon et de salle à manger. Berthe Lapierre était assise dans une berçante. Dans l'étrange lumière blonde créée par les boiseries, la vieille paraissait changée. Son visage, plus creux, plus lisse, plus cireux évoquait un masque mortuaire. Ses membres décharnés étaient dissimulés sous une courtepointe colorée.

---

* Plus rien que : derniers moments.

— Vous avez fait la connaissance de Régina ? Quand elle entre dans une maison, c'est qu'on s'apprête à en sortir les pieds devant. Ne faites pas cette tête, sergent. Je n'ai pas besoin de votre pitié.

Tout en demeurant polie, Berthe Lapierre annonçait ses couleurs : elle était occupée à mourir et n'acceptait cette entrevue qu'en raison du sérieux de la situation.

— Je n'irai pas par quatre chemins, commença Surprenant. Nous avons découvert que Maurice Leblanc était le propriétaire de cette maison.

— Maurice était le propriétaire de bien du monde, vous savez.

Douleur ? Humour ? Berthe Lapierre esquissa un rictus indéfinissable.

— Je ne comprends pas, madame, dit doucement Surprenant, qui n'avait pas non plus de temps à perdre.

— Que savez-vous ?

Surprenant lui rendit compte des découvertes de Tremblay au sujet de sa propriété. Berthe Lapierre trouva une nouvelle fois la force de sourire.

— Vous touchez là le mystère de ma vie !

Elle n'ajouta rien.

— J'ai lu comment votre mari a disparu. Étrangement, mon père est sorti de ma vie de la même façon.

— Vraiment ? Quel âge aviez-vous ?

— Neuf ans. Mais je ne suis pas ici pour parler de ma vie personnelle. Que s'est-il passé entre Maurice Leblanc et vous après la disparition de votre mari ?

— Vous ne me croirez pas. Trois mois plus tard, Maurice a rappliqué. Après les fêtes, en janvier, il est venu me voir, tout endimanché, et il m'a lâché comme ça, comme un sauvage, qu'il m'aimait toujours et qu'il était prêt à m'aider pour le bébé.

— Vous étiez enceinte de Louis-Marie ?

— Il est né en avril.

— Qu'avez-vous fait ?

— Je lui ai dit de ne plus jamais reparaître devant ma face. Mais il était tenace. Il est revenu à l'été, à l'automne, avec le même résultat. Il a passé l'hiver à Montréal. À son retour, il avait changé de rengaine. Il s'est marié très vite avec Lucienne à Odilon, pour son argent. J'étais débarrassée. Je cousais, j'étais presque heureuse avec mon petit Louis-Marie, mais au bout de quelques années, j'ai commencé à faire de la sclérose en plaques. Je me suis ramassée invalide et raide pauvre.

— C'est à ce moment que Maurice Leblanc est réapparu dans le décor.

— Vous comprenez vite. Il n'avait pas pu m'avoir. Dans mon état, je ne l'intéressais plus comme femme, évidemment. Alors il a voulu avoir la maison. Je l'ai reviré de bord. J'étais sur le bien-être, je me suis résignée à vendre à mon frère Germain. Oh ! Je savais qu'il n'était pas trop à son affaire, mais ça restait dans la famille et il me permettait de vivre ici.

— En 1972, votre frère a fini par vendre à Maurice.

Berthe Lapierre hocha sa tête chauve.

— Je vous l'ai dit : Maurice ne lâchait pas. Il a payé un prix de fou, mais il a fini par avoir la maison de celui qui lui avait pris sa blonde. J'étais dans le désespoir. Il s'est présenté ici un soir, dans son gros bazou. J'ai fini par lui ouvrir. Il m'a fait une offre qui m'a prise au dépourvu.

La vieille dame fit une pause. L'émotion semblait l'épuiser et la revigorer à la fois.

— Quelle était cette offre, madame ?

Berthe Lapierre hésitait. Surprenant craignait qu'elle ne prenne prétexte de son état pour mettre fin à ses confidences.

— Je payais l'électricité, le téléphone, et je pouvais rester ici jusqu'à la fin de mes jours.

Surprenant imagina la rencontre survenue trente ans plus tôt. Maurice, faraud, assis sur son argent et son pouvoir. Berthe, malade, fière, mais à sa merci.

— En échange de quoi ?

— Rien. Maurice, l'avare, ne m'a jamais rien demandé.

— C'est contraire à tout ce que je sais de lui.

— Le mystère de ma vie, comme je vous l'ai dit tantôt.

Surprenant réfléchissait.

— Vous avez dû lui demander pourquoi il se montrait si généreux envers vous.

— Il m'a dit qu'il avait besoin de faire quelque chose de bien dans sa vie.

— De quoi se rachetait-il, madame ?

Les yeux de Berthe Lapierre, malgré son état, brillaient toujours d'intelligence.

— Deux hommes ont juré que Maurice était à Montréal quand Benoît a disparu. Malgré tout ce qui est arrivé, je suis restée le grand amour de Maurice, jusqu'à la fin. J'ai pris quelques jours pour réfléchir à son offre, puis j'ai accepté, à la condition qu'il ne mette plus jamais les pieds ici.

— Et l'entente a tenu ?

— Parfaitement. J'ai vécu dans ma maison, tranquille, avec Louis-Marie. Un homme engagé par Maurice s'est occupé de l'entretien et des réparations.

Surprenant se leva et marcha jusqu'à la fenêtre. Les falaises rouges de la Belle-Anse soutenaient les assauts d'une mer plus tranquille.

— Quelles étaient les relations de Louis-Marie et de Romain, dans tout ça ?

— Enfants, ils ne se fréquentaient pas. Ils avaient deux ans de différence. Les mousses de la Belle-Anse étaient un peu en guerre avec ceux qui habitaient de l'autre bord du chemin.

— Ils font pourtant de la musique ensemble depuis plus de vingt ans.

— Ça leur appartient. La musique, aux Îles, c'est un petit monde.

— Louis-Marie a toujours eu du talent, n'est-ce pas ?

— Quand il avait huit ans, je lui ai montré quelques notes, sur le piano que vous voyez là. Le reste, il l'a appris de lui-même. À treize ans, il jouait tout seul à des noces.

— Il a appris le violon aussi, si j'ai bien compris.

— Oh, quelques petits morceaux... Il n'aime pas vraiment jouer la mélodie. Il préfère accompagner, arranger.

— Pourquoi s'est-il toujours effacé derrière Romain ?

— Romain était habité par un démon : il avait besoin d'être en avant, d'être admiré, d'être reconnu. Sous les apparences, c'était un homme fragile. Mon fils aime la musique pour elle-même.

Surprenant, machinalement, s'assit au piano. C'était un vieux Mason & Risch. Il joua la mélodie du *Bord de la côte*. Même s'il possédait un son un peu aigrelet, l'instrument était parfaitement accordé. Surprenant égrena l'accord de *fa* dièse mineur, ajouta une septième, une neuvième, une onzième, donnant à la pièce une troublante couleur de jazz. Il se retourna et fit face à la malade.

— Louis-Marie est-il à son travail ?

— Jusqu'à seize heures. Il devrait arriver bientôt. Il se tracasse pour moi. Un peu trop, à mon avis.

— Vous vivez seuls ici tous les deux. J'imagine qu'il se confie à vous.

— C'était ma plus grande joie. Vous voyez ? Je commence à parler de moi au passé.

— Vous a-t-il parlé du film dans lequel jouait Romain ?

— Très peu, sinon pour me dire que Romain y perdait son temps.

— Avait-il eu l'occasion de lire le scénario ?

— Il ne m'en a jamais parlé.

Surprenant s'appuya involontairement contre le clavier, ce qui produisit un désagréable amas de basses.

— Où était Louis-Marie dans la nuit de samedi à dimanche ?

— Vous avez un front de bœuf, c'est le cas de le dire ! Soupçonner Louis-Marie, après tout ce qu'il a fait pour Romain ! Sachez qu'il dormait ici, dans sa chambre, en haut. Je peux même vous jurer qu'il a ronflé toute la nuit !

Tout en pensant que Berthe Lapierre était bien vigoureuse pour une dame en phase préterminale, Surprenant demanda la permission de visiter la chambre de Louis-Marie. La requête ne sembla pas inquiéter la vieille femme.

— Vous avez beau ! Nous n'avons rien à cacher. Régina !

La dame à la crinière rose réapparut.

— Montre à monsieur la chambre de Louis-Marie. Ensuite, montre-lui le chemin de la porte.

Sans s'émouvoir de l'hostilité de son hôtesse, Surprenant suivit l'archange de la mort jusqu'à la mezzanine. L'étage contrastait avec le rez-de-chaussée. Il y faisait plus sombre. Louis-Marie occupait, à l'ouest, la plus grande chambre. Surprenant ne douta pas que la pièce, spacieuse, s'ouvrant de deux côtés sur la mer, avait dû être, brièvement et en des temps plus heureux, la chambre de ses parents. L'espace y était suffisant pour accommoder à la fois un lit, un coffre, une commode et ce qui ressemblait à un petit studio. Ce qui frappait d'abord, c'était l'ordre. Le lit était fait, les livres étaient empilés sagement sur la table de chevet, les quatre guitares étaient alignées sur des pieds, la chaîne stéréo, la console de mixage, le clavier électronique, tout était rangé avec un soin maniaque. Dans un coin, une bibliothèque était à peu près vide. Surprenant passa son doigt sur le bois : le meuble avait été essuyé récemment. Il prit les livres sur la table de chevet : une biographie de Bob Dylan, un recueil de poésie d'Éluard, annoté et écorné. Il ouvrit quelques tiroirs, fouilla dans les papiers, trouva des factures, des recueils d'airs traditionnels irlandais, un *scrapbook* illustrant les hauts faits de la carrière de Romain Leblanc. *Mon fils aime la musique pour elle-même*. Berthe connaissait-elle bien son Louis-Marie ?

Surprenant s'assit sur le lit et s'imprégna de l'esprit des lieux. Que cherchait-il ici ? Il se sentait envahi par une angoissante impression de déjà-vu. C'était le parfum du drame, comme une odeur associée à un douloureux souvenir d'enfance. C'était cela : il était intoxiqué par l'histoire de Louis-Marie, qui avait lui aussi perdu son père. Il en oubliait son objectivité.

Il ouvrit la porte d'une garde-robe. Des vêtements, des cassettes audio, de vieux vinyles. Sur le plancher, quelques paires de chaussures, dont des Adidas modérément usés de pointure 9. Sur la tablette supérieure reposait un étui de violon. Surprenant l'ouvrit, passa son doigt sur les cordes. *Sol, ré, la, mi.* Des quintes parfaites. L'instrument était aussi bien accordé que le piano du rez-de-chaussée.

Surprenant regarda sa montre. 15 h 55. Il allait rater la conférence de presse. Il descendit au rez-de-chaussée. La berçante de Berthe Lapierre était vide. Accrochée à un montant, sa courtepointe pendait, comme le regret de sa vie perdue.

54

Opacités

Geneviève Savoie consulta sa montre. Seize heures dix et Surprenant n'était toujours pas de retour au poste. Dépelteau rageait, Ferlatte était impénétrable, Marchessault grignotait des nachos dans le cubicule, les journalistes se perdaient en conjectures sur les raisons du retard du point de presse, se guettant l'un l'autre comme des goélands alignés sur une barre de sable. Elle se sentit soudain fatiguée. Des souvenirs de la nuit, ce retour inattendu dans le havre du corps de Surprenant, traversèrent son esprit, comme des lambeaux de rêve.

S'était-elle laissé avoir, encore une fois ?

Tout à coup, elle eut soif. Au lieu d'obéir à l'appel du percolateur de Majella, elle se servit un verre d'eau. Elle avala une gorgée, regarda le liquide clair, translucide, dans la lumière qui se réverbérait sur la mer. C'était cela : elle voulait un amour, une vie translucides.

Surprenant apparut. Les têtes se tournèrent vers lui. S'il perçut cet intérêt à son égard, il n'en laissa rien paraître. Le visage fermé, il alla prendre place sur l'estrade aux côtés de Ferlatte et de Dépelteau. Geneviève pouvait presque entendre, à dix mètres de distance, le grincement des rouages de l'esprit de son amant.

« Cet homme est une galaxie », songea-t-elle. En dépit de son charme, la complexité d'André Surprenant le rendait opaque.

Le lieutenant Dépelteau ouvrit une conférence de presse qui se révéla, dès le début, plus périlleuse que prévu. Les journalistes, notamment le finissant en Communications qui tentait de faire sa marque à la radio communautaire, semblaient avoir eu accès à des informations privilégiées. Après avoir esquivé deux questions concernant le ministre Guérette et son avocat, Dépelteau passa la patate chaude à Ferlatte. Dans une langue de bois d'une candeur offensante, ce dernier tenta de calmer le jeu en débitant des généralités. L'équipe du Bureau des enquêtes criminelles amassait des indices matériels et des témoignages qui permettaient d'éclaircir les circonstances de ce qui était maintenant considéré comme un meurtre, les hypothèses d'un accident ou d'un suicide ayant été invalidées par l'autopsie.

— Est-ce qu'il y a eu vol ? demanda le président-fondateur-éditeur-trésorier-journaliste du *Fanal*.

— Il est trop tôt pour l'affirmer, soutint fermement Ferlatte.

Les questions fusèrent. Qu'avait-on trouvé le matin dans le chemin Patton ? Avait-on perquisitionné chez le frère de la victime ? La porte de la maison de Romain Leblanc avait-elle été forcée pendant la nuit ?

À la mention de la contamination de la scène de crime, Dépelteau devint écarlate. Geneviève comprit que les médias et la population surveillaient leurs moindres faits et gestes. Ils enquêtaient sous une cloche de verre. Tant bien que mal, Ferlatte tentait de limiter les dégâts. Geneviève observa Surprenant. Les mains croisées, l'œil absent, il semblait prier pour que l'épreuve se termine sans qu'il ait à intervenir. Son silence était si abyssal qu'il attira l'attention de la recrue de la radio. S'adressant nommément à Surprenant, il demanda si la police connaissait le mobile du crime.

Surprenant regarda le jeunot pendant quelques secondes avant de prononcer un «non» aussi sec que mystérieux. Dépelteau profita de l'effet produit par son subalterne pour terminer l'exercice en promettant de convoquer la presse dès qu'il y aurait des développements.

Dans le brouhaha qui s'ensuivit, Dépelteau et Ferlatte retraitèrent vers le confessionnal. Surprenant demeura sourd aux questions des journalistes et, sans un regard pour Geneviève, se réfugia dans son bureau.

Geneviève réfléchit quelques secondes, considéra son verre d'eau, le vida d'un trait, prononça distinctement «Au diable!» et l'y rejoignit. Surprenant était déjà dans sa position de travail favorite: allongé sur le tapis, le cou contre un vieux chandail de laine qui traînait en permanence sur son classeur.

— Ça va? demanda-t-il.

Elle s'assit dans un fauteuil.

— Tu as l'air de bonne humeur, constata-t-elle.

— Tu devrais aller te baigner, tantôt. Ça m'a fait du bien.

Il semblait détendu. Elle l'adorait dans ces moments d'abandon. Mue par une impulsion, elle se pencha et déposa un baiser sur ses lèvres. Les yeux fermés, toujours souriant, il s'informa des progrès de Ferlatte.

— Il veut réinterroger Esther McKenzie au sujet de la bicyclette et de l'argent. Il n'est pas dans son assiette. L'avocat de Guérette semble savoir quelque chose à son sujet.

— Donne-moi ta main.

Interdite, elle vit Surprenant tirer un anneau d'acier de sa poche.

— C'est pour un instant ou pour toujours ? le taquina-t-elle en allongeant sa main gauche.

— Commençons par l'instant, veux-tu ? Tu as vu les mains de Marjolaine et d'Esther. Cet anneau irait à qui, à ton avis ?

— Je pencherais pour Marjolaine mais elle a déjà un anneau de mariage... Crois-tu que Romain avait l'intention de renouer avec elle ?

— Selon l'expression de Majella, ça n'aurait pas été la première fois qu'il serait rentré au pacage à la fin de l'été.

Il lui racontait son après-midi quand le téléphone sonna. De la main, Surprenant fit signe à Geneviève de lui passer le combiné. La communication fut brève, mais Geneviève reconnut à plus d'un mètre de distance la voix de Dépelteau. Surprenant raccrocha, soupira comiquement et entreprit de quitter la position horizontale.

— Il veut te voir ? demanda-t-elle.

— Qu'est-ce que tu crois ?

— Il faut que je te dise quelque chose, André. Ça concerne Ferlatte. J'aimerais que tu n'utilises pas l'information contre lui.

— Hmmm...

— Dis-moi autre chose que « Hmmm ».

— Juré craché. Vas-y.

— Ferlatte a un squelette dans le placard. Une bavure commise dans le temps où il était agent à Montréal. Par la suite, il a joui d'un certain traitement de faveur. Stripe, l'avocat de Guérette, est au courant. Je ne sais pas comment il a obtenu les détails du dossier de police. Stripe a tenté d'intimider Ferlatte.

— Ferlatte t'a confié ça ?

— Il ne manque pas de courage. Il m'a tout raconté et il n'a pas l'intention de reculer.

— C'est tout à son honneur, dit Surprenant en se relevant. Merci pour l'information. Ça m'aidera à négocier la suite.

Elle se tenait debout à deux pas de lui. Il la regarda, soudain sérieux.

— Tu sais que tu t'exposes en me soutenant ainsi ?

— Tu sais que je m'en fiche ?

Il s'approcha et la prit dans ses bras. Elle s'abandonna, bénissant presque ce meurtre qui semblait dénouer l'impasse dans laquelle leur relation se languissait.

— Je t'appelle ce soir, lui promit-il à l'oreille.

Elle rectifia ses cheveux et le laissa partir. Avant de quitter elle-même la pièce, elle ne put s'empêcher de ramasser le chandail de laine et d'y fourrer son nez. L'odeur était là. « Tu es folle », se reprocha-t-elle. Elle plia le chandail et le rangea sur le classeur.

55

Une glace très mince

Surprenant n'eut qu'à entrouvrir la porte du confessionnal de Mad Dog pour y percevoir, telle une odeur putride, une atmosphère de frustration morose. Les émotions de Dépelteau ne se déplaçant habituellement que sur un seul axe, de l'agacement à la rage, il ne fallait pas être un devin pour déduire que le malaise émanait de Ferlatte, lequel se grattait le crâne dans le fauteuil du pénitent. Dépelteau semblait plutôt embêté de la situation, ce qui expliquait sans doute la vitesse avec laquelle il mâchait ses graines de tournesol et le ton faussement jovial sur lequel il invita Surprenant à se tirer une bûche.

— Qu'est-ce qui se passe ? s'enquit prudemment celui-ci.

— Il y a quelque chose qui cloche, prononça Ferlatte d'un ton boudeur qui laissait presque entendre que *lui*, Surprenant, était responsable de la situation.

Sur le bureau, entre les deux hommes, étaient étalés plusieurs documents.

— Vous permettez ? demanda Surprenant en allongeant le bras.

— Prends connaissance de ça, ordonna Dépelteau. Nous discuterons ensuite.

Surprenant lut l'un après l'autre les rapports.

La première déposition était celle de Pierre Bhérer, quarante-neuf ans, maquilleur résidant rue Saint-André à Montréal. Il y reprenait ses allégations quant à l'engueulade entre Guérette et Leblanc à l'étage pendant le party, ainsi qu'à la présence du ministre près de chez Romain Leblanc vers quatre heures moins quart. Fait nouveau, il affirmait qu'une régisseuse nommée Mélodie Filiatrault avait elle aussi remarqué l'absence du ministre.

Sa collègue Mélodie Filiatrault, trente-sept ans, régisseuse de plateau domiciliée à Verdun, avait vu le ministre Guérette sortir par la porte arrière « vers quatre heures moins quart ». Elle s'était aperçue de son retour vers quatre heures et cinq. Elle avait entendu auparavant ce qui lui avait semblé être l'explosion d'un pétard. Toujours selon elle, Pierre Bhérer entretenait envers le réalisateur Martin Larrivée un amour « désespéré ».

Suivait un rapport de Marie-Ève Labbé. Elle était rentrée bredouille de la visite aux trois principaux marchands de chaussures des Îles. Deux d'entre eux vendaient des New Balance. Aucun ne pouvait de mémoire relier un des acteurs du drame à des souliers de course de pointure 42. Il pourrait être possible de faire un relevé électronique de toutes les ventes depuis plusieurs mois, mais ce serait un travail de moine.

Ralph et Vic avaient procédé à une fouille minutieuse du pick-up et de la maisonnette d'Eudore Leblanc. L'opération n'avait apporté aucune preuve matérielle permettant de l'accuser du vol commis chez son frère pendant la nuit.

Pierre Marchessault avait de nouveau questionné les habitants du chemin des Arsène. Personne n'avait rien remarqué de spécial chez Romain la nuit précédente. Seule exception, Aldège Leblanc, quatre-vingt-quatre ans, prétendait avoir entendu le pick-up d'Eudore Leblanc vers quatre heures du matin. Le Toyota d'Eudore éprouvait, semble-t-il, des problèmes de démarreur, et le vieil homme, qui avait été mécanicien et pêcheur, avait l'oreille fine. Vérification faite, le véhicule démarrait mal. Leblanc, quant à lui, jurait ne pas avoir quitté son lit entre minuit et sept heures du matin.

Par ailleurs, Ferlatte avait obtenu des mandats de perquisition autorisant la fouille des propriétés d'Eudore Leblanc et de Denis Guérette.

— Et maintenant, qu'est-ce qui cloche ? demanda Surprenant en reposant les documents. Il me semble que nous avançons à grands pas.

— Vraiment ? railla Ferlatte.

Surprenant, tel un entraîneur dont l'équipe perd par trois buts après deux périodes, s'employa à stimuler le moral des troupes : l'enquête avait fait ce jour-là des progrès remarquables. L'autopsie avait éclairci les circonstances du meurtre. Ils avaient retrouvé la bicyclette disparue, avec en prime de l'argent qui pouvait provenir du domicile de la victime. Ils avaient des empreintes sur l'arme du crime, une suspecte sans alibi. Ils disposaient de nouveaux témoignages capitaux suggérant la présence du ministre Guérette près de chez Romain quelques minutes avant le meurtre. Le ministre avait adopté une attitude suspecte, se réfugiant comme un enfant apeuré derrière un bouledogue outaouais. Enfin, la violation de la scène de crime survenue la nuit précédente ouvrait de nouvelles perspectives. Si Eudore avait fait le coup, cela tendait à l'innocenter du meurtre de son frère. En effet, pourquoi n'aurait-il pas pris l'argent le premier soir ? L'enquête progressait, il ne fallait quand même pas s'attendre à trouver le coupable et à établir une preuve en moins de quarante-huit heures.

Dépelteau, dont les traits commençaient à se figer sous l'effet du stress, secoua la tête.

— Olivier trouve tout de même que quelque chose ne va pas.

Encouragé, Ferlatte fixa Surprenant droit dans les yeux.

— Quelque chose ne va pas et tu le sais. Pourquoi Esther McKenzie, vingt-cinq ans, aurait-elle tué un collègue musicien qui était son amant depuis deux mois et demi ?

— La passion. Il venait de la *flusher*. Je peux vous affirmer que ce n'est pas agréable.

Ferlatte ne se laissa pas amadouer par cet accès d'autodérision.

— Pourquoi Esther se serait-elle débarrassée de la bicyclette ? Ça l'incriminait plus qu'autre chose.

— Elle a peut-être pensé que la bicyclette pouvait la relier d'une façon quelconque au lieu du crime ? Peut-être a-t-elle appris que nous avions relevé les pistes sur le sentier ? Peut-être a-t-elle paniqué ?

— Pourquoi aurait-elle dérobé trois mille quatre cent vingt dollars ?

— Une joueuse d'accordéon peut faire du kilométrage là-dessus, comme n'importe qui. Après avoir tué dans un moment d'égarement, elle a peut-être voulu aiguiller l'enquête vers un vol ?

Ferlatte regardait toujours intensément Surprenant, comme s'il cherchait à lire ses pensées.

— Je ne te suis pas, Surprenant. Pour la première fois, tu admets qu'Esther a pu faire le coup.

— J'essaie de rester objectif. Les indices s'accumulent, quand même.

— Qu'est-ce que tu me caches ? Je ne suis pas un cave. Je m'informe. Tu interroges des Madelinots par-ci par-là. Des gens qui n'ont rien à voir avec l'affaire, comme ce Casimir Richard au Cap-Noir.

— Au Cap-Vert, corrigea Surprenant.

— Qu'est-ce que tu mijotes ? Les pistes partent dans tous les sens. On dirait que quelqu'un a fait exprès pour les brouiller.

— Je vous l'ai dit encore ce matin. J'essaie de savoir ce qui se passait dans la tête de Romain dans les jours qui ont précédé le meurtre.

Dépelteau poussa un soupir d'exaspération.

— On le connaît, André, ton refrain du mobile !

— Parlant de refrain, je réfléchis aussi à celui d'une chanson de Leblanc.

— Parce que le violoneux écrivait aussi des chansons ? s'étonna Ferlatte.

— C'est une donnée essentielle de l'affaire. Leblanc était en train d'opérer un tournant dans sa vie. Il a consulté deux fois le notaire dans les dernières semaines. La veille du meurtre, il a commandé une bague chez un orfèvre.

Le problème de la bague, et plus globalement celui du virage de Leblanc, occupa les trois policiers pendant plusieurs minutes. À qui le bijou était-il destiné ? Pourquoi Leblanc avait-il eu l'intention de modifier une deuxième fois son testament ? Était-il sérieux quand il avait confié à sa cousine qu'il voulait vendre la propriété de son père ? N'accordait-on pas trop d'importance aux sentiments d'un homme qui souffrait, selon plusieurs témoignages, d'une instabilité amoureuse chronique ? Le meurtre présentait des similitudes troublantes avec le scénario du film de Martin Larrivée et était survenu pendant une fête tenue chez le ministre Guérette. Que faisait celui-ci, à quatre heures moins quart du matin, près de chez Romain ? Le témoin Bhérer était-il crédible ? Avait-on réellement exploré la dynamique qui s'était installée entre Romain, Guérette, Marilou et Larrivée ?

Ferlatte semblait plus frustré et plus buté que jamais.

— J'ai le *feeling* que je ne vois pas un gratte-ciel qui est à deux pouces de mon nez. Vous me parlez des gens du tournage. La bicyclette, l'argent, les empreintes, ça ne cadre pas du tout avec le scénario !

— D'après Gilbert Poulin... commença Surprenant.

— C'est qui déjà, celui-là ? bougonna Dépelteau.

— Le preneur de son que Geneviève a rencontré. Il prétend que Leblanc avait dérobé un exemplaire du scénario pour embêter Larrivée. Ce dernier n'a pas nié. Esther avait sûrement accès à ce scénario, de même qu'elle devait connaître l'existence de la boîte à cigares. Elle vivait avec Romain depuis deux mois. Elle devait savoir d'où il tirait l'argent comptant avec lequel il payait leurs sorties.

— Prenons pour hypothèse qu'Esther n'est pas la coupable et cherchons qui a pu organiser cette mise en scène, proposa Ferlatte.

— Un instant ! fit Dépelteau en levant les deux mains.

La moustache frémissante, le lieutenant ne semblait pas enchanté de la tournure que prenait la discussion.

— Avant de continuer, je dois vous informer du contexte… politique dans lequel nous évoluons. Ce matin, j'ai reçu un appel du directeur général de la Sûreté. Il n'a pas eu besoin de me faire un dessin. En très haut lieu, on s'intéresse fortement à l'affaire à cause de l'implication du ministre Guérette. Déjà, nous avons eu ce pépin avec la scène de crime. Nous devons maintenant procéder de façon rigoureuse, en nous concentrant sur les faits.

— Mettre la pression sur McKenzie, autrement dit ? demanda Ferlatte.

Dépelteau acquiesça d'un hochement de la tête.

— Il faut suivre la piste existante, l'arme, les empreintes, la bicyclette, l'argent. Cette jeune femme n'est qu'une gamine. Interrogez-la sérieusement, ici, au poste. Je suis sûr que vous en tirerez quelque chose. Ça ne nous empêchera pas, demain, de perquisitionner chez Guérette et de le questionner de nouveau.

Ferlatte n'était toujours pas convaincu. Il se tourna vers Surprenant qui, chose rare, appuya son supérieur.

— Le lieutenant a raison. Si vous ne cuisinez pas McKenzie, vous risquez de vous faire *encore une fois* taper sur les doigts.

Surprenant avait parlé sur un ton sibyllin, presque bienveillant. Ferlatte, très pâle, semblait se demander s'il s'agissait d'un conseil ou d'une menace. Dépelteau perçut le malaise.

— Qu'est-ce que tu sous-entends, André ?

— Rien. Seulement que nous marchons sur une glace très mince.

— Fais attention de ne pas tomber, prononça Ferlatte en regardant Surprenant droit dans les yeux.

— Merci de l'avertissement. Est-ce que c'est tout ? J'aimerais commencer à rédiger mon rapport.

Le lieutenant Hubert Dépelteau ne pouvant s'opposer à une initiative aussi noble, il congédia les deux sergents en leur donnant rendez-vous le lendemain à huit heures.

56

Les âmes perdues

Surprenant quitta le confessionnal et jeta un œil dans la salle commune : aucune trace de Geneviève. Tremblay et McCann, dont les espaces de travail se faisaient face, semblaient en grande discussion.

— Ça va ? demanda Surprenant en s'approchant.

— Ce serait plutôt à nous de vous poser la question, dit McCann en faisant un geste de la tête en direction du bureau de Dépelteau.

— Ne vous inquiétez pas pour moi, grogna Surprenant. Vous avez quelque chose de nouveau ?

— Nous parlions du portable de Romain Leblanc, dit McCann. Il n'a pas disparu par enchantement. L'assassin s'en est débarrassé. Pourquoi ? Est-ce qu'il croyait que la police ne retrouverait pas la trace de l'appel de 3 h 09 ? Tout le monde sait que les compagnies de téléphone gardent un relevé informatique des appels passés sur leur réseau.

— Si l'assassin est intelligent, il a fait exprès pour se débarrasser du portable, avança Tremblay. Il nous oriente vers le Lasso. Nous ne savons toujours pas qui a téléphoné.

Surprenant souriait.

— Et si ça n'avait aucun rapport avec le meurtre ?

— Le patron du Lasso dit qu'il n'a pas appelé, mais il est le seul à avoir les clefs.

— C'est ce qu'il dit ou ce qu'il croit, répliqua Surprenant. Il peut mentir ou se tromper.

— Vous semblez avoir votre opinion là-dessus, observa McCann.

— Pour l'instant, j'ai une théorie, dit Surprenant. Vous m'excuserez, je dois rédiger mon rapport. Vous devriez faire la même chose, ça nous mettra les yeux en face des trous demain matin.

Dès l'instant où il s'assit à son bureau, Surprenant sut qu'il n'écrirait pas son compte rendu. Par où commencer ? Trop de faits s'étaient produits, trop de renseignements avaient été amassés depuis le moment où Marjolaine Vigneau avait aperçu le corps inerte de son mari par la fenêtre du salon de la maison du chemin des Arsène. S'il écrivait quelque chose, ce serait un roman, l'histoire d'un homme qui avait perdu son âme.

Ou qui l'avait regagnée ? Dans cette galerie de personnages, il manquait un témoin important : la victime. Si Romain Leblanc avait été assis en face de lui, bien vivant, avec ses bottes de cow-boy et sa crinière de toréador, que lui aurait-il raconté ? Quelle avait été la chaîne exacte des événements depuis la mort de son père ? Était-il heureux avec son accordéoniste à pitons ? Regrettait-il sa Marjolaine ? Sa complicité avec Louis-Marie lui manquait-elle ? Et, surtout, quel était son état d'esprit dans les trois jours qui avaient précédé le drame ?

Surprenant écrivit le mot «PASSÉ» sur son bloc-notes. Chaque homme possédait un passé. Pour comprendre un crime, il était important de connaître les antécédents de la victime et des suspects. Il était tout aussi essentiel de délimiter le champ de l'investigation. Depuis la veille, s'était-il laissé entraîner hors de ces limites ? Avait-il eu du flair en fouillant le passé de Maurice Leblanc et de Berthe Lapierre ? N'avait-il pas négligé des pistes plus immédiates, cet appel passé d'un bureau fermé, ces empreintes sur une arme, ce politicien bafoué aperçu sur les lieux du crime quelques minutes avant que celui-ci soit commis ? Que savait-il de Denis Guérette ? Il l'avait interrogé dix minutes, la veille, quand il était à mille lieues de le soupçonner.

Il regarda l'écran de son ordinateur. L'horloge numérique indiquait 17h25. Que complotaient Ferlatte et Dépelteau ? Une question inattendue s'imposa à son esprit : lui, André Surprenant, avait-il *aussi* perdu son âme ? Son âme vibrait-elle en lui ? Que ressentait-il, en ce moment même ? Sa main posa son stylo. Ce lundi soir, l'émotion, le mouvement ne se retrouveraient pas devant un terminal d'ordinateur, mais au spectacle organisé en l'honneur de Romain au Lasso.

Le passé... Majella avait quitté le poste. Il la joignit chez elle à l'Anse-à-la-Cabane.

— Vous pouvez me parler ? demanda-t-il.

— Maman étend son butin sur la ligne*.

— Sur une seule jambe ?

---

* Étend son linge sur la corde.

— Je lui ai raboudiné* une corde avec une poulie. Vous devriez voir ça, ça ferait blêmir le frisé qui a inventé la bombe atomique !

Surprenant observa un moment de silence. Sa standardiste faisait-elle référence à Einstein ? Oppenheimer était-il frisé ?

— Depuis que j'ai le câble, j'ai le chapeau plus petit que la tête, expliqua Majella, qui semblait lire ses pensées à distance.

— J'ai besoin de renseignements au sujet de la disparition du père de Louis-Marie Gaudet.

— Bonne sainte-anne ! Je sais que je ne suis plus une jeunesse mais quand même ! J'avais dix ans à l'époque. Maman, par exemple...

— Est-ce que toutes les Îles vont le savoir demain ?

— *Nan ! Nan !* Maman est capable de se coudre les babines. Qu'est-ce vous voulez savoir ?

Après avoir soupesé le risque de son entreprise, Surprenant précisa :

— Berthe Lapierre m'a appris que deux hommes ont témoigné pour Maurice Leblanc pendant l'enquête sur la disparition de son mari. Est-ce que votre mère saurait de qui il s'agit ?

— Espérez une minute !

Trois minutes plus tard, la standardiste revint avec des renseignements fragmentaires : les deux hommes étaient des descendants qui travaillaient à Verdun à cette époque. L'un des deux était un Turbide. Au sujet de l'autre, la mère de Majella ne pouvait rien avancer.

— C'est déjà une piste, concéda Surprenant.

---

* Raboudinage : fabrication, réparation de fortune.

— Maman n'a plus toute sa mémoire. Elle a un mélange de diabète et de bingo, comme dirait l'autre.

— Je vous remercie, Majella.

— Appelez donc Casimir. Il doit avoir ça quelque part, soit dans ses souvenirs, soit dans son *pillow* de gazettes. Je suis certaine qu'il se fera un plaisir de vous aider.

— Justement, je ne suis pas certain.

— Qu'est-ce que vous faites encore à l'ouvrage ? Vous travaillez trop, vous allez finir par faire une crise de cœur.

— Ne vous inquiétez pas. Je vais vous laisser...

— Vous me faites penser à Gérald au gros René. Le dimanche, il disait que ses hot-dogs passaient de travers. Le mercredi, il récitait le rosaire dans une boîte de bois. Ah, j'oubliais !... Cet après-midi, Eudore est allé s'habiller au centre d'achats. Un bel habit à rayures, des nouveaux souliers, paraît qu'il n'était pas reconnaissable. Il a tout payé avec une carte de crédit. Eudore à Maurice à Usaric, avec du crédit, on n'a jamais vu ça.

— Merci encore !

— Une autre chose : Thérèse est allée faire son ménage chez le ministre et sa Marilou. Selon elle, tout ce beau monde se prépare à repartir pour le continent.

Surprenant réussit à prendre congé de Majella Bourgeois. Eudore Leblanc était un homme rusé. Dépenser quand on est soupçonné de vol : quelle meilleure façon de faire l'innocent ? Peut-être s'achetait-il de nouveaux vêtements en prévision des funérailles de son frère ? Romain lui avait-il révélé qu'il comptait lui laisser une part d'héritage ? Dans ce dernier cas, Caïn n'aurait pas tué Abel avant d'être certain que le nouveau testament soit bien valide chez le notaire...

La veille, Surprenant avait demandé à Denis Guérette de l'aviser s'il comptait quitter les Îles. Il fallait sans doute plus qu'un assassinat de violoneux pour qu'un ministre obéisse aux ordres d'un sergent. Guérette n'aurait guère de difficulté à invoquer ses responsabilités politiques pour justifier son retour sous des cieux plus cléments. Et ce, d'autant plus qu'il semblait détenir certaines informations au sujet de Ferlatte. Quel genre de bavure ce dernier avait-il commise quand il était jeune agent à Montréal ? Geneviève s'était montrée discrète. Elle avait même souhaité qu'il n'utilise pas cette information contre lui. Pourquoi éprouvait-il une telle antipathie envers Ferlatte ? Il était à la fois plus jeune et plus avancé que lui dans la hiérarchie. C'était déjà une amorce de réponse. Qu'y avait-il d'autre ? Ferlatte était sûr de lui. Surprenant, qui avait érigé le doute en système tant dans sa vie privée que dans son travail, n'appréciait pas les gens qui s'abreuvaient de certitudes. Malgré tout, vu le crédit limité dont il jouissait auprès de ses supérieurs, il lui parut sage de tendre la main à son jeune confrère, quitte à l'orienter une nouvelle fois vers une fausse piste.

Il appela Ferlatte et lui communiqua les observations de la femme de ménage du ministre du Patrimoine.

— Guérette fait ses valises ? s'étonna Ferlatte. Nous venons d'obtenir un mandat pour perquisitionner chez lui !

— Si vous voulez l'utiliser, j'ai l'impression que vous devez vous bouger le cul et attraper l'oiseau avant qu'il s'envole.

— Merci du tuyau. Tu rédiges ton rapport ?

— Je suis devant mon ordinateur. Et vous ?

— J'ai demandé à Tremblay et McCann d'aller chercher Esther McKenzie à Havre-Aubert. Si tu as du nouveau, ne te gêne pas pour m'appeler.

— Vous pouvez compter sur moi, mentit Surprenant.

Rejoint chez lui au Cap-Vert, Casimir Richard n'eut pas besoin de consulter ses archives pour retrouver les noms des deux hommes qui avaient corroboré l'alibi de Maurice Leblanc en 1957.

— C'était John Turbide et Antoine Molaison, dit le vieillard d'une voix assurée.

— Vous vous rappelez les noms après quarante-cinq ans ! le félicita Surprenant.

— Nous avons parlé de la disparition de Benoît Gaudet, ce matin. Mais j'ai une autre raison de me souvenir : John Turbide est à l'hôpital aux Îles au moment où je vous parle.

— Rien de grave, j'espère ?

— Juste un cancer du poumon. J'ai entendu dire qu'ils l'ont *décompté*. C'est le dernier témoin de cette histoire. Molaison est mort il y a dix ans à Sept-Îles.

Quinze secondes plus tard, Surprenant quittait le poste en direction de l'hôpital. Dans un ciel qui s'était vidé de ses nuages, le soleil brillait au-dessus de L'Étang-du-Nord. L'air était sec, les vagues se poursuivaient avec moins de hargne. Il ferait beau le lendemain. À l'hôpital, il n'eut aucune difficulté à trouver la chambre de John Turbide.

— Comment est-il ? demanda-t-il à l'infirmière.

— Il reçoit de la morphine. Il lui reste une partie de sa tête. J'espère pour vous que c'est la bonne.

La chambre était spacieuse et moderne. Malgré le beau temps, les stores étaient fermés. Dans un lit qui paraissait trop grand pour lui, un homme décharné respirait laborieusement. Assise à son chevet, une petite sexagénaire replète lisait une revue.

Surprenant se présenta. La femme se leva.

— Pouvez-vous me dire ce que vous faites ici ? lança-t-elle sur un ton combatif.

— Madame…

— Yvonne Turbide. Je suis la femme de John.

— Je dois parler à votre mari.

— Vous voyez bien que ce n'est pas le moment !

La phrase, d'abord chuchotée, s'acheva sur un crescendo outré. Surprenant observa le malade : il ne bronchait pas.

— C'est important, plaida le policier. Ça ne prendra qu'une minute.

— Vous n'allez quand même pas le tourmenter sur son lit de… avec cette vieille histoire !

— Quelle vieille histoire, madame ?

L'épouse, prise de court, se rassit. À ce moment, une main grise sortit du drap.

— Laisse, Yvonne.

À peine audible, la voix semblait venir d'outre-tombe. Par souci d'économie, John Turbide n'avait ouvert que l'œil droit, lequel fixait Surprenant avec une acuité relative. La main fit signe à Surprenant de s'approcher. Le policier obéit.

— Vous voulez me parler de Maurice ? murmura le mourant.

— En plein ça. Je ne veux pas vous insulter, monsieur Turbide. En 1957, vous avez dit que Maurice Leblanc était avec vous à Montréal quand Benoît Gaudet a disparu à Halifax ?

Les yeux maintenant fermés, Turbide fit oui de la tête.

— C'était vrai ? demanda Surprenant.

— Sortez d'ici ! ordonna l'épouse derrière lui. Venir tourmenter un homme qui hale son dernier vent* !

La main apaisa de nouveau la future veuve. John Turbide sembla rassembler ses forces puis prononça :

— J'ai dit la vérité en 1957... Le 25 octobre, Maurice Leblanc était *au ras* moi, à prendre un coup dans la cuisine d'Antoine Molaison à Verdun... Je dis la vérité encore aujourd'hui, sur mon lit de mort... J'aimerais bien partir sans me faire traiter de menteur.

La tirade, entrecoupée de halètements, semblait témoigner d'une souffrance authentique. Turbide, qui avait porté pendant quarante-cinq ans le poids de son témoignage, s'en déchargeait. Surprenant, instinctivement, le crut.

— Vous avez entendu mon mari ? tempêta l'épouse. Maintenant, laissez-nous en paix, pour l'amour !

Surprenant demeura au chevet du moribond.

— Avez-vous quelque chose à me dire au sujet de la mort de Romain ?

La tête fit oui. L'œil s'ouvrit de nouveau.

— Eudore... Au salon... En mai, quand Maurice est mort... Il m'a posé la même question que vous... Je lui ai donné la même réponse.

Il y eut une pause. Turbide s'agitait, comme s'il débattait d'une question insoluble.

— Il y a eu autre chose, monsieur Turbide ?

— Eudore... Je l'ai vu parler à Louis-Marie... Maurice me l'a toujours dit... Eudore, il est malfaisant... J'ai pas aimé le visage de Louis-Marie, ce soir-là.

---

* Haler son vent : respirer.

Surprenant demeura silencieux, dans l'attente d'autres révélations. John Turbide, les yeux fermés, les lèvres bleues, luttait pour reprendre son souffle. Il fit non de la tête, lentement, comme pour déplorer la cruauté de la mort de Romain ou, plus globalement, la futilité de toute vie, dont la sienne. Surprenant sentit la main de l'épouse sur son épaule.

Il était temps de s'en aller.

Surprenant retourna directement chez lui. Charon, juché sur le piano, l'accueillit de son regard indifférent. « L'animal est définitivement guéri », songea Surprenant en jaugeant les sauts qu'il avait dû effectuer pour atteindre son point d'observation. Il se servit un scotch et s'assit dans son fauteuil préféré, devant la fenêtre. Il n'avait pas perdu son été. Il avait sauvé ce matou qui s'apprêtait à mourir dans le chemin des Montants. Il avait retrouvé la trace de son père, sinon dans la réalité, du moins dans ses souvenirs. Il s'était rapproché de Geneviève, peut-être pour de bon.

Restait le meurtre de Romain Leblanc. Surprenant ferma les yeux. Le silence, après cette suite incessante de visites, de témoignages, de bribes de reels, de couplets de chansons, lui parut bienfaisant. Se pouvait-il que ce fût si simple ?

Il sortit son portable et passa quatre appels.

57

Trois femmes

Allongée sur le sofa de son salon, Marjolaine Vigneau ouvrit les yeux. Les enfants soupaient chez leur grand-mère, la maison était silencieuse. Elle aurait voulu faire la sieste, mais elle ne dormirait pas. Il lui faudrait plusieurs jours ou plusieurs semaines avant de retrouver un sommeil normal. Elle n'était pas pressée. Malgré le chagrin, malgré la tension nerveuse, elle sentait qu'elle possédait une réserve d'énergie. Elle ne pouvait se leurrer : cette assurance intime de pouvoir rebondir n'était pas le fait de sa seule force de caractère. Il y entrait une inavouable sensation de soulagement. Bien que cela ne fût pas encore perceptible, son univers ne tournait plus autour de Romain Leblanc.

Le soleil déclinant inondait la pièce. Il faisait beau. Elle se leva, prit l'étui du violon et sortit dans son jardin. L'observait-on des maisons voisines ? Probablement. « Tiens ! Marjolaine qui évente sa peine sur sa balançoire. » Il lui faudrait se résigner à se cacher pendant quelques mois derrière son personnage public. Elle serait la veuve du violoneux assassiné. On scruterait discrètement son visage à la recherche des stigmates du chagrin. Elle traînerait ce nuage gris au-dessus de sa tête jusqu'à ce que sa vie, souveraine, reprenne son cours.

Elle s'assit face au soleil sur la balançoire que son père lui avait construite sur ses vieux jours. Romain s'en était amusé. « Godème ! Se balancigner aux Îles ! Plante-toi des willows ou cache-toi dans le jardin à l'abri du nordet ! » À cette époque, il jouissait encore, par périodes, de toute sa bonne humeur. Que cet homme pouvait être agréable quand il était heureux ! Elle poussa du pied. La balançoire émit son grincement familier. Le mouvement binaire, dans sa symétrie, était rassurant. Avant, arrière, bonheur, malheur, il existait un ordre et une justice en ce monde. Dans son jardin, ses carottes, ses courges, ses dernières tomates poussaient. La terre n'avait que faire de la mort des hommes. Elle les accueillait, les digérait, les transformait en minéraux qui nourrissaient à leur tour d'autres hommes.

Elle fit jouer les serrures de l'étui. Le violon de Romain reposait dans son écrin de satin violet. Toute sa vie, elle se souviendrait de la visite que lui avait rendue, au début de l'après-midi, Marilou Cholette. « V'là-t-y pas la yeine du petit écyan qui débayque de sa Meycedes ! » avait annoncé sa mère, le nez à la fenêtre. La crinière ébouriffée par le vent d'est, serrant contre sa poitrine l'étui de violon de Romain, l'allure décontractée dans un chandail qui sortait droit d'une boutique de la Grave, l'animatrice s'était approchée d'un pas hésitant de la maison. Après avoir, à grand-peine, éloigné sa mère, Marjolaine avait ouvert. Marilou Cholette tenait toujours l'étui contre elle, comme un bouclier. Marjolaine l'avait toisée, sans dire un mot, avait observé le maquillage, les rides sur le visage, ces lèvres boudeuses qui trahissaient une chirurgie. « Romain a couché avec cette vieille peau ! » avait-elle songé.

— J'ai pensé vous rapporter son violon, avait dit Marilou en lui tendant l'instrument.

L'expression de Marilou Cholette marquait le respect, la contrition, en même temps qu'une étrange solidarité. Marjolaine était tétanisée par la colère. Comment cette pute pouvait-elle avoir l'impudence de se présenter chez elle le lendemain du meurtre de son mari ? Le vent frisquet s'engouffrait par la porte ouverte. D'un geste brusque, Marjolaine avait arraché le violon des bras de la visiteuse.

— Vous n'êtes pas digne de vous promener avec ça, madame.

Le menton de Marilou s'était mis à trembler, elle avait semblé prête à fondre en larmes, si bien que Marjolaine avait ressenti à son égard une certaine compassion.

— C'est comme ça. Pardonnez-moi.

Elle avait refermé la porte, posément, comme on verrouille une écoutille.

Elle contemplait maintenant le violon dans sa balançoire. Comme un visage d'âge mûr, la table, encore parsemée d'arcanson, portait les traces de multiples traumatismes. L'instrument avait été acheté à New York pendant une tournée. *J. Woltmann, Hamburg, 1960.* Romain et elle étaient nés la même année, à deux mois d'intervalle. Romain avait relevé la coïncidence à plusieurs reprises, accentuant l'importance du triangle qu'ils formaient, elle, le violon et lui. Marjolaine prit un linge et essuya affectueusement l'instrument. Elle avait eu beau le rassurer, l'encourager dans la pratique de son art, Romain l'avait toujours soupçonnée de désapprouver sa passion pour la musique. Rien ni personne n'avait eu le pouvoir de s'interposer entre Romain et elle, sinon Romain lui-même. Jusqu'à ces dernières semaines, elle avait été prête à le reprendre, à tenter une nouvelle fois d'apaiser son tourment. Mais la mort de son beau-père avait enclenché un processus qui possédait sa dynamique propre. Au cours de l'été, elle avait senti que l'ordre de sa relation avec Romain était révolu.

Quarante-deux ans... c'était jeune pour mourir ou pour devenir veuve. Qu'allait-elle faire de ce violon ? Jonathan n'avait pas d'oreille. Marianne avait choisi le piano. Personne dans sa famille ne jouait assez bien pour reprendre l'instrument de Romain. Elle le remit dans son étui, referma celui-ci, le posa à ses côtés sur la balançoire. Le vent avait tourné au sud. C'était, miraculeusement, une belle soirée de fin d'été. Pourquoi Surprenant lui avait-il demandé de venir au Lasso ce soir-là ? Ce n'était pas sa place. Elle aurait préféré rester chez elle et récupérer. Avait-il flairé quelque chose ? Chose certaine, il avait appliqué de la pression, jusqu'à ce qu'elle cède.

Marjolaine éprouva un désagréable pressentiment. Les digues pouvaient se rompre. Ce ne serait pas joli.

* * *

Léontine Lapierre déposa le téléphone. Songeuse, elle s'assit sur une chaise de cuisine pour retirer ses souliers neufs et se masser les pieds. La base de son premier orteil droit exhibait une rougeur de mauvais augure. Elle avait pourtant juré de ne plus acheter de chaussures à Montréal. Quand cela ne faisait pas, et Dieu sait que c'était de plus en plus fréquent avec l'allure que prenaient ses pieds, c'était un problème du diable de se faire rembourser.

Contournant ses valises, qui traînaient toujours dans l'entrée, elle descendit quatre marches et tendit le bras sous l'escalier du sous-sol. Les clefs du bar étaient accrochées à l'endroit habituel. Elle les compta : il n'en manquait aucune. Elle remonta au rez-de-chaussée et appela son mari.

Les explications de son Euclide lui apportèrent plus d'interrogations que de réponses. La police était persuadée qu'on avait appelé Romain de son bureau quelques minutes avant sa mort. D'où la question du double des clefs.

— Nous sommes les seuls à connaître cette cachette, s'étonna Léontine.

— Faut croire que tu te trompes, grogna Euclide. Moi, toute cette histoire-là, ça me met complètement vent debout.

Il y eut un silence. Léontine Lapierre pensa que le ton de son mari sonnait faux. Que lui cachait-il ? Connaissait-elle vraiment l'homme qu'elle avait épousé, pour le meilleur et pour le pire, trente et un ans plus tôt ?

— Ce Surprenant m'a posé plein de questions au sujet de Berthe et de Louis-Marie.

Nouveau silence.

— Qu'est-ce qui s'est passé avec Romain ? reprit Léontine Lapierre d'un ton qu'elle aurait voulu plus neutre.

– *God knows!* Ce que je sais, c'est que ce damné sergent m'a averti qu'il serait au Lasso ce soir. Tu parles d'un embarras! Es-tu passée voir Berthe? Aux dernières nouvelles, elle a décidé de se laisser aller.

– J'ai pris la peine de revenir de Montréal. J'imagine que cette fois-ci, elle a vraiment quelque chose.

* * *

De retour chez elle, Geneviève avait trouvé ses fils en train de jouer au hockey dans la cour. La tempête de la veille, les préparatifs de la rentrée scolaire, les rumeurs médiatiques qui entouraient l'ouverture prochaine des camps d'entraînement des équipes professionnelles, la lumière déclinante étaient autant de facteurs qui les avaient amenés, au retour de la plage, à sortir le but du cabanon.

Surprenant avait passé du temps parmi eux au printemps. Un samedi matin de juin, peu après huit heures, elle l'avait découvert jouant seul sur le gazon brûlé par la patinoire. Inlassablement, comme un gamin, il visait le coin supérieur du but. Elle l'avait observé pendant plus de cinq minutes. Elle aurait juré qu'il commentait ses performances, imitant la voix de l'annonceur qui décrivait le Canadien de son enfance. Cette belle insouciance était une façade: s'il était debout à cette heure, c'était qu'il dormait mal. Le fantôme de Maria rôdait toujours. Il avait senti son regard, s'était retourné, avait souri, avait exécuté une feinte savante qui s'était terminée par une chute. Au chaud derrière la vitre, Geneviève goûtait un bonheur doux-amer. André était là, mais pour combien de temps? Pourrait-il oublier sa femme, larguer les amarres, repartir à neuf? Le grand gamin se relevait, secouait la terre qui maculait son jean, se dirigeait vers la maison en s'appuyant comiquement sur le bâton de William.

Il lui avait longuement parlé de ses samedis matin de bonheur solitaire sur la patinoire des Frères Maristes, à Iberville, au temps où son père habitait toujours avec sa famille rue Riendeau. Cela n'avait pas empêché Surprenant de la quitter, comme son père, quelques semaines plus tard.

L'avait-il vraiment quittée ? Il était resté tout près, lui demandant tacitement de l'attendre pendant qu'il remontait la rivière de ses souvenirs.

Tandis qu'elle rangeait la cuisine, Geneviève Savoie s'interrogeait : allait-il revenir pour de bon ? Il ne lui avait pas demandé de l'accompagner ce soir au Lasso pour des raisons strictement professionnelles. Il la voulait près de lui. Il avait besoin d'elle.

C'était cela. Il était peut-être prêt à accepter d'avoir besoin de quelqu'un.

58

Dans la boîte à musique

Sous les lampadaires qui grésillaient, le quai s'avançait, rectangle illuminé, dans les eaux noires du havre de L'Étang-du-Nord. Surprenant descendit de sa Cherokee. Il fut assailli par l'odeur du port, un mélange complexe où dominaient le poisson, l'iode et le mazout. À vingt heures, un lundi soir de fin d'août, l'activité y était réduite. Quelques touristes traînaient au café voisin. Trois adolescentes fumaient au pied du monument érigé aux pêcheurs. Des voix d'hommes s'échappaient de la cabine d'un trente-cinq pieds. Surprenant aurait pu trouver un endroit plus tranquille pour donner rendez-vous à Geneviève, mais la stratégie consistait justement à être vu.

Il marcha jusqu'au bout du quai. À gauche, derrière la jetée qui protégeait le havre des vents du nord, le ponton échoué dressait ses structures fantomatiques devant les braises du couchant. À droite, au sommet des premières falaises de Sur-les-Caps, le phare fouillait le soir de son faisceau puissant. Surprenant se sentait toujours les nerfs à fleur de peau. Cette tension recouvrait cependant une certitude nouvelle. Sa traversée du désert achevait. Bien qu'elle fût aussi tremblotante qu'un mirage, l'oasis était en vue.

Amarrés bord à bord, proue tournée vers le large, les bateaux éprouvaient doucement leurs amarres. Glissant des buttes où les maisons allumaient leurs feux pour la nuit, un vent frais rappelait, malgré la trêve des dernières heures, l'imminence de l'automne. Derrière lui, Surprenant reconnut le pas souple de Geneviève. Il se retourna. Tel qu'il le lui avait demandé, elle portait une tenue aussi neutre que possible, un jean, un blouson de cuir, un petit sac d'un vert vif, ses Converse, qui lui donnaient, si c'était possible, une allure encore plus jeune. Pas d'uniforme, pas d'arme, cheveux dénoués sur les épaules : elle n'était pas en service.

— Je passe le test ?

— Parfaitement.

Il se pencha et l'embrassa, à sa surprise, sur les lèvres.

— Ça fait partie de la couverture ? s'enquit-elle.

— Il n'y a plus de couverture.

— Merveilleux.

— Tu as ton *beeper* ?

— Sur ma hanche.

— Il fonctionne ?

— J'ai vérifié. Maintenant, dis-moi ce qui se passe. Ou ce qui va se passer.

— Nous entrons dans le bar ensemble et nous nous intéressons au spectacle, comme tout le monde.

— Ou plutôt tout le monde va s'intéresser à *nous*. Une minute après notre arrivée, chacun saura que deux bœufs en civil sont dans la place.

— C'est ce que je veux. À un moment donné, je vais disparaître. Ton travail sera de garder un œil sur Marjolaine. Quand ton *beeper* marquera une série de 9, tu lui demanderas de te suivre dans le bureau du patron.

— Dans le bureau ?

— C'est là que ça a commencé. C'est là que ça va finir.

Geneviève poussa un soupir.

— Me garder dans l'ignorance, ça fait aussi partie du plan ?

— Ne t'en fais pas. Tout se passera bien.

— Si tu le dis...

Ils utilisèrent la fourgonnette de Geneviève pour se rendre au Lasso. Ils parlèrent peu. Le crépuscule parait les collines de Fatima de lilas et de rouille. À leur gauche, l'écume des vagues semait des taches pâles, mouvantes, dans la nuit naissante. La cavalière de l'enseigne du bar brillait de tous ses néons, projetant des éclats bigarrés sur les véhicules qui débordaient du stationnement. Surprenant dit à Geneviève de se garer en bordure de la route.

— On va devoir quitter l'endroit en vitesse ? demanda Geneviève.

— Je n'aime pas me sentir coincé.

— Je sais.

Le ton était bienveillant. Surprenant descendit de la fourgonnette avec le sentiment de porter une armure. Des échos de country s'échappaient du Lasso, comme si le bâtiment avait été une gigantesque boîte à musique. Se frayant un chemin parmi les jeunes qui flânaient près de l'entrée, ils pénétrèrent dans le bar. Le premier choc était sonore : jaillissant de haut-parleurs juchés aux quatre coins de la salle, la musique — accentuation du contre-temps, miaulement de guitares hawaïennes, voix nasillarde d'un chanteur racontant son expérience de la famille recomposée — disparaissait presque sous la rumeur sourde des conversations. La deuxième impression était olfactive: l'alcool coulait à flots, la moitié des clients fumait la cigarette, la salle était si bondée que les odeurs corporelles, soupçons de parfum, de savon, de lotion après-rasage, sueur, confluaient en une fragrance unique, puissante, qui rappela à Surprenant les soirées de danse de son adolescence.

Les petites tables noires étaient toutes prises. Sur la scène où brillaient guitares, violons et batterie, Gilbert Poulin mettait la dernière main aux branchements. Surprenant entraîna Geneviève vers le bar, derrière lequel, chemise bleu poudre, tempes en sueur, Pierrot officiait. Un tabouret semblait, par miracle, inoccupé. Surprenant y installa Geneviève.

— D'ici, tu as vue sur toute la salle.

Ses yeux de serveur balayant méthodiquement le bar, Pierrot n'avait rien perdu de l'arrivée de Surprenant.

— Vous faites du temps supplémentaire?

— J'aime la musique. Le spectacle commence à quelle heure?

— Vers huit heures et demie. C'est lundi. Il y a quand même quelques personnes qui travaillent demain.

— Qui joue?

— Tous ceux que vous ne connaissez pas.

— Louis-Marie en sera?

— Ça me surprendrait. Sa mère est malade.

Surprenant commanda une bière, Geneviève, un verre d'eau minérale. Le temps passa. Quatre musiciens, parmi lesquels Surprenant reconnut le petit François, apparurent sur scène, l'air grave, comme s'ils accompagnaient des funérailles. Le bavardage des buveurs enfla. Surprenant écoutait les conversations qui, pour la plupart, tournaient autour de l'enquête. Rumeurs, racontars, conjectures : la présence de la police dans le chemin Patton et le vol chez Romain, la nuit dernière, étaient les deux principaux sujets de discussion. Sans surprise, le nom d'Esther McKenzie circulait abondamment.

La porte du bureau s'ouvrit. Euclide Déraspe apparut, sa charpente voûtée emprisonnée dans un veston de lin qui avait connu de meilleurs jours. De son regard oblique, il évalua l'assistance. Reconnaissant Surprenant au bar, il lui adressa un regard interrogatif. Surprenant fit non de la tête. Déraspe retraita dans son refuge.

Les musiciens commencèrent à jouer.

C'est la chanson du vieux Edmond
Qui naviguait dans son salon
Dans ses palabres, dans sa parlotte
Il en avait que pour son botte

— Je ne la connaissais pas, celle-là, cria Surprenant dans l'oreille de Geneviève.

— Veux-tu me dire ce qui va se passer ?

Marjolaine Vigneau fit son entrée, vêtue d'un jean et d'un veston noirs, accompagnée d'une femme plus âgée qui semblait être sa sœur. Les têtes se tournèrent dans sa direction, le vacarme des conversations redoubla. Était-ce un acte de courage ou de mépris ? La veuve auréolée de son malheur était sortie pour assister à une soirée en l'honneur de son homme.

— Tu ne la quittes pas des yeux, ordonna Surprenant à Geneviève.

La soirée continua. Malgré la ventilation, il faisait chaud dans la salle. Les musiciens défilaient sur la scène, en diverses formations qui, toutes, reprenaient la musique de Romain Leblanc. Si certains spectateurs écoutaient, la majorité continuait à parler comme si de rien n'était, à tel point que le volume conjugué de la musique et des conversations devint assourdissant.

La silhouette filiforme de Louis-Marie Gaudet apparut près de l'entrée. Il se dirigea vers le fond de la salle. Calme, les bras croisés, il s'absorba dans l'écoute de la musique, tel un imprésario évaluant la prestation de ses protégés.

— C'est parti, murmura Surprenant à Geneviève.

Il acheva sa bière et se fraya un chemin, le plus discrètement possible, vers le guitariste.

59

Un bon garçon

Surprenant mit près d'une minute à parcourir les quinze mètres qui le séparaient de Gaudet. Torses, bras, jambes, il devait fendre la masse compacte des Madelinots qui, eux, bien que connaissant son identité et sa fonction, ne se fendaient pas en quatre pour lui laisser le passage.

Le musicien parut étonné quand Surprenant lui demanda de le suivre. Au vu de toute l'assemblée, les deux hommes entreprirent le périple qui les mena, en longeant le bar, jusqu'au bureau d'Euclide Déraspe. Surprenant frappa.

Un verre de gin à la main, le propriétaire du Lasso ouvrit.

— Je commençais à désespérer, dit Déraspe d'un ton faussement bonhomme.

Ni Surprenant ni Gaudet ne lui répondirent. Surprenant prit place dans le fauteuil ergonomique derrière le bureau.

— Pouvez-vous m'expliquer… protesta Gaudet.

— Ne fais pas l'innocent, le coupa Surprenant en lui désignant une chaise devant lui.

— Je crois que je suis de trop dans cette pièce, annonça Déraspe en se dirigeant vers la porte.

— Au contraire, j'ai besoin de vous, dit Surprenant.

Lorgnant le fauteuil qu'avait réquisitionné Surprenant, Déraspe s'assit inconfortablement sur une chaise droite, torse penché vers l'avant. Surprenant observait Louis-Marie Gaudet. Les cheveux noués sur la nuque, le visage maigre et pâle, la posture et le regard bien droits malgré une nervosité évidente, il évoquait assez un premier chrétien déterminé à ne pas renier sa foi sous la torture.

— Tout d'abord, commença Surprenant, j'aimerais que vous me précisiez les liens qui vous unissent.

Déraspe et Gaudet se regardèrent comme s'ils se voyaient pour la première fois.

— Louis-Marie se trouve à être le fils de la cousine de ma femme, reconnut Déraspe.

— Je ne parle pas seulement des liens familiaux. Si j'ai bien compris, votre épouse et la mère de Louis-Marie sont très proches.

— Je ne vous apprendrai rien en vous disant qu'aux Îles, tout le monde est proche de tout le monde, ironisa Déraspe.

— En ce moment même, votre femme est au chevet de Mme Lapierre. D'après ce que j'ai pu comprendre, Louis-Marie a dès son jeune âge fréquenté votre maison. Il doit connaître l'endroit où vous cachez le double de vos clefs. Plus tard, dans son travail de musicien, il a aussi souvent joué au Lasso. Il a probablement eu accès à ce bureau. Est-ce que je me trompe ?

Euclide Déraspe fit la moue.

— Fréquenter, c'est un grand mot. Louis-Marie n'a pas mis les pieds chez nous depuis au moins cinq ans. Pour ce qui est de l'endroit où je cache mes clefs, mettons qu'il n'est pas difficile à trouver.

— Où voulez-vous en venir, sergent ? intervint Louis-Marie.

— À trois heures neuf, dans la nuit de samedi à dimanche, vous avez appelé Romain de ce bureau.

— Vous êtes fou ! À cette heure, j'étais chez moi et je dormais. Vous avez eu la délicatesse d'interroger ma mère là-dessus, pas plus tard que cet après-midi.

— Le témoignage de votre mère ne constitue pas un alibi suffisant, rétorqua Surprenant. Deux personnes pouvaient passer cet appel et elles sont ici devant moi.

— En tout cas, ce n'est pas moi, affirma Déraspe en considérant son voisin d'un œil nouveau.

Loin de se démonter, Louis-Marie Gaudet sembla soudain d'humeur plus combative.

— Mettons les pendules à l'heure, sergent Surprenant. M'avez-vous fait venir ici pour m'accuser du meurtre de Romain ?

— Disons que j'ai quelques questions à vous poser.

— Je ne suis pas obligé de répondre ! Je veux un avocat !

— Si vous êtes aussi innocent que vous le prétendez, pourquoi craignez-vous mes questions ?

Gaudet se calma aussi subitement qu'il s'était enflammé.

— Vous avez raison. Je n'ai rien à cacher.

Surprenant se tourna vers Déraspe et lui demanda de les laisser seuls. Réflexe d'insulaire ou de clan, le patron du Lasso ne put s'empêcher de plaider la cause de Gaudet.

— J'espère que vous savez ce que vous faites, Surprenant. Vous avancez quelque chose qui n'a aucune allure. Louis-Marie et Romain, c'étaient les deux doigts de la main.

— Justement.

Euclide Déraspe vida son verre de gin et regagna la salle. Surprenant et Gaudet restèrent face à face. Sur la scène, une femme entonnait *Le bord de la côte*.

— Une belle chanson, apprécia Surprenant.

Gaudet se taisait.

— Pourquoi permettiez-vous à Romain de s'approprier votre musique ?

— Je ne faisais qu'arranger de petits trucs par-ci par-là.

— Faux ! Vous avez composé cette chanson plusieurs années avant que Romain l'enregistre.

— Je ne sais pas où vous avez pêché ça. Romain voulait se charger du fardeau d'être une vedette, c'était son choix. Tout le monde vous dira que je n'ai jamais voulu me mettre en avant. Je n'ai jamais chanté en solo. Je fais des *back vocals*, j'accompagne, j'arrange.

— Vous êtes un bon garçon.

Gaudet ne broncha pas.

— Vous êtes un bon garçon à sa maman.

— Laissez ma mère en dehors de ça !

— Vous êtes assez intelligent pour savoir qu'elle est en plein milieu de l'histoire.

Excédé, Gaudet se leva et marcha jusqu'à la fenêtre.

— Vous avez fait psychologie 101 au collège ?

— Revenez vous asseoir, monsieur Gaudet.

— Je suis très bien ici.

— Je veux voir votre visage.

— Ma mère est sur le point de mourir. Je voudrais retourner chez moi. Vous m'interrogerez demain.

— Votre mère est une femme perspicace. Ce n'est pas pour rien qu'elle se sent mal aujourd'hui. Vous resterez avec moi tant que vous ne m'aurez pas avoué que vous avez tué Romain Leblanc.

La tension monta d'un cran entre les deux hommes. Les enjeux étaient désormais clairs. Surprenant entreprenait le siège du guitariste.

— C'est le moment de me lire mes droits, j'imagine ?

— Pas encore. Laissez cette fenêtre et reprenez votre siège. Si vous êtes innocent, vous n'avez rien à craindre, n'est-ce pas ?

— Vous voulez faire votre numéro ? Je préfère l'entendre debout.

— Comme vous voudrez.

Surprenant se renversa dans le fauteuil d'Euclide Déraspe. La position classique de l'interrogatoire — l'accusé assis, le policier debout — se trouvait inversée. Néanmoins, il se sentait à l'aise dans cette situation. Devant les grandes baies qui s'ouvraient sur les lumières de Fatima, Gaudet lui faisait songer, curieusement, à un poisson prisonnier d'un aquarium. Bien assis dans son fauteuil, il avait tout le loisir de l'observer avant de le cueillir dans son épuisette.

— Une des premières choses qui m'ont frappé hier, c'est que ce meurtre se voulait sophistiqué. Ce n'était pas un crime bâclé, banal, fortuit. C'était l'œuvre d'un cérébral, l'inverse d'un crime passionnel. Vous vous croyez malin ? Trop, c'est comme pas assez. Pour commencer, il y a le coup de téléphone, le portable qui disparaît. Vous aviez besoin d'attirer Romain chez lui, cette nuit-là. Il ne vous a pas été difficile d'obtenir le double des clefs. En appelant du Lasso, vous pouviez au besoin détourner les soupçons vers Euclide, qui avait de bonnes raisons d'en vouloir à Romain.

« Vous vous êtes rendu chez Romain discrètement, à bicyclette. Vous l'avez drogué avec du lorazépam. Comment ? Je parierais pour quelques comprimés réduits en poudre que vous avez noyés dans un verre de vin. Avez-vous pris ses propres comprimés ? En aviez-vous d'autres sous la main ? Ce sera à vérifier. Quand il s'est endormi sur le sofa, vous l'avez tiré droit dans le cœur. Ici, vous avez commis une erreur en prenant un angle et une distance qui invalidaient l'hypothèse du suicide.

« Vous avez évidemment pris soin de ne pas laisser d'empreintes sur la carabine. Mieux, vous vous êtes arrangé pour laisser celles d'Esther McKenzie, que vous aviez vue manipuler l'arme quelques jours auparavant. Comment ? Je pencherais pour des gants. La question du bruit de la détonation se posait. Mais un seul coup de 22 tiré à l'intérieur d'une maison en pleine nuit ne suffisait pas à attirer rapidement des voisins.

« Pendant que Romain dormait, vous avez disposé de quelques minutes. Vous avez verrouillé portes et fenêtres. Vous avez remis la clef dans la poche de Romain. Vous êtes monté dans la chambre à l'étage, pour les fenêtres. Là, vous avez commis une erreur en emportant trois objets : le portable de Romain, le scénario et la boîte à cigares. Où celle-ci était-elle rangée ? Je ne le sais pas. Vous aviez suffisamment fréquenté Romain pour connaître ses manies.

« Vous avez quitté la maison par la porte du sous-sol, dont vous connaissiez l'existence. Puis vous êtes rentré tranquillement chez vous par le sentier et le chemin Huet. J'imagine qu'à votre retour vous vous êtes débarrassé de ce qui pouvait être dangereux, chaussures, gants, vêtements, en plus du téléphone et du scénario. Le coffre à cigares pouvait toujours servir. Votre mère devait dormir profondément, assommée par une bonne dose de narcotiques. Si elle prétend que vous avez ronflé toute la nuit, c'est qu'elle a une idée de ce qui s'est passé et qu'elle veut vous couvrir. Ce qui ne l'empêche pas de se sentir assez coupable pour se laisser mourir. »

Sous un couvert d'impassibilité, Louis-Marie Gaudet avait écouté la démonstration de Surprenant avec une tension croissante.

— Ma mère, coupable ! railla-t-il. De quoi, s'il vous plaît ?

— Je reviendrai là-dessus plus tard, dit Surprenant d'un ton professoral.

— Vous avancez une hypothèse. Avez-vous des preuves ?

— Je n'en aurai pas besoin. Vous allez avouer, Louis-Marie.

— Vous êtes fou ! Je n'ai pas tué Romain.

Dans la salle, on jouait la *Valse Brunette*. Surprenant hocha la tête et sourit, comme devant un enfant récalcitrant.

— Vous êtes un homme prudent. Mon père aurait dit de vous que vous portez une ceinture et des bretelles. Vous vouliez que le meurtre puisse passer pour un suicide, mais vous avez prévu que la police pouvait flairer l'homicide. Vous avez donc semé la confusion. Premier écran de fumée : le coup de téléphone passé du Lasso, pour mettre Euclide dans l'embarras. Deuxième écran :

le scénario. Vous avez eu l'occasion de le lire, puisque Romain l'avait en sa possession. Peut-être en avez-vous discuté le vendredi soir quand vous vous êtes retrouvés seuls tous les deux après la scène des moules avec Esther? Pourquoi ne pas emprunter des éléments du scénario pour commettre le meurtre? C'est cool, c'est élégant, ça peut mêler les constables. Troisième écran, le plus sérieux: les indices orientant les soupçons vers Esther.

«Vous avez observé l'enquête de l'extérieur. Vous avez eu vent de l'arrivée de l'équipe de Rimouski. Je suis allé vous interroger chez vous, nous avons fouiné dans le sentier, vous avez peut-être vu un agent et le technicien en scène de crime dans le chemin Huet. Votre première ligne de défense, le suicide dans la maison close, ne tenait pas.

«Là, vous avez paniqué. Comme si les empreintes ne suffisaient pas, vous avez tenté d'aggraver le cas d'Esther en dérobant sa bicyclette, hier soir. Vous l'avez cachée dans le chemin Patton, avec l'argent contenu dans la boîte à cigares, dans l'intention évidente qu'elle soit découverte. En semant des indices qui incriminaient les autres, vous avez au contraire attiré les soupçons sur vous. Pour bien faire, Louis-Marie, vous auriez dû trouver une façon sécuritaire de vous rendre suspect.»

Louis-Marie Gaudet fixait Surprenant avec un sourire goguenard.

— Vous avez beaucoup d'imagination. Vous voulez me mettre ce meurtre sur le dos. Je ne dirai plus un mot avant d'avoir consulté un avocat.

— Vous n'avez pas besoin de parler. Regardez. Je vais vous imiter.

Surprenant allongea la main et composa un numéro à l'aide du téléphone qui siégeait sur le bureau d'Euclide Déraspe. Il attendit quelques secondes, puis appuya quatre fois sur la touche 9. Gaudet devint nerveux.

— Qui avez-vous appelé ?

— Quelqu'un qui ne sera pas content de ce que vous avez fait.

— J'en ai assez !

Gaudet fonça vers la porte. D'un bond, Surprenant fut devant lui.

— Tout doux ! Je vous l'ai dit tantôt : vous ne quitterez pas cette pièce avant d'avoir avoué.

Le guitariste concédait vingt kilos à Surprenant. Il se laissa mener vers l'un des fauteuils qui faisaient face au bureau.

— Jouez des bras tant que vous voulez, vous n'obtiendrez rien de moi.

— C'est ce qu'on verra.

60

Le second violon

Marjolaine Vigneau entra, suivie de Geneviève. La veuve ne parut pas surprise de trouver Gaudet dans la pièce. Elle se tourna vers Surprenant et demanda d'un ton inquiet ce qui se passait. Le policier, sans répondre, la pria de s'asseoir. D'un signe de tête, il désigna la porte extérieure à Geneviève. La policière se posta dans le fond de la pièce.

— Je vais vous conter une histoire, commença Surprenant en croisant les mains devant lui à la façon d'un prêtre.

— Vous n'avez aucun droit d'agir de la sorte ! protesta Gaudet.

Surprenant ne lui prêta aucune attention.

— Ce ne sera pas très long, madame. L'histoire débute en 1957. Maurice Leblanc, votre ex-beau-père, et Benoît Gaudet sont tous deux amoureux de Berthe Lapierre. Il y a bagarre. Benoît Gaudet casse le poignet de Maurice, qui ne pourra plus jamais jouer du violon.

Berthe choisit Benoît. Ils se marient. Benoît construit de ses mains une maison à la Belle-Anse. Le malheur frappe en octobre 1957. Benoît disparaît à Halifax sans laisser de traces. Les soupçons se portent tout naturellement vers Leblanc, qui n'était pas aux Îles à ce moment-là.

— Je connais cette histoire, intervint agressivement Marjolaine. Vous pouvez accélérer.

— Des témoins jurent avoir vu Maurice Leblanc à Montréal. L'enquête fait long feu. On n'a jamais su ce qui était arrivé à Benoît Gaudet. Louis-Marie naît quelques mois plus tard. Sa mère éconduit Maurice Leblanc quand celui-ci rapplique en hiver puis au printemps. Il finit par faire un mariage d'intérêt, sans jamais oublier sa Berthe. Quand celle-ci tombe malade, il réussit à mettre la main sur la maison de son ancien rival, maison qu'il possédera jusqu'à sa mort ce printemps et qui passera à son fils Romain en même temps que tout son héritage. Pour résumer, madame, à l'heure où on se parle, vous êtes probablement propriétaire de la maison de Louis-Marie.

Sourcils froncés, Marjolaine Vigneau paraissait troublée.

— Là, vous m'apprenez quelque chose. Romain ne m'a jamais parlé de ça.

— Romain l'a appris récemment en fouillant dans les dossiers de son père. Je reviendrai là-dessus tantôt.

Marjolaine se tourna vers Louis-Marie.

— Pourquoi ne m'as-tu jamais mise au courant ?

— J'ai toujours cru que maman était propriétaire de la maison...

— Vous mentez, assena Surprenant. Vous avez toujours su que votre mère était en dette envers les Leblanc. Elle n'a jamais payé de loyer et vous le saviez !

Louis-Marie Gaudet se tint coi. Surprenant reprit son récit.

— Que se passe-t-il entre Berthe et Maurice quand celui-ci lui offre d'habiter gratuitement la maison de la Belle-Anse ? Entre eux, il n'est plus question d'amour. Sous le couvert d'un acte charitable, il veut la contrôler. Ils passent un contrat tacite. Il lui laisse l'usage de la maison et s'assure de son entretien. Que lui donne-t-elle en retour ? Selon Berthe, Maurice ne lui a rien demandé. C'est contraire à tout ce que nous savons de lui. Nous sommes en juillet 1972. Louis-Marie a quatorze ans, Romain en a douze. Louis-Marie se produit déjà en public, dans des noces, à l'église. Il joue du piano et du violon.

Après avoir insisté sur ce dernier mot, Surprenant observa une pause. Marjolaine le regardait avec appréhension.

— Vous ne m'apprenez rien là, assura-t-elle d'un ton nerveux. Je savais que Louis-Marie avait déjà fait un peu de violon. Ce n'est pas compliqué, il joue de n'importe quoi.

Sans se démonter, Surprenant reprit son récit.

— Louis-Marie ne faisait pas « un peu de violon ». Il jouait très bien ! Qu'est-ce qui s'est passé, qu'est-ce qui s'est dit entre Maurice, Berthe et leurs fils en 1972 ? Nous ne le saurons jamais. Cet automne-là, Romain entre à la polyvalente. Il commence à faire de la musique avec Louis-Marie, *qui lui apprend tout ce qu'il sait*. Louis-Marie s'efface derrière Romain et prend le rôle de second violon. Pire, il range le sien sur une tablette de sa garde-robe et se met à la guitare. Romain possède un talent brut, mais il lui manque quelque chose, la technique, le sens de l'harmonie, le talent de compositeur. Louis-Marie devient l'éminence grise derrière le Margot.

— Vous délirez, grinça Gaudet.

— Je ne délire pas et vous le savez. Inconsciemment, en bon garçon, vous remplissiez votre part du contrat. Vous aviez saisi que votre mère était à la merci de Maurice Leblanc. Vous répariez le tort que votre père avait causé à Maurice Leblanc quinze ans plus tôt en lui cassant le poignet et en mariant votre mère. En un mot, vous achetiez la paix et payiez l'hypothèque !

— Je vous répète de laisser ma mère en dehors de tout ça !

Sourire aux lèvres, Surprenant se tourna vers Marjolaine.

— Le dernier sujet qu'un homme veut aborder en présence d'une femme, c'est celui de sa mère. Mais reprenons notre histoire. Les années passent. Louis-Marie et Romain deviennent inséparables. Ils ont plus que la musique en commun. Sans se le dire, probablement, ils partagent le fardeau de leurs contrats respectifs. Romain poursuit le rêve de son père, Louis-Marie assure la sécurité de sa mère. En 1976, ils se produisent en public, Romain au violon, Louis-Marie à la guitare. Le duo infernal est né. C'est ici que vous intervenez, madame.

La veuve, qui semblait de moins en moins à l'aise, assura qu'elle ne comprenait pas.

— Vous avez commencé à sortir avec Romain très tôt.

— Nous avions dix-huit ans.

— Louis-Marie, par un curieux tour du destin ou par désir de venger son père, vous a toujours aimée.

Dans le silence meublé par l'écho lointain d'un reel, Marjolaine et Louis-Marie échangèrent un regard interrogateur.

— C'est à mon tour de vous dire que vous délirez, sergent. Louis-Marie et moi avons toujours été amis, c'est tout.

— Parlez pour vous. Louis-Marie et vous avez formé un couple virtuel, chargé de veiller sur l'enfant terrible qu'était Romain. Vous tolériez les aventures amoureuses de votre mari. Louis-Marie endurait l'égoïsme monstrueux de la vedette qu'il avait contribué à créer. Bien sûr, vous aimiez sincèrement Romain, tout en accueillant de façon platonique la dévotion de Louis-Marie.

— Ne l'écoute pas, Marjolaine, plaida Louis-Marie.

— Je n'ai pas eu besoin de convoquer Louis-Marie ici ce soir, poursuivit Surprenant. Je savais que vous l'appelleriez. Est-ce que je me trompe ?

— Non, admit Marjolaine. Où voulez-vous en venir ?

— La situation était stable, jusqu'à la mort de Maurice Leblanc, en mai. Eudore, le fils déshérité, descend alors de Montréal pour les funérailles. Tout à l'heure, je suis allé faire un tour à l'hôpital. J'ai parlé à un dénommé John Turbide. Ça vous dit quelque chose, Louis-Marie ?

— Tout le monde sait qu'il a témoigné en faveur du père de Romain en 1957.

— En effet. Même sur son lit de mort, il maintient que Maurice Leblanc était avec lui à Verdun le soir où Benoît Gaudet a disparu. Personnellement, j'ai tendance à le croire. Par contre, il m'a appris qu'Eudore l'avait longuement questionné sur les événements de 1957, aux funérailles du vieux Maurice. Eudore était amer. Il détestait Romain. C'est un homme intelligent, bien au fait de la dynamique familiale. Il vous a parlé, Louis-Marie, n'est-ce pas ?

— Non, fit Louis-Marie d'un ton peu convaincant.

— Quoi qu'il en soit, Romain, subitement, entrait en possession de l'héritage de son père et était délivré de son «contrat». Comme un veau du printemps, il s'amourache d'Esther McKenzie et s'installe avec elle dans la maison du chemin des Arsène. C'est une accordéoniste. Romain le Margot découvre une occasion de piller le savoir d'un autre musicien. Il y a scission entre Romain et vous, Louis-Marie. Emporté par un vent de changement, Romain provoque aussi une crise très sérieuse dans son couple.

«Mais un autre événement majeur est en cours: Berthe est atteinte d'un cancer et va mourir, délivrant aussi Louis-Marie de son "contrat". Marjolaine a une aventure. Romain lui envoie une lettre d'avocat et lui annonce son intention de divorcer. Louis-Marie voit enfin l'occasion de s'approprier Marjolaine ou, du moins, de l'aimer au grand jour.»

Surprenant interrompit son récit pour observer Marjolaine et Louis-Marie. La veuve, le regard fixe, les poings serrés, frémissait de colère. Gaudet, aux aguets, attendait l'hallali.

— C'est alors que se produit le dernier revirement. *Romain change d'idée*. Lassé d'Esther, effrayé par la perspective d'un divorce ou simplement jaloux à la suite de l'aventure de Marjolaine, il décide de retourner auprès d'elle. Subitement, il est détendu, soulagé. Il passe chez le notaire pour refaire son testament, il commande une bague chez un orfèvre. La veille du meurtre, pendant un souper chez lui, il provoque une scène avec Esther. Elle quitte sa maison. Romain et Louis-Marie restent seuls après le départ des convives. Ils jouent quelques pièces, comme dans le bon vieux temps.

Ensuite, Romain, tout bonnement, confie à Louis-Marie sa décision de rompre avec Esther et de renouer avec Marjolaine.

«Cette fois, c'en est trop. Louis-Marie va perdre en même temps sa mère et Marjolaine. Il sera le locataire de Romain. Il sera l'accompagnateur de Romain. Il aura tout perdu. Le verre déborde. Le bon garçon se révolte. Il y a une solution toute simple: tuer Romain, se débarrasser de son fardeau une fois pour toutes, ce qu'il fera…»

Poussant un cri de rage, Marjolaine saisit la statuette de pierre sur le bureau et se précipita, bras levé, vers Louis-Marie. Celui-ci esquiva le coup, tordit le bras de Marjolaine et, la saisissant à bras-le-corps, la précipita avec force contre Surprenant qui contournait le bureau.

Geneviève, qui était restée près de la porte extérieure, attaqua Gaudet par derrière. Il l'accueillit avec un coup de coude sur la mâchoire. Elle s'affala contre Marjolaine qui gémit de douleur. Pendant que Surprenant essayait de se dépêtrer des deux femmes, son suspect s'enfuit par la porte de la galerie.

61

La Belle-Anse

Étourdie, Geneviève perçut plus qu'elle ne vit Surprenant l'enjamber en se précipitant vers l'extérieur. Il ouvrit mais rencontra un obstacle: Gaudet avait calé la chaise longue d'Euclide entre la porte et la rampe. Surprenant se recula, projeta sa masse contre le battant. Il y eut un craquement. La porte béa suffisamment pour le laisser passer.

Geneviève réussit à se mettre debout. Sa tête tournait. Sa mâchoire lui faisait mal. Elle sortit à temps pour voir Surprenant qui courait le long du bâtiment. Vingt mètres devant, bien visible sous les lumières du stationnement, Louis-Marie Gaudet traversait la route principale et prenait à gauche en direction de L'Étang-du-Nord.

La nuit était belle, tiède. L'air était chargé de l'odeur du foin mouillé. Des phrases de violon s'échappaient de la salle. La course entre Gaudet et Surprenant s'engagea. Ils avaient à peu près le même âge, mais Gaudet était plus léger et connaissait le terrain. Néanmoins, Surprenant maintenait l'écart. Geneviève s'élança dans leur sillage, bénissant son choix de chaussures. Elle jeta son sac dans le fossé, prit le temps de se débarrasser de son blouson de cuir, qui la gênait. Elle s'entraînait quatre fois par semaine : si la poursuite s'étalait sur plus d'un kilomètre, elle ne doutait pas qu'elle rejoindrait les deux hommes.

Surprenant était à plus de trente mètres devant elle. Il courait comme un train, torse droit, tête vers l'arrière, genoux hauts, bras battant furieusement l'air, dans une débauche de dépense énergétique. « Il va faire une crise de cœur », s'alarma Geneviève. Où allait Gaudet ? Il tourna à droite sur le chemin de la Belle-Anse. « Il va se barricader chez lui. » Surprenant prit un raccourci par le champ, pour rattraper Gaudet par la diagonale. Mal lui en prit : la terre était toujours humide. Geneviève le vit glisser, tomber, se relever, reprendre sa course effrénée vers le fugitif. Elle accéléra l'allure. Elle continua sur l'asphalte, son deuxième souffle arrivait, elle vit qu'elle gagnait du terrain sur Gaudet dont la course était moins fluide. Il ne pourrait pas tenir longtemps cette cadence. Surprenant, malgré sa chute, retrouva la route dix mètres derrière Gaudet. Elle-même suivait vingt mètres derrière. Ses poumons brûlaient, son cœur battait à se rompre, elle n'osait imaginer ce qui se passait dans la poitrine de Surprenant.

Deux fenêtres brillaient sur la façade de la maison jaune. Gaudet, loin de se barricader, passa outre et fonça vers la côte. *« La falaise… Il va se jeter en bas de la falaise… »* Surprenant n'avait plus que quelques mètres de retard. À cette heure, la halte de la Belle-Anse était déserte. Gaudet sauta par-dessus la clôture de bois, trébucha, se releva et se précipita vers le vide. Quand il fut à trois mètres du rebord, Surprenant plongea et le ceintura par la taille.

Les deux hommes roulèrent, s'immobilisèrent dans l'herbe longue, à moins d'un mètre du surplomb. Geneviève, éperdue, les rejoignait quand le bord de la falaise, comme un château de cartes, s'effrondra.

Elle entendit un cri étouffé puis un unique « plouf ! ». « Dieu merci, la marée est haute », pensa Geneviève. Elle s'allongea de tout son long dans l'herbe mouillée. Dix mètres plus bas, Surprenant, la tête submergée, flottait mollement à la surface des vagues. À ses côtés, titubant dans un mètre d'eau, Gaudet semblait reprendre ses esprits.

Geneviève se releva, prit son élan et sauta dans le vide. Pendant une seconde qui lui parut une éternité, elle flotta, bras écartés, genoux fléchis, dans le ciel étoilé. Elle amerrit brutalement dans l'eau froide. Le choc fut moins violent qu'elle ne l'avait redouté. Ses pieds touchèrent le fond, ses cuisses amortirent l'impact, elle se retourna pour secourir Surprenant.

Elle n'eut pas besoin de le faire. Louis-Marie, peut-être mû par ses réflexes d'ambulancier, avait saisi le policier à bras-le-corps et le tirait vers le rivage.

— Qu'est-ce que vous faites ? hurla-t-elle en se précipitant vers les deux hommes.

Gaudet ne répondit pas. Il abandonna Surprenant, toujours inerte, sur une minuscule plage entre deux pans de falaise, puis fit face à Geneviève, l'air farouche.

— Il respire. Il va s'en tirer. Maintenant, ôtez-vous de mon chemin !

Geneviève s'immobilisa pour juger de la situation. Elle se tenait entre Gaudet et le large, bras levés en position de défense. Les vagues frappaient son dos. Elle avait de l'eau jusqu'à mi-cuisse. Surprenant était sonné. Respirait-il vraiment ? Devait-elle capturer le fugitif ou s'occuper de son coéquipier ?

— Ne bougez pas ! ordonna-t-elle à Gaudet. J'ai fait du judo, vous n'avez aucune chance.

Un rictus de désespoir et de haine déforma le visage du guitariste. Il fonça poings levés sur la policière, qu'il dominait d'une tête.

Geneviève Savoie n'avait pas menti quand elle avait évoqué sa connaissance des arts martiaux. Comme dans un rêve, elle saisit le bras droit de son agresseur et exécuta un simple *harai goshi*. Une seconde plus tard, Gaudet avait basculé par-dessus sa hanche et se débattait sous l'eau. Malgré ses coups désespérés, malgré les vagues, elle le maintint fermement sous la surface et compta jusqu'à quinze. Gaudet se relâcha. Avec un calme irréel, elle redressa son suspect, lui fit une clef de bras et le traîna vers le rivage.

Surprenant s'était tourné de lui-même sur le côté et toussait.

Tout le monde était sauf. Haletante, Geneviève Savoie pensa que le drame n'avait finalement fait qu'une victime, Romain Leblanc, dont le corps, dépouillé de ses viscères et de son âme, reposait, loin des siens, dans un casier de la morgue de l'Institut de police de Montréal.

Mercredi, 11 septembre 2002

62

Le feu sous la marmite

La Cadillac blanche roule le long de la plage, entre les maisons pastel et les palmiers. À l'intérieur, un homme aux cheveux grisonnants le salue de la main, d'un geste à la fois amical et dédaigneux, tout en mordant un cigare si long qu'il perce le pare-brise et dépasse du capot. Surprenant veut sortir de la mer, mais le ressac est trop fort. Ses pieds s'enfoncent dans le sable. Il ne peut plus bouger. La Cadillac disparaît derrière une réplique tropicale de Cap-aux-Meules.

Surprenant ouvrit les yeux. Après un instant d'égarement, il reconnut la chambre de Geneviève, l'abat-jour de toile fauve, les meubles de bois pâle, *La femme au mango* de Gauguin, qui contrastait avec le paysage sylvestre de la fenêtre. Il allongea la main et rencontra la hanche chaude de celle qu'il osait désormais appeler sa blonde. Il s'était souvent posé cette question : si Romain Leblanc n'avait pas été assassiné, aurait-il renoué avec

Geneviève ? Malheur et bonheur se poursuivaient l'un l'autre, comme les deux phrases d'un reel.

Des pas dévalèrent l'escalier. C'était jour d'école. Olivier ou William descendait au rez-de-chaussée. Geneviève s'ébroua, allongea le bras vers le réveil.

— Sept heures moins quart ! Nous allons être en retard.

— J'ai fait un rêve.

— Tu rêves tout le temps. Debout ! Tu me raconteras tantôt dans l'auto.

— Il y avait un homme avec un cigare, dans une Cadillac, sous les palmiers... ébaucha-t-il pendant qu'elle se levait.

Il tenta de se remémorer son rêve. Il ne voyait plus son père dans un camion, mais dans une automobile. Le premier samedi qui avait suivi son arrivée à Québec, il avait mis en plan son emménagement dans son appartement de la rue Dalhousie pour rouler jusqu'à Iberville. Il avait trouvé sa mère dans le nouveau condo qu'elle partageait avec Roméo, son troisième mari, un entrepreneur en construction à la retraite qui se désennuyait en fabriquant des chaloupes. Il y avait eu ce souper un peu pénible, accompagné d'un vin trop cher. Après le morceau de forêt noire acheté au supermarché, Roméo, fin renard, s'était éclipsé pour laisser la mère et le fils parler en paix.

Surprenant avait confié à sa mère le souvenir de son père le bordant dans son lit, le soir même où il avait disparu. Nicole Goyette, qui avait engraissé depuis que son médecin l'avait convaincue d'arrêter de fumer, avait eu un mouvement de recul.

— Ton père te bordait tous les soirs. Pas étonnant que tu t'en souviennes.

— Il n’est pas mort, n’est-ce pas ? Il est simplement parti.

— Pauvre André ! Qui t’a mis ça dans la tête ?

— C’est là depuis toujours.

— Ton père t’aimait, comme il aimait ton frère Jacques. S’il était vivant, il ne vous aurait jamais abandonnés.

Sa mère avait maintenu sa version officielle : son Maurice avait été tué par la pègre ou le FLQ. Surprenant avait quitté sa mère peu après, en cachant tant bien que mal sa frustration. La semaine suivante, d’un oncle paternel, il avait néanmoins obtenu cette amorce de piste : vingt ans auparavant, un ami lui avait juré avoir aperçu Maurice Surprenant à Los Angeles.

D’où les palmiers, songea Surprenant sous la douche. Qu’aurait pu faire Maurice Surprenant, livreur de bière, à Los Angeles ? Sa mère pouvait-elle avoir raison ? Se cramponnait-il à des lambeaux de réalité pour ne pas admettre la mort de son père ?

Au déjeuner, il fit face aux regards obliques des deux garçons. Sa réapparition dans la vie de leur mère ne semblait pas leur déplaire. Lui cherchait le bon angle d’approche.

Geneviève, dans un sobre tailleur gris, préparait les collations de ses fils.

— J’ai réfléchi, André. Je crois vraiment que tu devrais te faire accompagner par le procureur de la Couronne.

— Louis-Marie a demandé à me rencontrer seul.

— Louis-Marie ! Louis-Marie ! Tu en parles presque comme d’un ami.

— C’en est un, à sa façon.

— Ce gars-là a tué.

— Vraiment, maman ? s'inquiéta Olivier.

Le débat fut ajourné jusqu'au départ des garçons pour l'école. Surprenant et Geneviève prirent la direction de Havre-Aubert dans la fourgonnette familiale. Ils quittaient l'île du Cap-aux-Meules lorsque Geneviève revint à la charge.

— Pourquoi Louis-Marie Gaudet a-t-il demandé à te rencontrer une heure avant le début de son enquête préliminaire ?

— Qui sait ? Il a peut-être décidé de plaider coupable ?

— Avec la preuve insignifiante dont nous disposons, ça me surprendrait beaucoup.

Surprenant soupira comiquement. À sa gauche, la mer scintillait devant l'île d'Entrée. Déserte, semée de débris de coquillages et de bois de grève, la plage de la Martinique s'étirait vers les collines des Demoiselles. Par ce lumineux matin de septembre, il était simplement heureux d'être aux Îles avec Geneviève. Témoigner à l'enquête préliminaire de l'homme qu'il avait contribué à coffrer représentait un bonus. Malgré les tuiles qui lui étaient tombées sur la tête depuis sa baignade nocturne à la Belle-Anse, il gardait le sentiment du devoir accompli.

Quand il s'était retrouvé sonné au pied des falaises de la Belle-Anse, il avait cru que l'affaire était élucidée. La fuite éperdue de Louis-Marie, sa tentative de suicide, constituaient à ses yeux un aveu. Dès son arrestation, le Madelinot, contre toute attente, avait nié en bloc. S'il avait fui la police, c'était parce qu'il avait éprouvé un choc émotif : il avait été *faussement* accusé, au moment où sa mère se mourait, d'avoir tué Romain Leblanc, son ami et complice de toujours. Pis encore,

Surprenant avait fait usage de violence et d'intimidation, de telle sorte qu'il avait fui le bureau d'Euclide Déraspe pour sauver sa peau. Conduit au poste, il avait refusé de parler et avait exigé la présence d'un avocat.

Dépelteau et Ferlatte avaient accueilli l'arrestation de Gaudet avec une profonde irritation. Dépelteau, sous le coup de l'émotion, avait écrit le soir même un rapport où il se distançait de son sergent-détective. Il y avait déploré ce qu'il avait appelé les « méthodes brouillonnes » de Surprenant, ses « cachotteries continuelles » envers ses supérieurs, « l'embuscade improvisée » au Lasso, la « poursuite rocambolesque » qui avait mis en péril la vie de deux de ses hommes, sans compter celle du suspect. Ferlatte, humilié de s'être fait damer le pion, avait immédiatement flairé et attaqué le point faible de la position de Surprenant : il ne disposait pas de preuves pour étayer une accusation de meurtre prémédité devant un tribunal.

— J'en trouverai, avait assuré Surprenant. Les preuves sont quelque part, fatalement.

Le lendemain de l'arrestation, au cours d'une réunion houleuse à laquelle avait participé, par vidéoconférence, le procureur de la Couronne, Surprenant avait obtenu qu'on fît comparaître Gaudet sous des accusations d'entrave au travail des agents de la paix. Dans le cadre de l'enquête en cours, il s'était surtout assuré que la Couronne s'objectât à la remise en liberté du contrevenant.

Le juge avait accepté. Après cette victoire à l'arraché, Surprenant avait compris qu'il marchait sur des œufs : aucun indice matériel ni témoin oculaire ne liait Gaudet à la scène de crime.

Il avait aussi obtenu un mandat pour perquisitionner à la propriété de la Belle-Anse. L'opération s'était avérée délicate : Berthe Lapierre, malgré son état de santé, refusait de quitter les lieux. La perquisition n'avait pas donné grand-chose. Louis-Marie Gaudet semblait n'avoir que trois centres d'intérêt : la musique, la lecture et le ski de fond. À part les objets appartenant à Berthe Lapierre ou à son défunt Benoît, à part les instruments, les partitions, les disques, les bouquins, l'équipement de randonneur du guitariste, la maison jaune ne recelait aucun indice, aucun élément probant.

Gaudet possédait aussi un vélo qui, malheureusement, avait fait l'objet d'un nettoyage récent. Pas d'empreintes, pas de terre, pas de fibres : la bicyclette semblait sortir d'un lave-auto. Les pneus étaient d'un modèle courant et ne concordaient pas avec les traces près de l'entrée du sentier qui reliait le chemin Huet à la maison de Louis-Marie. Le nettoyage était suspect, mais ne constituait pas une preuve.

Berthe Lapierre, le mardi 27 août, soit l'avant-veille de sa mort, avait signé une déposition dans laquelle elle jurait que son fils n'avait pas quitté leur maison de la Belle-Anse pendant la nuit du samedi 24 au dimanche 25. Comment pouvait-elle en être sûre ? Elle avait mal dormi, tourmentée par la douleur. Louis-Marie avait ronflé toute la nuit. Plus précisément, à trois heures cinquante, elle l'avait distinctement entendu quand elle avait consulté son réveil. Or, Romain Leblanc avait, selon deux témoignages, été assassiné à quatre heures.

Cet alibi fourni par la mère du suspect valait ce qu'il valait. Pourtant le témoignage d'un mort, par son caractère définitif, avait à bien des égards plus de poids que celui d'un vivant. Berthe Lapierre jouissait d'un capital de sympathie important auprès de la population. De plus, les musiciens qui avaient fait des tournées avec Louis-Marie étaient unanimes : celui-ci ronflait « à débâtir une grange ».

Pour contrer l'alibi de Gaudet, Surprenant avait émis l'hypothèse d'un enregistrement. Gaudet disposait de matériel audio sophistiqué. Alexis Tremblay avait consacré de longues heures à explorer les bobines, cassettes et CD du musicien, sans rien trouver qui ressemblât, de près ou de loin, à un ronflement.

Louis-Marie Gaudet possédait une fourgonnette Ford Aerostar, dont il se servait notamment pour transporter son matériel de son. Ralph avait passé le véhicule au peigne fin et récolté un indice potentiel : un des panneaux de la porte arrière de l'Aerostar portait des traces de peinture qui semblaient concorder avec la bicyclette de la coloc d'Esther McKenzie. Des analyses délicates seraient nécessaires pour constituer un élément de preuve fragile, qui pourrait faire l'objet d'une contre-expertise.

Le téléphone portable de Romain Leblanc et l'exemplaire du scénario de *Suspicion* n'avaient toujours pas été retrouvés, non plus que les souliers New Balance. La boîte à cigares ne portait pas que les empreintes du violoneux. On visita le bureau et la maison d'Euclide Déraspe, sans résultat. Surprenant, impassible, ne s'était pas laissé décourager. Gaudet était un homme rusé et prudent. Il avait porté des gants pendant toute l'exécution de son crime. Par la suite, il avait eu amplement le temps de se débarrasser de tout matériel incriminant. Néanmoins, il avait dû fauter quelque part. Il s'agissait de chercher et de trouver.

On avait repris le trajet hypothétique qu'aurait emprunté Gaudet en sortant de la maison de Romain, le sentier, le chemin Huet, le chemin des Caps, puis le chemin de la Belle-Anse. On avait examiné les poubelles, les cabanons, les terrains vagues à la recherche d'une planque possible.

Rien.

Louis-Marie Gaudet, toujours détenu, se taisait. Il avait retenu les services d'Emmanuel Lebreux, qui réclamait à grands cris sa libération ou, tout au moins, la tenue d'une enquête préliminaire. De son côté, Marjolaine Vigneau vivait en recluse. Les relevés de téléphone montraient que Louis-Marie et elle, depuis le printemps, avaient discuté plusieurs fois par semaine. Selon elle, c'était le simple signe d'une longue amitié. Oui, elle avait fréquenté brièvement Louis-Marie avant d'être conquise par Romain. Pour elle, cette histoire était morte et enterrée depuis son adolescence. Elle ne pouvait même imaginer que Louis-Marie ait entretenu des fantasmes amoureux à son égard.

Pendant que Surprenant, ébranlé, commençait à se demander si le guitariste n'avait pas réussi à commettre un crime parfait, Ferlatte poursuivait de son côté ses investigations. La piste du ministre Guérette semblait mener à un cul-de-sac. Confronté au sujet de son escapade nocturne, le ministre avait finalement adopté le témoignage suivant: il avait quitté sa maison à trois heures quarante-cinq. Furieux contre Leblanc à la suite de l'altercation qu'ils avaient eue la nuit même, il s'est rendu chez son voisin dans l'intention de régler leur différend. Il avait frappé à la porte avant, sans obtenir de réponse. La maison était silencieuse. Les lumières étaient éteintes. Guérette avait déduit que Leblanc était monté se coucher ou qu'il refusait de lui répondre. Il était retourné chez lui et avait effectivement fumé deux cigarettes derrière sa remise. C'est à cet endroit qu'il avait entendu, vers quatre heures, une détonation en provenance de la maison de Romain. Effrayé par les implications possibles de son absence, il était rentré en vitesse par la porte arrière, sans rien dire à personne.

Ce témoignage concordait avec les dépositions recueillies à Montréal auprès de Pierre Bhérer et de Mélodie Filiatrault, de même qu'avec le témoignage du pianiste François Nadeau. Sans personne pour le contredire, sans preuve matérielle de sa présence dans la maison de Leblanc, sans mobile suffisant de la part d'un homme qui avait tant à perdre, il était difficile d'envisager de porter des accusations contre le ministre du Patrimoine.

— Tu es dans un *dead end*, Surprenant, avait répété Ferlatte. Louis-Marie a un alibi et tu n'as que des preuves circonstancielles. De son côté, Esther McKenzie...

Les preuves matérielles pointant dans sa direction, l'accordéoniste faisait toujours l'objet d'un siège de la part de l'émissaire du BEC de Rimouski. Les empreintes sur l'arme, l'absence d'alibi, la bicyclette volée, l'argent retrouvé chemin Patton, continuaient à faire peser sur elle les soupçons, et ce, d'autant plus que la population des Îles, spontanément, avait pris le parti de Louis-Marie contre celui de la jeune femme.

Gaudet était un homme aimé et respecté. Il avait toujours veillé sur sa mère malade. Il s'acquittait de son travail d'ambulancier avec compétence, bonne humeur et compassion. Il donnait des cours de guitare aux jeunes. Comment imaginer que le fidèle ami de Romain Leblanc, le parrain de son fils, ait froidement assassiné son complice de toujours ? Poser la question, c'était y répondre. Des musiciens pouvaient se jalouser, cela s'était déjà vu. Mais de là à tuer un frère artiste, le plus grand violoneux qu'aient engendré les Îles ? Il y avait là un crime contre nature, une impossibilité qu'un célèbre palabreur de Havre-aux-Maisons avait qualifiée de « monstyuosité physique, philosophique et métaphysique que seul un seygent d'en-dehoys oseyait gayyocher à la face de l'univeys ».

En filigrane, l'opinion des insulaires constituait les deux faces d'une même médaille. Les Madelinots vivaient en paix entre eux depuis des siècles. Le mal, aux Îles, venait de l'extérieur.

Le jeudi 29 août, jour de la mort de Berthe Lapierre et de l'exposition de la dépouille de Romain Leblanc, les relations entre les policiers et les Madelinots étaient devenues carrément tendues. Louis-Marie était toujours écroué à la prison de Havre-Aubert. La situation ne pouvait durer. Il fallait porter des accusations ou le libérer. Ce fut ce jour-là que Surprenant, révisant méthodiquement le fil présumé des événements, avait pensé aux gants. Louis-Marie avait dû en porter, ne serait-ce que pour ne pas laisser d'empreintes sur la carabine. Le meurtre, vraisemblablement, avait été élaboré vingt-quatre heures avant son exécution, ce qui ne lui avait pas laissé beaucoup de temps pour se préparer. Il avait dû enfiler des gants fins, souples, et non de gros gants de cuir. Il n'avait certainement pas pris le risque d'aller acheter des gants en plein mois d'août. Qu'avait-il utilisé ? Surprenant avait soudain pensé au bout de tissu synthétique gris que Ralph avait recueilli sur un clou à l'entrée du sous-sol, près du crochet que Gaudet devait avoir manipulé. Les gants avaient disparu, évidemment. S'il pouvait faire un lien entre ce bout de tissu synthétique et Louis-Marie, il tiendrait peut-être quelque chose.

Un éclair l'avait alors traversé : le sac d'accessoires de ski de fond dans la cave de la maison jaune ! Des gants de ski de fond, minces, légers, en matériel synthétique ! Il avait réquisitionné un Ralph sceptique et était retourné à la Belle-Anse. Une surprise les attendait. Le sac d'accessoires contenait des bottes, du matériel de fartage, une tuque, un bandeau, une ceinture, mais aucune paire de gants. Ralph avait examiné à la loupe tous les éléments, avant de pousser un « *There !* » encourageant. Sur une des bandes velcro de la ceinture, il avait trouvé quelques fibres grises. Une vérification sommaire révéla que les fibres étaient semblables à celles dont était composé l'échantillon prélevé sur le lieu du crime. Les fibres synthétiques possédaient des caractéristiques précises, les laboratoires de Montréal pourraient probablement trancher.

Y avait-il là matière suffisante pour porter des accusations ? Le procureur de la Couronne, harcelé par Surprenant, se rendit après bien des réticences et accepta de faire comparaître Gaudet sous un chef de meurtre prémédité. La scène de crime ayant été contaminée moins de vingt-quatre heures après les faits, il fallait presque espérer la découverte de nouveaux éléments de preuve pour ne pas se faire tailler en pièces par la défense.

Dans ce contexte, pourquoi Louis-Marie Gaudet avait-il demandé à rencontrer l'homme qui l'avait traqué et mis sous les verrous ?

Le palais de justice de Havre-Aubert était un bâtiment de deux étages, bâti de briques blondes, qui détonnait au milieu des maisons ancestrales de l'ancien chef-lieu de l'archipel. Plus d'une heure avant le début de l'audience, une centaine de curieux faisaient la queue pour assister à l'événement. Des files de véhicules s'alignaient de chaque côté de la croix que formaient les chemins d'En-Haut et d'En-Bas. Les journalistes locaux étaient à pied d'œuvre. En face, l'aubergiste faisait des affaires d'or. Plus bas, la Grave avait retrouvé son affairement de la haute saison.

— À peine huit heures et tout est déjà bouché, observa nerveusement Geneviève. Nous aurions dû partir plus tôt.

— Marchessault a prévu le coup. Le shérif nous a réservé une place dans le stationnement.

Surprenant avait dit vrai : un espace les attendait près de la porte d'entrée. Sous les regards hostiles des Madelinots et quelques quolibets, les policiers parcoururent calmement la courte distance qui les séparait du palais de justice. Ils furent accueillis par le shérif lui-même, un homme corpulent et jovial qui savourait pleinement cette journée fertile en événements.

— Louis-Marie vous attend, annonça-t-il.

— Comment va-t-il ? s'informa Surprenant.

Le shérif se gratta le crâne.

— Comment vous dire, sergent ? Il est d'un calme suspect. D'après mon expérience, il mijote quelque chose.

— Lebreux est là ?

— Louis-Marie l'a convoqué pour huit heures trente.

— Il reçoit de la visite ? demanda Geneviève.

— Léontine à Euclide Déraspe est venue il y a trois jours. Elle voulait peut-être lui raconter les funérailles de sa mère. J'avais offert à Louis-Marie d'aller la voir au salon, après la fermeture. Il a préféré rester ici, seul comme un rat. Il s'est occupé de sa mère toute sa vie, j'imagine que c'était assez.

— Allons-y, fit Surprenant.

Le sous-sol abritait cinq petites cellules et un bureau. Personne n'y purgeait de longues peines. En fait, le lieu servait surtout à ramasser les coupables d'ivresse au volant, lesquels coulaient des week-ends tranquilles à jouer aux cartes, à déguster la cuisine de la geôlière et à écouter le grondement lointain des vagues sur le cap à Marie-Anna.

Précédés du shérif, Surprenant et Geneviève descendaient l'escalier lorsque des accords de guitare leur vinrent aux oreilles.

— Il a ses instruments ? s'étonna Geneviève.

— On n'est pas des sauvages. Il joue à la journée longue. On dirait que ça le tient en vie. Ce n'est pas que je ne vous fais pas confiance, sergent, mais je vais me tenir pas trop loin.

Le shérif inséra une clef dans la porte. La guitare se tut. Surprenant entra.

63

Prisons

Assis sur son lit, Louis-Marie déchiffrait une partition posée sur un lutrin. Il leva vers Surprenant un visage vif et détendu. Sans dire un mot, il désigna de la main une chaise droite à trois pas de lui. Une barbe de plusieurs jours, plus foncée que ses cheveux, adoucissait les angles de sa mâchoire.

Surprenant s'assit. La cellule était spartiate : un lit, une chaise, un espace où écrire, une toilette et une petite fenêtre qui donnait sur le stationnement extérieur. Coudes appuyés sur sa guitare, Louis-Marie l'observait d'un air équivoque. Était-ce de l'ironie ? Était-ce de la résignation ? Surprenant eut le sentiment que le musicien l'examinait avec bienveillance.

— Vous avez demandé à me voir, commença Surprenant pour dissiper son malaise.

— Évidemment, vous voulez aller au cœur du sujet. Vous n'avez pas beaucoup de temps.

— Vous non plus. Votre procès s'ouvre dans quelques minutes.

— Le temps, vous savez, c'est relatif.

Souriant, Gaudet plaça ses doigts sur le manche de sa guitare et égrena machinalement un accord.

— Majeur septième, reconnut Surprenant.

Gaudet posa sur lui un regard appréciateur.

— Maman m'a dit que vous jouez du piano. Ça a été mon malheur: tomber sur un sergent qui connaît la musique. Mais venons-en aux faits. Vous savez pourquoi je vous ai convoqué ici?

— Vous allez peut-être me le dire.

— Je me rends.

Autre accord, cette fois si complexe que Surprenant ne put l'identifier.

— Bon, si on en venait à la raison pour laquelle vous avez demandé à me voir?

— Vous ne comprenez pas. Je dépose les armes. Je passe aux aveux. Tout à l'heure, j'annoncerai à Lebreux que je plaiderai coupable.

Surprenant, immobile, sentait pourtant que son cœur battait à plus de cent à la minute.

— Pourquoi?

— Je n'ai plus de temps à perdre.

— Meurtre au premier degré, vous pouvez prendre douze ou quinze ans.

— Je sais tout ça. Vous pensez sans doute que je suis fou. Je ne connais pas l'état de votre preuve, mais je crois qu'elle n'est peut-être pas solide.

Surprenant, prudemment, se tut. Gaudet lui jouait-il la comédie dans le but de l'amener à dévoiler son jeu? Le guitariste parut lire dans ses pensées.

— Vous vous méfiez ! C'est normal, dans votre métier. Tenez !

Gaudet allongea le bras et tira quelques feuilles de papier quadrillé, pliées en trois, de sous son oreiller.

— Excusez le papier, on n'est pas au Hilton. Vous trouverez là-dedans mes aveux, signés de ma main. Je répondrai à toutes vos questions, quand vous voudrez. Ce n'est pas compliqué : les choses se sont passées exactement comme vous l'avez dit dans le bureau d'Euclide. J'ai tué Romain. Qu'on me condamne et qu'on en finisse !

Surprenant prit le document, parcourut quelques lignes et reconnut l'écriture sinueuse qu'il avait vue une première fois sur la partition trouvée dans le salon de Romain Leblanc, le matin du meurtre. Il replia les feuilles et les glissa dans sa poche.

— Pourquoi ? redemanda-t-il avec une colère contenue.

Gaudet, les yeux embués, sembla chercher ses mots, puis, d'un geste vague, désigna les murs qui les entouraient.

— Des prisons, il y en a de toutes les sortes. Vivre entre des murs ou vivre dans le remords, à un moment donné, c'est du pareil au même. J'ai toujours vécu dans le mensonge. Sous une fausse identité, comme vous l'avez compris. J'aurais pu me battre, mentir, multiplier les procédures, espérer que vous ne trouviez pas suffisamment de preuves pour me coincer. Qui sait ? J'aurais peut-être gagné mon procès et retrouvé ma liberté. Mais dites-moi : en dehors de ces murs, j'aurais trouvé quoi ?

— La vie quotidienne. La vie ordinaire. Vous auriez été blanchi par la justice. Bien des gens se contentent de ça.

Louis-Marie Gaudet secoua la tête, comme s'il avait affaire à un élève peu doué. Il déposa sa guitare, se leva et, saisissant Surprenant par le bras, l'entraîna jusqu'à la fenêtre. À quelques mètres d'eux, les Madelinots attendaient l'ouverture des portes du palais de justice.

— Qu'est-ce que je fais avec eux, sergent Surprenant ? C'est ma famille. C'est mon monde. Comment je fais pour mentir en cour, obtenir ma liberté et recommencer ma vie comme si de rien n'était ? Hier, ça m'est apparu très clairement. Ma seule chance de vivre en paix, c'est de reconnaître publiquement que j'ai tué Romain. Je vais purger ma peine pour recommencer ma vie à zéro, sur de nouvelles bases. Je serai *en dedans*, comme vous dites, mais je me sentirai en paix avec moi-même, en paix avec les gens.

Surprenant, ému, éprouva le besoin de retrouver sa chaise. Cette fois, ce fut lui qui invita le Madelinot à s'asseoir en face de lui. Gaudet s'exécuta. Surprenant consulta sa montre. Il leur restait moins de quinze minutes.

— Tantôt, je ne vous demandais pas pourquoi vous voulez plaider coupable. Je voulais savoir pourquoi vous avez tué Romain.

Gaudet sourit tristement, passa sa main fine dans sa barbe naissante.

— J'ai appris jeune à vivre dans l'ombre, au service des autres. Mais dans l'ombre, il fait froid. Ma mère allait mourir. Romain avait quitté Marjolaine. J'ai cru que je pourrais vivre au soleil, avec elle. Romain, en parfait égoïste, l'a senti. Il a voulu la reprendre. C'en était trop. J'ai décidé que j'en avais assez fait pour Romain Leblanc.

Les derniers mots furent prononcés avec la force d'une sentence. Il y eut un silence, pendant lequel Surprenant pensa qu'il n'était pire violence que celle qui sortait, trop tard, d'un être doux.

Louis-Marie Gaudet, vaincu par les souvenirs de son crime ou par l'effort que lui avaient coûté ses aveux, se massait le front, yeux fermés.

— Pourquoi moi ? demanda Surprenant.

— Vous aimez la musique. Et puis, nos histoires se ressemblent un peu, vous ne trouvez pas ?

* * *

Le plaidoyer de culpabilité de Louis-Marie Gaudet provoqua une immense onde de choc chez les Madelinots. Le jour coïncidant avec le premier anniversaire de l'attentat du World Trade Center, un animateur de la radio communautaire résuma la portée de l'événement en disant que, ce jour-là, les tours jumelles de la musique madelinienne s'étaient effondrées.

Un matin de janvier 2003, Louis-Marie Gaudet fut condamné à quinze ans de prison, avec possibilité d'appeler de sa sentence après dix.

La musique de Romain Leblanc ne s'était jamais si bien vendue, à ce détail près que les compilations et rééditions étaient désormais commercialisées sous la double signature « Romain Leblanc et Louis-Marie Gaudet ». Certains disaient que Marjolaine Vigneau, dépositaire des droits de son mari, avait personnellement appuyé l'initiative. Vivant toujours dans sa maison du chemin des Marais, la veuve menait une existence retirée. Les conjectures allaient bon train. Selon sa mère, Rénégonde, Marjolaine n'avait pas échangé un mot avec Louis-Marie depuis le soir où elle avait voulu lui « fyacasser le cyâne » dans le bureau d'Euclide Déraspe. Selon d'autres sources, ils se parlaient au téléphone toutes les semaines.

Qui croire ? L'histoire des frères ennemis, dont la genèse remontait à la disparition de Benoît Gaudet, en 1957, faisait l'objet d'un travail de restauration collective. On se souvenait d'un fait, puis d'un autre, on appelait un tel, on jasait avec un autre, on faisait des liens et on arrivait à la conclusion que, au fond, l'histoire qu'André Surprenant avait su découvrir était connue de tout le monde.

Chacun était solidaire, chacun était complice, si bien qu'il apparut que Louis-Marie Gaudet avait fait le bon choix en avouant : il n'était plus tout à fait seul dans sa cellule à Montréal.

Esther McKenzie, partiellement réhabilitée, prit le traversier avec Mélanie Hébert à la fin de septembre. Elle pleura en voyant s'éloigner Cap-aux-Meules du pont du *Voyageur*. Elle avait adoré vivre aux Îles, mais savait que son nom y serait toujours associé à un événement malheureux.

Olivier Ferlatte accepta la victoire de Surprenant en affectant de prendre ce qu'il appela *the high road*. Il se montra beau joueur en public, ce qui ne l'empêcha pas de produire un rapport où il mit en doute l'éthique et les méthodes de son collègue. Ses critiques faisant écho à celles de Dépelteau, Surprenant fut réprimandé par les instances de la Sûreté.

Surprenant jugea que la réprimande était de trop. L'occasion était rêvée : il demanda et obtint un congé sans solde de six mois.

Tel que l'avait annoncé leur femme de chambre, les

Cholette-Guérette et Martin Larrivée quittèrent les Îles en avion privé le lendemain de l'arrestation de Louis-Marie. Personne n'eut de nouvelles de ces personnages, si ce n'était par les bulletins d'information et les journaux artistiques. Personne ne s'en plaignit.

Dans son atelier du chemin Huet, Pierre Soulier fabriqua l'anneau commandé par Romain l'avant-veille de sa mort. En novembre, après avoir avalé deux verres de cognac, il trouva le courage d'aller le remettre à sa veuve.

Chemin des Arsène et chemin de la Belle-Anse, les maisons de Maurice Leblanc et de Benoît Gaudet, tous feux éteints, hibernaient dans l'attente de nouveaux propriétaires. Les hypothèses à ce sujet ne manquaient pas. Que ferait Marjolaine de ces deux propriétés, surtout de celle de Romain ? À part un touriste, personne ne voudrait acheter une maison où avait été commis un meurtre. Quant à la demeure familiale des Gaudet, certains avançaient que la veuve, bien en avant de sa bouée depuis son héritage, la conserverait pour la remettre à Louis-Marie, comme de juste, quand il sortirait de prison.

Louis-Marie avait reçu sa sentence, les Îles avaient pris leurs quartiers d'hiver, qu'on se questionnait toujours sur ce qu'était devenu le magot du vieux Maurice. Marjolaine avait eu les terres de son beau-père, la prime d'assurance de Romain, mais où était l'argent que le vieux Margot avait arraché à tout un chacun ?

Eudore Leblanc avait pris le traversier au début de novembre, relax dans son pick-up qui était dans un si piètre état qu'on lui avait prédit qu'il tomberait en panne avant Moncton. Sa cousine Monique, semblait-il, venait de recevoir une carte postale du Mexique.

Pendant ce temps, dans une chambre, dans une cave quelque part aux Îles, un garçon ou une fille pose ses doigts sur un étroit manche d'ébène et rêve d'égaler le dompteur de violon, le toréador de Sur-les-Caps, le grand, l'unique Romain Leblanc.

Parus à la courte échelle en format de poche

Chrystine Brouillet
Le Collectionneur
C'est pour mieux t'aimer, mon enfant
Les fiancées de l'enfer
Soins intensifs
Indésirables
Sans pardon

Marie-Danielle Croteau
Le grand détour

Jean Lemieux
La lune rouge
La marche du Fou
On finit toujours par payer

André Marois
Accidents de parcours

Judith Messier
Dernier souffle à Boston

Sylvain Meunier
L'homme qui détestait le golf

Trilogie Lovelie D'Haïti
Lovelie D'Haïti, tome 1
Le temps des déchirures, tome 2
La saison des trahisons, tome 3

Stanley Péan
La nuit démasque
Le cabinet du Docteur K
Zombi Blues
Le tumulte de mon sang

Maryse Pelletier
La duchesse des Bois-Francs

Raymond Plante
Projections privées
Le nomade
Novembre, la nuit